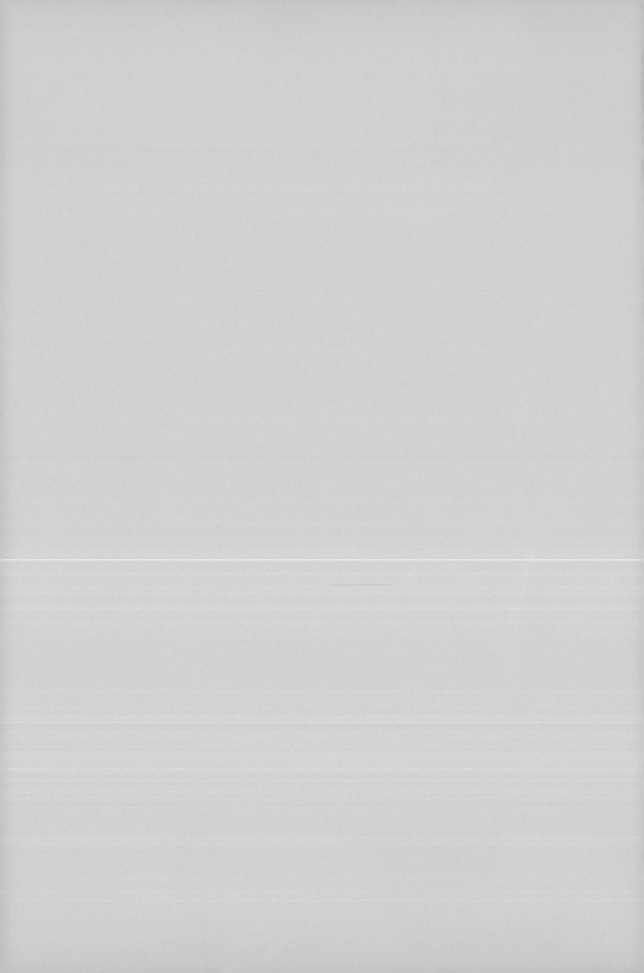

읽으면 이해되는 영문법

읽으면 이해되는 영문법

발 행 | 2022년 12월 14일
저 자 | 이선희
펴낸이 | 한건희
펴낸곳 | 주식회사 부크크
출판사등록 | 2014.07.15.(제2014-16호)
주 소 | 서울특별시 금천구 가산디지털1로 119 SK트윈타워 A동 305호
전 화 | 1670-8316
이메일 | info@bookk.co.kr

ISBN | 979-11-410-0569-6

www.bookk.co.kr

읽으면 이해되는 영문법

이선희 지음

CONTENTS

머리말

저는 학원에서 고등학생을 대상으로 영어를 가르치고 있는 대한민국의 평범한 영어 강사입니다. 누군가에게 무언가를 가르치기 위해서는 어느 정도의 실력을 갖추고 있어야 할 것입니다. 그래서 십 년 넘게 학생들에게 영어를 가르치면서 부끄러운 생각이 들지 않도록 꾸준히 영어 공부를 해왔습니다. 현재 제가 강의하고 있는 고등부 입시 영어를 계속 연구해 오고 있고, 원어민들이 실제 사용하는 영어에도 관심이 많아 오랜 기간 영어 회화와 영어 원서 읽기도 꾸준히 해 왔습니다. 그 과정은 쉽지 않았습니다. 그리고 제가 스스로 만족할 만한 경지의 영어 실력을 갖추기 위해서 가야 할 길이 멀다고 생각합니다.

지금까지 꾸준히 영어 공부를 해 온 또 다른 이유는 제가 중, 고등학교 시절에 영어를 매우 어렵게 생각했기 때문에 항상 영어 공부에 대한 갈증이 있었기 때문입니다. 영어를 하기 위해서는 일단 영어에 대한 기본적인 틀이 있어야 했는데, 쉬운 영문법조차 제대로 알지 못했고 영어 공부법을 모르니 마냥 어려운 과목으로만 인식했습니다. 영어는 문자 그대로 하나의 학문이기에 앞서 언어입니다. 영어를 모국어나 제 2 외국어로 쓰는 사람들의 언어이며, 하나의 문화입니다. 어릴 적 영어를 학교에서 배우는 과목으로만 접했기 때문에 영어에 대해 흥미를 느끼고 체계적으로 이해할 때까지 너무나 많은 시간을 허비하고 헤맸던 것 같습니다. 영문법을 공부하는 분들이 저처럼 너무 먼 길로 돌아가지 않았으면 하는 바람으로 이 책을 썼습니다.

영문법을 알고 싶어 하는 이들의 눈높이에 맞춰 영어에 대한 답답함이 해소될 수 있도록 자세하게 설명했으며, 그동안 제가 영어를 연구하고 가르치면서 터득하게 된 영어 문장 구조를 쉽고 효율적으로 이해하는 방법을 이 책에 담았습니다.

이 책이 영어를 간절히 잘 하고 싶어 하는 이들에게 조금이나마 도움이 되길 바랍니다. 완독 후 영어에 대한 자신감이 생길 것입니다. 감사합니다.

2022 년 12 월

저자 이선희

ABOUT THIS BOOK

지금까지 많은 영문법 책들을 접하면서 배울 점이 매우 많았지만, 전체적인 구성에 있어서 제 머릿속에 그려왔던 목차의 순서로 이루어진 책이 있다면 영문법을 효율적으로 접근할 수 있을 것이라 생각해 용기 내어 제가 직접 영문법 책을 편찬하기로 결심했습니다. 영문법 책 한 권의 구성이 하나의 이야기처럼 처음부터 끝까지 유기적인 영문법 책은 왜 없을까 하는 생각이 이 책을 쓰게 된 원동력이었던 것 같습니다. 영문법 책의 차례가 시작부터 끝까지 논리적인 연결성에 기반해 설명되어 있다면 영어 문장 구조에 대한 이해가 훨씬 수월할 것이라 판단했습니다.

이 책의 목차를 살펴보면 첫 부분에 명사, 형용사, 동사, 부사에 대한 설명이 있습니다. 문장을 이해하기 전에 한 문장을 구성하는 요소들을 살펴볼 수 있습니다. 첫 부분의 동사 파트에 문장의 형식이 포함되어 있는데 그 부분을 잘 숙지하시면 영어 문장의 어순을 이해하는데 많은 도움이 될 것입니다. 두 번째 부분은 접속사를 학습하면서 단문에서 확장된 복문, 중문에 대해 이해하도록 구성되어 있습니다. 영어의 복문이 우리말의 문장 구조와 어떻게 다른지 인지할 수 있도록 설명되어 있습니다. 그다음은 효율적인 문장 구조인 분사 구문과 관계대명사가 다루어져 있습니다. 마지막 부분은 꼭 알아야 할 특수 구문들이 설명되어 있습니다. 단문과 복문의 문장 구조를 이해하게 되면 영어 문장에 대한 이해도가 높아질 것입니다.

영문법에 대한 기초가 부족하신 분들은 처음부터 끝까지 최소 5 회독을 하시면 도움이 될 것입니다. 영문법에 대해 기본기가 있으신 분들은 앞부분은 문제를 풀면서 틀린 문제에 대한 설명을 찾아 부족한 부분을 보충하시고, II. 복문의 이해 부분부터는 설명을 자세히 읽으며 반복해서 학습하시길 추천드립니다.

자신이 성취하고자 하는 모든 것에는 시간과 노력이 듭니다. There is no such thing as a free lunch. 한 단계씩 조금씩 꾸준히 하면 무엇이든 해낼 수 있습니다. 절대 포기하지 마세요! 원하는 목표를 향해서 꾸준히 나아가세요!

≪ 영문법을 이해하기 위해 꼭 알아두어야 하는 개념들 ≫

1. 품사

- 명사 (Noun): 사물이나 사람의 이름 또는 추상적인 개념 등을 나타내는 낱말. 주어, 목적어, 보어 역할을 합니다.
    ex) a book, bricks, love, people, Korea

  ▫ 명사 상당어구 - 명사구(to 부정사, 동명사)와 명사절(that절, 간접의문문 등)이 있음. 명사 역할
      ex) to play the piano, playing soccer, what I know, where you are

- 대명사 (Pronoun): 명사를 대신 나타내는 말이나, 명사를 지칭하는 품사. 대명사의 종류에는 지시대명사, 인칭대명사, 부정대명사 등이 있습니다.
    ex) this, those, her, others, ones

- 동사 (Verb): 움직임이나 상태를 나타내며 '~다.'로 끝나는 품사
    ex) do, like, get, put, take

- 형용사 (Adjective): 명사를 수식하는 역할. 종류에는 형용사와 분사가 있습니다.
    ex) beautiful, good, bad, interesting, bored

- 부사 (Adverb): 명사를 제외하고 동사, 형용사, 부사, 문장 전체 등을 꾸며주는 역할을 하는 품사
    ex) kindly, happily, fast, just, maybe

- 전치사 (Preposition): 우리말의 조사와 비슷하며, 명사 앞에 위치해 전치사구를 이루며 시간, 장소, 위치 등의 의미를 더해줍니다.
    ex) at, on, in, over, before

  ▫ 전치사 + 명사(구) = 형용사구 or 부사구   ex) at school, of importance, with care

- 접속사 (Conjunction): 단어와 단어, 구와 구, 절과 절을 연결해 주는 단어
    ex) and, but, although, while, before

- 감탄사 (Interjection): 화자의 감정을 간단히 나타내는 말
    ex) Wow, Oops, Ouch, Hurray

2. 구와 절

- 구 (Phrase): 두 개 이상의 단어가 하나의 의미 단위를 이루는 것. 단, 주어와 동사가 포함된 의미 덩어리는 제외. 명사, 형용사, 부사 역할을 합니다.

- 절 (Clause): 주어, 동사가 포함되어 있는 두 개 이상의 단어가 하나의 품사 역할을 하는 것. 등위절과 종속절이 있으며, 종속절에는 명사절, 형용사절, 부사절이 있습니다.

3. 문장의 구성 요소

- 주어 (Subject): 문장에서 서술어가 나타내는 행위나 상태의 주체입니다. '은, 는, 이, 가'로 해석되며, 주어 자리에는 명사가 옵니다.

- 동사 (Verb): 주체의 동작이나 상태를 나타내는 서술어입니다.

- 보어 (Complement): 동사만으로 뜻이 불충한 경우에 그 뜻의 모자람을 보충하는 역할. 주어 또는 목적어를 부연 설명해 줍니다. 주격 보어와 목적격 보어가 있으며, 주격 보어 자리에는 명사, 형용사가 오며, 목적격 보어 자리에는 명사, 형용사, 동사가 올 수 있습니다.

- 목적어 (Object): '을, 를, 에게'로 해석되며, 동사가 나타내는 행위의 대상이 되는 문장 요소입니다. 간접 목적어와 직접 목적어가 있으며, 목적어 자리에는 명사가 옵니다.

- 수식어 (Modifier): 주어, 동사, 목적어, 보어를 수식하는 형용사(구)나 부사(구)를 뜻합니다. 의미를 제한하거나, 의미를 추가하여 부연 설명을 위해 사용됩니다. 문장 형식의 구성 요소에 포함되지 않습니다.

4. 동사의 종류: 'be 동사, 조동사, 일반동사' 세 가지로 분류될 수 있습니다.

- be 동사: 동사원형 - be, 현재 - am/are/is, 과거 - was/were, 과거분사 - been

주어	현재	과거	미래	완료
I	am	was		
단수	is	was	will be	have been
복수, You	are	were		

- 조동사: 본동사 앞에 붙어 동사의 뜻을 더해주는 보조 역할. 조동사의 종류에는 will, can, may, should, must, need 등이 있습니다. 조동사 다음에는 동사 원형이 옵니다.

- 일반동사: be동사와 조동사를 제외한 나머지 동사들. 현재형일 때 주어가 3인칭 단수이면 동사원형에 s/es를 붙입니다. 부정문과 의문문을 만들 때 do(do/does/did)의 도움을 받습니다.

5. 문장의 종류 Types of Sentences

- 평서문 Declarative sentence

가장 흔히 쓰이는 문장으로 사실을 있는 그대로 설명하는 문장입니다. 마침표로 끝납니다.

Seoul is a beautiful city.

They play baseball every weekend.

- 의문문 Interrogative sentence

물어볼 때 사용하는 질문 형식의 문장으로, 물음표로 끝납니다.

Do you like to watch TV or listen to music?

What is your favorite food?

- 명령문 Imperative sentence

명령, 지시 또는 요청을 표현하는 문장입니다. 명령문은 동사로 문장이 시작되는데 주어 You가 생략되었기 때문입니다.

Read the guide book, please.   Don't waste your time.

- 감탄문 Exclamatory sentence

기쁨, 슬픔, 놀람, 희망 등 강한 감정을 나타낼 때 쓰는 문장입니다. 느낌표로 끝납니다. What이나 How를 사용하여 감탄문을 만들기도 합니다.

Wow! They won the game!   How adorable the baby is!

영문법 개요

1. 명사와 형용사

① 명사의 종류

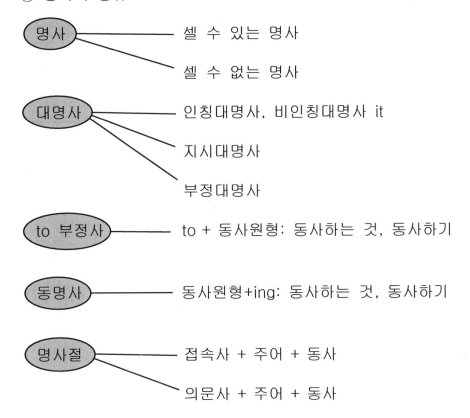

- 명사 ── 셀 수 있는 명사
  ── 셀 수 없는 명사
- 대명사 ── 인칭대명사, 비인칭대명사 it
  ── 지시대명사
  ── 부정대명사
- to 부정사 ── to + 동사원형: 동사하는 것, 동사하기
- 동명사 ── 동사원형+ing: 동사하는 것, 동사하기
- 명사절 ── 접속사 + 주어 + 동사
  ── 의문사 + 주어 + 동사

② 형용사의 종류

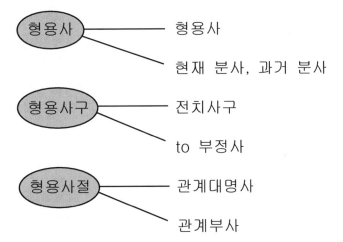

- 형용사 ── 형용사
  ── 현재 분사, 과거 분사
- 형용사구 ── 전치사구
  ── to 부정사
- 형용사절 ── 관계대명사
  ── 관계부사

11

2. 단문

① 단문

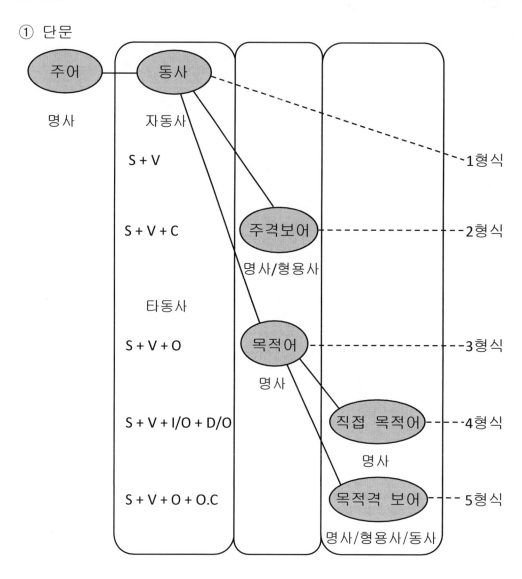

② 분사 구문이 있는 문장

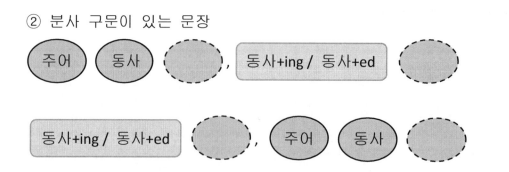

3. 중문과 복문

중문

복문 – 부사절을 이끄는 종속접속사가 있는 문장

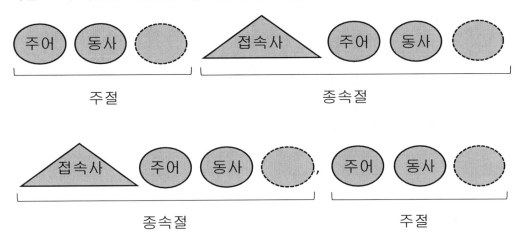

복문 – 명사절을 이끄는 종속접속사가 있는 문장

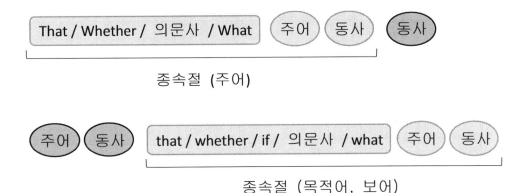

복문 – 형용사절을 이끄는 관계대명사가 있는 문장

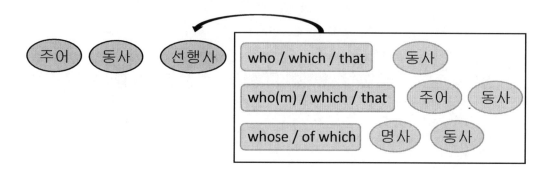

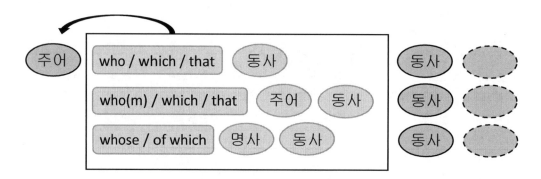

복문 – 형용사절을 이끄는 관계부사가 있는 문장

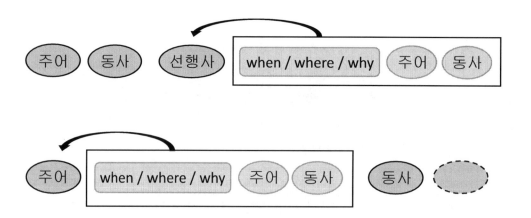

4. 시제 Tenses

Past

1) 동사원형ed
2) 불규칙 동사
3) used to V
4) would V

- 과거에 일어났던 일
- 역사적인 사실
- 가정할 때 (현재와 관련)

Present

1) 동사 원형
2) 주어가 3인칭 단수일 때:
   일반동사+s(es)

- 현재에 일어난 일
- 불변의 진리
- 과학적 법칙
- 공식적인 스케줄

Future

1) will + V
2) be going to + V
3) be + Ving

- 미래에 일어날 일

대과거 ---------------- 과거 ------------------ 현재 ------------------ 미래

과거완료   현재 완료   진행형   미래 완료

had + p.p   have + p.p   be + Ving   will have + p.p

Continuous
~하는 중이다.

Past Perfect

◇ 대과거에 일어난 일이
   과거에 영향을 미침.

- 과거보다 한 시제 먼저 일어남.
- 과거 사건의 지속성 나타냄.
- 가정법에서는 과거와 관련

Present Perfect

◇ 과거에 일어난 일이
   현재에 영향을 미침.

- 계속적 용법: ~해 오다.
- 경험적 용법: ~해본 적이 있다.
- 완료적 용법: (막, 방금) ~했다.
- 결과적 용법: ~해 버렸다.

Future Perfect

◇ 지속적인 행동의
   상태, 결과, 완료예측

- 미래 한 시점에
  ~하는 셈이
  될 것이다.

명사

명사의 정의에 대해서 알아보겠습니다. 수업 시간에 학생들에게 명사가 무엇이냐고 질문하면 대부분 a book이나 a desk와 같은 단어라고 명쾌히 대답합니다. 물론 맞는 답이지만, 영어에 대한 깊이 있는 이해를 위해 영문법에 쓰이는 기본적인 개념과 그것의 역할과 성격을 명확하게 아는 것이 중요합니다.

영어에서 **명사란 '주어, 목적어, 보어 역할을 할 수 있는 성분'**입니다. 또한, 명사 자리에는 **명사, 대명사, to 부정사, 동명사, 명사절**의 형태가 올 수 있습니다. 명사가 위치하는 주어, 목적어, 보어 자리에 따른 명사의 형태를 살펴보도록 하겠습니다. 앞으로 영어에서 명사의 정의를 단순히 단어로만 알고 있기보다는 주어, 목적어, 보어 자리에 들어갈 수 있는 성분이라고 기억해 두면 명사에 대한 이해가 조금 수월해질 것입니다. 학습 내용들의 제목을 머릿속에 잘 상기하면서 차근차근 따라가 주세요.

Unit 1. 주어

주어는 문장의 주체로 문장의 중요한 성분 중 하나입니다. 일반적으로 문장 제일 앞에 위치하며, 우리말로 '은, 는, 이, 가'로 해석되고, 주어 자리에는 "명사"라는 품사가 옵니다. 반드시 명사만 올 수 있습니다. 따라서 명사가 될 수 있는 명사, 대명사, to 부정사, 동명사, 명사절이 주어 자리에 오게 됩니다. 이 다섯 가지 형태로 나누어 주어를 살펴보겠습니다.

A. 명사

여기에서 명사는 단어를 말합니다. 영어에서는 명사의 단수, 복수 구분이 매우 중요합니다. 셀 수 있는 명사는 반드시 단수 또는 복수로 표현되어야 하며, 셀 수 없는 명사는 단수 취급합니다.

1. 셀 수 있는 명사

a. 보통 명사: 일정한 형태가 있고 구분이 확실하여 셀 수 있는 단어를 말합니다. 반드시 단수나 복수 표시를 해야 하며, 명사가 하나이면 a나 an을 붙이고, 두 개 이상이면 보통 단어 끝에 s나 es를 붙입니다.   ex) a man, trees, an umbrella, letters ...

Some bananas and apples are on the table.

◆ 규칙성이 있는 복수형 ◆

대부분의 명사	명사 + s	balls, forks, stars
o, x, s(s), sh, ch, 끝나는 명사	명사 + es	glasses, potatoes, dishes
자음+y로 끝나는 명사	y → ies	babies, cities, candies
모음+y로 끝나는 명사	명사 + s	keys, toys, guys
f, fe로 끝나는 명사	f(e) → ves	knives, lives, leaves

◦ s이외의 형태를 붙이는 이유는 발음의 일관성과 편의성 때문입니다.

b. 집합 명사: 하나의 집단을 나타내는 명사이며, 의미에 따라 단수가 될 수도 있고 복수가 될 수도 있습니다. 예로 family, people, cattle, deer, the police, the public, the press(언론) 등이 있습니다.

The police maintain public order and security.

경찰은 공공 질서와 안전을 지킵니다.

◦ the police(경찰들), people(사람들)은 항상 복수 취급합니다.

My class is made up of 25 students.

우리 학급은 25명의 학생으로 구성되어 있다.

◦ 하나의 전체 집단을 나타낼 때는 단수 취급합니다.

My class are extremely passionate and smart.

우리 반 학생들은 매우 열정적이고 명석하다.

◦ 집단의 개개인의 성격을 보여줄 경우 영국식 영어에서는 복수 취급이 가능합니다.
미국식 영어에서는 이런 경우에도 my class를 단수 취급합니다.

The cattle were grazing in the pasture.

소들은 목초지에서 풀을 뜯고 있었다.

◦ cattle, sheep, deer, fish는 단수형과 복수형이 같습니다.

2. **셀 수 없는 명사** ► 물질명사 (덩어리, 가루, 액체, 기체)

  ► 추상명사

  ► 고유명사 (지어진 이름)

  앞에 a나 단어 끝에 s를 붙이지 않고, 단어 그 자체로 쓰입니다.
  셀 수 없는 명사는 단수 취급합니다.

a. 덩어리: bread, gold 같이 틀을 정하는 것에 따라 달라질 수 있는 명사
   Some **butter** is needed in cookies.

b. 가루: sugar, flour 같은 가루로 된 명사
   Salt has been important for humans.

c. 액체: water이나 juice 등 액체 상태로 셀 수 없는 명사
   Coffee is imported to Korea.

d. 기체: air나 gas 등 기체를 나타내는 명사
   Air is a mixture of gases such as nitrogen and oxygen.

물질 명사

e. 추상 명사: happiness, peace, success와 같이 눈에 보이지 않는 추상적인 개념
   Love is everywhere.

f. 고유 명사: Aimee, the Pacific, August 등 지어진 이름
   Seoul has many historical sites.

◆ 셀 수 없는 명사의 수량화 ◆

a loaf of bread	seven loaves of cake
a piece of paper	three pieces of pizza
a bottle of water	two bottles of perfume
a bowl of rice	a few bowls of stew
a cup of coffee	four cups of tea
a game of tennis	more than a dozen games of football
a grain of wheat	grains of sand
an item of news	some items of clothing

I will go to the supermarket and buy **two bags of rice**.

A carton of milk is in the fridge.

Three pieces of furniture were delivered by truck.

*NOTE 1: 집합적 물질명사

집합적 물질명사는 하위 개념들을 아우르며 전체를 대표하는 단어입니다.
그 예로는 baggage, luggage (수화물류), equipment (장비류), furniture (가구류),
machinery (기계류), jewelry (보석류), clothing (의류), produce (농산물), scenery
(경치) 등이 있습니다. 집합적 물질명사는 단수 취급합니다.

All the furniture is crafted from natural materials.
모든 가구는 천연 재료로부터 공들여 만들어진다.

My baggage hasn't arrived yet.
내 수화물 가방이 아직 도착하지 않았다.

Most of the equipment has been installed in the laboratory.
대부분의 장비가 실험실 안에 설치되었습니다.

*NOTE 2: 시간, 거리, 무게, 금액 등의 복수 명사가 하나의 단위를 나타낼 때 단수 취급

hours나 miles, dollars 등은 숫자를 세는 단위입니다. 이들에 s가 붙는 이유는 수치에 대한 복수형을 나타내기 위해서이며, 숫자를 포함한 단위 덩어리는 단수 취급합니다.

    2 hours is enough time for me to do exercises.

    5 miles is not a long distance to run.

    Two thousand dollars is too much to pay for a new phone.

    Ten gallons of gasoline costs more than 40 dollars.

    3 years or more years of experience is required for this job.

   ◦ 예외: **5 years** <u>have passed</u> since he worked for the government.
    시간의 경과를 나타내는 복수 명사는 복수 취급합니다. 이 경우 한 해 한 해의 경험이 더해져 5년이라는 시간이 흐른 것이므로 합쳐진 시간의 경과에 의미를 두어 복수 취급합니다.

♣ 어법상 적절한 것을 고르세요.

1. The books written by the author (is / are) worth reading.

2. My family (is / are) tall but me.

3. As the wine (age / ages), it becomes darker and stronger.

4. Our luggage (is / are) heavy and difficult to carry.

5. A pair of pajamas (is / are) on the bed.

6. 40 miles (is / are) too far to commute to work every day.

7. (A bird / Some birds) were singing on the branches of a tree.

8. (A school of fish / A school of fishes) in the sea is awesome.

9. There is not much (water / crackers) in the bottle.

10. (Two loaves of bread / Some bread) were prepared for breakfast.

11. New (machinery / machines) is urgently needed.

12. A thousand (friends / dollars) is nothing to Jake who is rich.

B. 대명사

1. 인칭대명사

아래 표의 주격 인칭대명사가 주어로 쓰입니다.

• 1인칭: 나　　　• 2인칭: 너　　　• 3인칭: 나와 너를 제외한 제 3자(들)

	주격 (~은,는,이,가)	소유격 (~의)	목적격 (~을,를,~에게)	소유대명사 (~의 것)
1인칭 단수	I	my	me	mine
2인칭 단수	you	your	you	yours
3인칭 단수 여	she	her	her	hers
3인칭 단수 남	he	his	him	his
3인칭 단수 사물	it	its	it	-
1인칭 복수	we	our	us	ours
2인칭 복수	you	your	you	yours
3인칭 복수	they	their	them	theirs

* NOTE: 주어가 3인칭 단수 일 때, 현재 시제인 일반 동사의 형태

영어에서 수의 일치는 매우 중요합니다. 특히 영어를 공부하다 보면 3인칭 단수라는 단어를 자주 듣게 되는데요. 3인칭 단수는 제 3자 한 명 또는 하나를 말하며, 구체적으로 'he(그), she(그녀), it(그것), 이름 하나, 대상 하나'를 말합니다. 3인칭 단수 주어가 일반 동사의 현재 시제에 쓰일 때 일반 동사에 s나 es를 반드시 붙여야 합니다.

1인칭 단수	I know it.
1인칭 복수	We go to the gym every day.
2인칭 단수/복수	You need to save money.
3인칭 복수	They want to meet you.
3인칭 단수	She **turns** on the TV.
3인칭 단수	Tom **gets** up at 7.

2. 지시대명사 & those (사람들)

- this (이것), these (이것들): 앞, 뒤 단어나 문장을 언급할 때 사용됩니다.

  Here are a pair of red gloves. Are **these** yours?

  They will mention **this**; Protect the environment!

- that (저것, 그것), those (저것들): 앞에 언급된 명사의 반복을 피하기 위해서 쓰입니다.

  <u>The winter</u> of this year is hotter than **that** of last year.

- those who V: V하는 사람들

  Those who attended the meeting were almost children, not adults.

  그 모임에 참석한 사람들은 성인들이 아니라 거의 어린이들이었다.

3. 부정 대명사

대상이 분명하게 정해지지 않은 사람이나 사물을 지칭하는 대명사입니다. 부정(不定)은 정해져 있지 않다는 뜻입니다. 부정 대명사를 알아보기 전에 꼭 알아 두어야 사항이 있습니다. 부정관사 a/an과 정관사 the의 차이입니다. a/an은 정해져 있지 않은 막연한 명사 하나를 지칭할 때 쓰이며, the는 정해진 명사를 가리킬 때 쓰이는 관사입니다.

a. one / another / the other / the others

- 대상이 두 개만 존재할 때

one 첫 번째 하나   the other 나머지 정해진 다른 하나

- 대상이 세 개 존재할 때

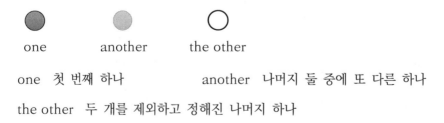

one 첫 번째 하나   another 나머지 둘 중에 또 다른 하나

the other 두 개를 제외하고 정해진 나머지 하나

22

one   the others

one   첫 번째 하나

the others 나머지 정해진 두 개

- 대상이 네 개 존재할 때

one   another   another   the other

one   첫 번째 하나

another   나머지 셋 중에 또 다른 하나 (a나 an은 명확히 정해져 있지 않은 대상 지칭)

another   나머지 둘 중에 또 다른 하나

the other 처음 세 개를 제외하고 정해진 나머지 하나

one   another   the others   one   the others

one   첫 번째 하나   one   첫 번째 하나

another 나머지 셋 중에 또 다른 하나   the others one을 제외하고

the others 처음 두 개를 제외한 나머지들   정해진 나머지 세 개

*NOTE: 형용사로 another은 '또 다른'이라는 뜻이며, 정해져 있지 않은 바로 다음 순서의 하나의 것을 가리킵니다. 예로, Another one, please.하면 '또 다른 것으로 부탁드려요.'라는 뜻입니다. 형용사인 other은 '다른'이라는 뜻으로 쓰입니다. 예로 other ways (다른 방법들), other countries (다른 국가들) 등이 있습니다. 또한, each other은 대상이 두 개 일 때 '서로 서로'라는 뜻이며, one another은 대상이 세 개 이상일 때 '서로 서로'라는 뜻으로 쓰입니다. 대명사 the one(s)는 이미 언급된 사람이나 사물을 가리키며 명사의 반복을 피하기 위해 사용됩니다. The stories I told you were the ones that I heard from Joe. '내가 너에게 말한 이야기들은 조에게서 들은 이야기들이다.'

b. some / others / the others

- 한 일부와 정해져 있지 않은 다른 일부: some (일부), others (막연한 다른 일부)

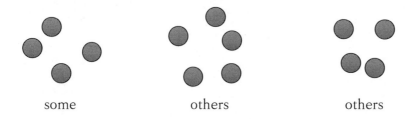

| some | others | others |

- 하나의 일부와 정해진 다른 일부: some (일부), the others (정해져 있는 다른 일부)

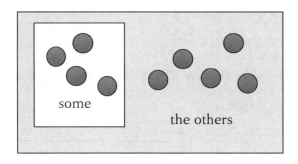

c. every, each, all

every	each	all
단수 취급	단수 취급	복수 또는 단수
형용사	대명사, 형용사, 부사	대명사, 형용사, 부사

- every는 '모든'이라는 뜻을 가진 형용사입니다. 개개인 모두, 개별적인 사물들 모두를 가리킵니다. 개별체에 초점이 맞춰져 있어서 단수 취급합니다. 또 다른 뜻은 '매~, ~마다'입니다. 형용사이므로 「every + 명사」의 형태로만 쓰입니다.

  Every girl and every boy is fond of doing extracurricular activities.
  한 명 한 명의 모든 여학생들과 남학생들은 특별 활동을 좋아합니다.

We play tennis every Sunday. (= on Sundays) ◦ every 단수 명사 = on 복수 명사

우리는 일요일마다 테니스를 친다.

every second week 이주에 한번   every three months 세 달에 한번

every other day = every second day = every two days: 이틀에 한번

• each는 대명사나 형용사로 쓰일 때 '각각(의)'이라는 뜻이며, 단수 취급합니다. 부사로는 '각자, 한 개마다'라는 뜻으로 쓰입니다.

형용사 Each member has to play his or her part.

대명사 Each of them knows the others. = They know one another.

부사   The grapefruits are 2 dollars each.

• all은 '모든 사람, 모든 것'이라는 대명사로 쓰이거나, '모든'이라는 형용사로도 쓰입니다. all은 의미에 따라서 복수와 단수가 결정됩니다. all이 모든 사람들이나 모든 것들을 나타낼 때 복수 취급하며, 모든 구성 요소를 하나의 것으로 아우를 때는 단수 취급합니다. 부사로는 '완전히, 전적으로, 몹시'의 뜻으로 쓰입니다.

대명사   All are present.   All is ready.

          All I need is time.

형용사   All the country is worried about the poor domestic economy.

          All the countries were represented at the Olympics.

          We had to wait all day long.

부사   Now we're going to be late, and it's all because of you.

          It is all over. = It is completely finished.

d. both

'둘 다'라는 뜻의 대명사나 부사, '양쪽의'라는 형용사로 쓰입니다. 항상 복수로 쓰입니다.

Both of the children love sandwiches.

Both boys and girls study in the same classroom.

I don't want both balls.

4. 비인칭 it

비인칭 it 은 이름 그대로 인칭을 나타내지 않고, 해석되지 않습니다. 시간, 요일, 날짜, 날씨, 명암, 거리, (막연한) 상황 등을 나타낼 때 쓰이며, 이러한 표현에서는 비인칭 it 을 써야 자연스러운 문장이 됩니다.

시간, 요일, 날짜

What time is **it** now? It is 6 : 30.
지금 몇 시야?　　　　여섯 시 반.

It's dawn. I have not been able to sleep at all.
새벽이네. 잠을 한숨도 못 잤어.

What date is **it** today? It's May 3rd.
오늘 며칠이지?　　　5 월 3 일.

What day is **it**? It's Tuesday.
무슨 요일이지? 화요일.

날씨 How is the weather today? It is a little overcast and windy.
오늘 날씨가 어때?　　　　조금 흐리고 바람 불어.

명암 **It** is getting dark. It's time to go home.
어두워지고 있어. 집에 가야할 시간이야.

거리 How far is **it** from here? It is about 10 km away.
그곳은 여기서 얼마나 먼가요? 대략 십 킬로미터쯤 떨어져 있습니다.

상황 How is **it** going?
일이 어떻게 진행되고 있어?

Take **it** easy.
상황을 편하게 받아들여.

That's **it**!
바로 그거야!

Let's call **it** a day.
이 정도로 끝냅시다.

♣ 다음 중 적절한 것을 고르세요. (1 ~ 16)

1. _____ watches at least one movie a week.

   ① We   ② I   ③ You   ④ She

2. _____ work at a law firm.

   ① She   ② James   ③ We   ④ It

3. _____ are Jane's siblings.

   ① Theirs   ② They   ③ Their   ④ Them

4. Look at the beautiful trees in front of us. _____ were planted by my grandma.

   ① These   ② This   ③ It   ④ That

5. This new app will help _____ who struggle with math.

   ① this   ② those   ③ these   ④ that

6. Those are twins. One is tall but _____ is not tall.

   ① the other   ② other   ③ others   ④ the others

7. A : Do you like the shirt you're trying on?

   B : Umm … I don't think it looks good on me. Can you show me _____?

   ① other one   ② ones   ③ one another   ④ another one

8. Some students said that they were in favor of the school rule,
   but _____ students weren't.

   ① other   ② another   ③ others   ④ the others

9. Some students said that they were in favor of the school rule,
   but _____ weren't.

   ① the other   ② another   ③ others   ④ ones

10. If you can handle some of the things, I'll deal with _____ things, the rest of
    them, on my own.

    ① one   ② another   ③ others   ④ the other

11. If you can handle some of the things, I'll deal with _____, the rest of them, on my own.

    ① another   ② one   ③ other   ④ the others

12. _____ student admires the principal.

    ① Every   ② All   ③ Many   ④ Some

13. _____ students admire the principal.

    ① Every   ② All   ③ Each   ④ Another

14. They are so diligent that _____ of them always does the best.

    ① every   ② each   ③ some   ④ all

15. ____ is Sue's birthday today. She turns 21.

    ① It   ② There   ③ That   ④ This

16. The weather isn't nice today. ____ is cloudy and dark.

    ① That   ② This   ③ It   ④ Those

♣ 다음 밑줄 친 부분을 적절한 대명사로 바꾸어 주세요. (17 ~ 22)

17. <u>Tom, Sue and I</u> are close friends.

18. Look at <u>his sister</u> over there.

19. <u>Joe and his wife's</u> ability to empathize led them to have many friends.

20. The houses of New York are more expensive than <u>the houses</u> of other cities.

21. The campaign has given hope to <u>people</u> who are in despair.

22. There were 10 boys. Four of them liked the idea; <u>the rest of them</u> did not.

C. to 부정사

to 부정사의 형태는 「to + 동사 원형」입니다. 동사 원형이 to와 함께 쓰임으로써 동사가 아니라 명사, 형용사, 부사로 쓰일 수 있습니다. 주어 자리에 들어가는 성분들을 살펴보고 있기 때문에 명사적 용법으로 쓰이는 to 부정사를 살펴보겠습니다. 명사적 용법의 'to + 동사원형'은 (동사)**하는 것**이나 (동사)**하기**라고 해석됩니다. to 부정사는 단수 취급합니다.

eat: 먹다   →   to eat: 먹는 것, 먹기

swim: 수영하다   →   to swim: 수영하는 것, 수영하기

move: 움직이다   →   to move: 움직이는 것, 움직이기

To have breakfast can be good for your health.
아침 먹는 것은 건강에 좋을 수 있다.

To buy a new house is not easy.
새 집을 구매하는 것은 쉽지 않다.

To understand them seemed impossible.
그들을 이해하는 것은 불가능해 보였다.

* NOTE 1: 가주어 It & 진주어 to V

To 부정사 ... + 동사 + ...
= It + 동사 + ... + to 부정사 ...

to 부정사가 주어 자리에 있을 때, 가주어 it을 써서 다른 형태로 표현될 수 있습니다. 가주어 it이 주어를 대신해서 문장 맨 앞에 위치하고, 진주어(to 부정사구)는 문장의 마지막 부분에 오게 됩니다. 특히 주어 자리의 to 부정사가 길면 가주어 it을 쓰는 것이 자연스럽습니다. 가주어 it은 해석되지 않습니다.

To have three regular meals a day can be good for your health.
= It can be good for your health to have three regular meals a day.

To buy a new house is not easy.

= It is not easy to buy a new house.

To fully understand them seemed impossible.

= It seemed impossible to fully understand them.

*NOTE 2: to 부정사의 의미상의 주어 – 'for 명사' 또는 'of 명사'

 to 다음에 동사 원형이 오는 형태이므로 to 부정사의 주어를 표시하는 방법이 필요합니다. to 부정사의 의미상의 주어는 to 부정사 바로 앞에 『for + 목적격』이나 『of + 목적격』으로 나타낼 수 있습니다. 일반적으로 'for + 목적격'이 쓰이고, to 부정사가 사람의 성격이나 태도를 나타내는 형용사(kind, polite, careless 등)와 함께 쓰이면 'of + 목적격'을 씁니다.

 To send the e-mail should be done by 6 p.m.

= It should be done by 6 p.m. to send the e-mail.

 이메일 보내는 것은 오후 6시까지 이루어져야 한다.

 위의 문장에서 이메일을 보내는 사람이 누구인지 알 수 없습니다. to send 앞에 to 부정사의 의미상의 주어인 『for 목적격』을 써서 누가 이메일을 보냈는지 나타낼 수 있습니다.

 For Tom to send the e-mail should be done by 6 p.m.

= It should be done by 6 p.m. **for Tom** to send the e-mail.

 톰이 이메일을 보내는 것은 오후 6시까지 이루어져야 한다.

 That we worked together on the project was difficult.

= **For us** to work together on the project was difficult.

= It was difficult **for us** to work together on the project.

 우리가 그 프로젝트를 함께 작업하는 것은 어려웠다.

That he helped me with my work was kind.

= **Of him** to help me with my work was kind.

= It was kind **of him** to help me with my work.

그는 친절하게도 나의 일을 도와주었다.

♣ 어법상 적절한 것을 고르세요. (1 ~ 2)

1. (To play / Play) the piano is one of my hobbies.

2. To translate a Korean poem into other languages (is / are) not easy.

♣ 다음의 문장을 가주어가 있는 문장으로 바꿔주세요. (3 ~ 6)

3. To go to the library to borrow some books is my weekend routine.

 = It is my weekend routine _____ to borrow some books.

4. To drink a cup of water upon waking up is a way to keep healthy.

 = ___ is _____ to drink a cup of water upon waking up.

5. That they succeeded in landing on the moon was good news.

 = It was good news _____ to succeed in landing on the moon.

6. That Tom lost his important document was careless.

 = ___ was careless _____ to lose his important document.

7. 다음을 해석에 맞게 올바른 순서로 나열해 주세요.

┌───┐
│ you / to inform / the changes / of / my duty   │
└───┘

 It is _____.

당신에게 변동 사항을 알려주는 것이 저의 의무입니다.

D. 동명사

동명사의 형태는 「동사 원형+ing」입니다. 동사 원형에 ing를 붙임으로써, 명사의 형태가 되고 의미적으로 동사의 성격을 유지합니다. 동사가 명사의 성격으로 변할 때는 '~ 하는 것'이나 '~ 하기'로 해석됩니다. 동명사는 단수 취급합니다.

go to school: 학교에 가다 → going to school: 학교에 가는 것
학교 가기

wait for you: 너를 기다리다 → waiting for you: 너를 기다리는 것
너를 기다리기

throw things away: 물건을 버리다 → throwing things away: 물건 버리는 것
물건 버리기

Playing basketball is one of my favorite things.
= To play basketball is one of my favorite things.
농구를 하는 것은 내가 좋아하는 것 중에 하나이다.

Watching that movie again was nice.
= To watch that movie again was nice.
그 영화를 다시 봐서 좋았어요.

Using your phone while talking with somebody could be rude.
= To use your phone while talking with somebody could be rude.
누군가와 대화하면서 핸드폰을 하는 것은 무례할 수 있다.

```
Ving ... + 동사 + ...
= It + 동사 + ... + Ving ...
```

동명사가 주어 자리에 있을 때, 가주어 it을 써서 다른 형태로 표현될 수 있습니다. 가주어 it 이 주어 대신 맨 앞에 자리 잡고, 진주어 (동명사: 동사원형+ing)는 문장의 마지막 부분에 위치합니다. 가주어 it은 해석되지 않습니다.

Playing basketball is a lot of fun.

= It is a lot of fun playing basketball.

Seeing you again was nice.

= It was nice seeing you again.

Using your phone while talking to somebody could be rude.

= It could be rude using your phone while talking to somebody.

* NOTE 2: 동명사의 의미상의 주어 - 소유격, 목적격

형태상 동명사의 행위자는 동명사 자체로 표현될 수 없고, 동명사의 의미상 주어는 동명사 바로 앞에 소유격이나 목적격으로 나타냅니다. my books에서 책(명사)을 소유하는 주체가 명사 앞에 소유격으로 표현되는 것처럼 명사의 성격이 있는 동명사도 마찬가지로 의미상의 주어로 소유격을 쓸 수 있습니다.

Tom's sending the e-mail should be done by 6 p.m.

= It should be done by 6 p.m. Tom's sending the e-mail.

Tom sending the e-mail should be done by 6 p.m.

= It should be done by 6 p.m. Tom sending the e-mail.

톰이 이메일을 보내는 것은 오후 6시까지 이루어져야 한다.

My (Me) meeting people from all walks of life was a good experience.

= It was a good experience **my** meeting people from all walks of life.

= It was a good experience **me** meeting people from all walks of life.

내가 각계각층의 사람들을 만난 것은 좋은 경험이었다.

My family's (My family) taking a trip to Nepal this summer is unforgettable.

= It is unforgettable **my family's** taking a trip to Nepal this summer.

= It is unforgettable **my family** taking a trip to Nepal this summer.

우리 가족이 이번 여름에 네팔로 여행한 것을 잊을 수 없다.

♣ 어법상 적절한 것을 고르세요. (1 ~ 3)

1. (Learn / Learning) Latin is very difficult.

2. Going swimming with my friends (is / are) so exciting.

3. It should be banned (for civilians / civilians) owning illegal private weapons.

4. 다음 문장을 해석해 주세요.

> Seeing is believing.

_____

♣ 다음의 문장을 가주어 it이 있는 문장으로 변형해 주세요. (5 ~ 6)

5. Cooking for somebody makes me feel happy.

= It makes me feel happy _____ _____ _____.

6. That she does yoga every morning is good for her mental health.

= ___ is good for her mental health _____ _____ yoga every morning.

★E. 명사절

우선 구와 절이라는 개념을 알아봅시다. "구"란 의미가 연결된 두 개 이상의 단어가 하나의 품사 역할을 하는 것입니다. 예를 들어, eating spaghetti at home(명사구), to my surprise(부사구), with his legs crossed(부사구) 등이 있습니다. 단어 2개 이상으로 이루어져 하나의 품사 역할을 하는데, 주어와 동사를 포함하고 있으면 이를 "절"이라고 합니다. 예를 들어, what you should do, when it starts, that a boy smiled 등이 될 수 있습니다.

구와 절의 공통점은 단어 2개 이상으로 구성되어 하나의 품사 역할을 하는 것이고, 차이점은 그 안에 주어와 동사의 유무입니다.

명사절이란 주어와 동사를 품고 있는 하나의 절이 주어, 목적어, 보어의 역할을 하는 것입니다. 명사절에는 네 종류가 있습니다. "접＋주＋동"(대표적인 것이 that절)과 "의＋주＋동"(간접 의문문), 관계대명사 what, 복합관계대명사 입니다. 명사절은 단수 취급합니다.

1. 접 ＋ 주 ＋ 동 (접속사 ＋ 주어 ＋ 동사): that절 / whether이나 if절

명사절을 이끄는 접속사는 하나의 절을 주어, 목적어, 보어 자리에 위치시켜 문장의 주절과 연결되게 하는 역할을 합니다. 명사절을 이끄는 접속사의 종류에는 that, whether, if가 있습니다. 접속사 that 자체에는 뜻이 없지만 명사절을 이끌면서 '~하는 것'으로 해석되며, if와 whether은 '~인지 아닌지'로 해석됩니다. whether은 or not과 같이 쓰이기도 합니다. if절은 주어 자리에 쓰일 수 없습니다.

It is certain **that they will agree**. = **That they will agree** is certain.
　　　　　　　　　　　　　진주어
그들이 동의할 것이 확실하다.

That Alex did not go there is obvious at this point.
　　　　　　주어부
알렉스가 거기에 가지 않았다는 것은 이 시점에서 명백하다.

Whether she was kidding or not was lost in translation.
　　　　　　　주어부
그녀가 농담했는지 아닌지는 번역에서 제대로 표현되지 않았다.

cf) If she was kidding or not was lost in translation. (X)

2. 의 + 주 + 동 (의문사 + 주어 + 동사): who/when/where/what/which/why/how 절

　　직접 의문문의 어순은 의문사가 있을 때 '의문사 + 동사 + 주어 ...?'의 순이 됩니다. 이

　　와는 어순이 다른 간접 의문문이 있습니다. **간접 의문문**은 하나의 의문문이 다른 절과 결

　　합된 것으로, 의문문의 어순이 '의문사 + 주어 + 동사'가 되어 명사로 탈바꿈하여 주어, 목

　　적어, 보어 자리에 쓰입니다.

> **Who composed the novel** is unknown.
> 누가 그 소설을 지었는지는 알려져 있지 않다.

> It doesn't matter **where the gathering is held**.
> = **Where the gathering is held** doesn't matter.
> 모임이 어디서 개최되는지는 중요하지 않다.

> **How long you walk** will be kept track of.
> 당신이 얼마나 오랫동안 걷는지 기록될 것입니다.

3. 관계대명사 what: '것'으로 해석됩니다.

> **What I cooked yesterday** is in the freezer.
> 내가 어제 요리한 것은 냉동실에 있다.

4. 복합관계대명사: whatever(무엇이든), whichever(어느 ~이든), whoever(누구든)

> **Whoever gets the most votes** will be the leader.
> 득표수가 가장 많은 누구든 리더가 될 것입니다.

♣ 어법상 옳은 것을 고르세요.

1. (What / Whether) your parents are well off or not is not important.

2. (What / That) she wants to do is travel across Africa.

3. It turns out to be true (what / that) he did such a thing.

♣ 주어부를 찾아주세요.

4. Where he went is a secret.

5. It was impressive how hard he worked on it.

6. It is highly recommended that you wear a mask in public.

Unit 2. 목적어

목적어는 한 문장 안에 있을 수도 있고 없을 수도 있습니다. 동사의 성격에 따라 목적어를 필요로 하지 않는 동사(자동사)가 있고, 목적어를 필요로 하는 동사가 있기 때문입니다. 목적어를 필요로 하는 동사를 타동사라 부르고, **목적어의 종류에는 '~을/를'의 뜻인 직접 목적어와 '~에게'라고 해석되는 간접 목적어 두 가지가 있습니다.** 또한, 전치사 바로 다음에 오는 명사도 목적격입니다. 전치사 다음에는 항상 명사 형태가 와야 하고, 이 명사는 전치사의 목적어가 됩니다. 목적어 자리에 올 수 있는 품사는 **명사**입니다. 명사는 주어, 목적어, 보어 자리에 위치하기 때문에, 주어 부분에 명사의 종류가 언급되어 있습니다. 주어 자리에 들어가는 명사가 목적어 자리에 들어갈 수 있는 경우가 많습니다. 따라서 겹치는 설명들은 약간 배제하고 목적어 자리에 들어가는 명사가 갖는 특징 위주로 설명하겠습니다. 명사의 종류에는 명사, 대명사, to 부정사, 동명사, 그리고 명사절이 있다는 것을 상기해 주세요. 그럼 목적어가 쓰인 예문들을 살펴봅시다.

A. 명사

We need more **wood and water**.　　　　　우리는 나무와 물이 더 필요합니다.
　S　V　　　　O

I prefer **radio** to **TV**.　　　　　　　저는 텔레비전보다 라디오를 더 선호합니다.
S　V　O
∘ radio는 동사 prefer의 목적어이고, TV는 전치사 to의 목적어입니다.

Tom enjoys **the opportunity to meet lots of people**.
　S　V　　　　　　　O
톰은 많은 사람을 만날 기회를 즐긴다.

It depends on **the situation**.　　　　　그건 상황에 따라 달라요.
S　V　　　　O

1. 목적어를 찾아 주세요.

 1) I do not have enough money to pay the bill.

 2) Look at the house made up of the blue bricks on the hill.

 3) Could I use the phone on the table?

2. 다음의 보기 중 적절하지 <u>않은</u> 것을 고르세요.

　He plays _____.

　① tennis　　　② the piano　　　③ enjoy　　　④ mobile games

3. 다음의 보기 중 적절한 것을 고르세요.

　Do you like _____?

　① sing　　　② milk　　　③ maybe　　　④ quiet

B. 대명사

a. 목적격 인칭대명사 (~을, 를 / ~에게)

> me, you, her, him, it, us, them

I'll let **you** know when it is ready.
S V O O.C

준비되면 너에게 알려 줄게.

She gave **us** one more chance.
 S V I.O D.O

그녀는 우리에게 기회를 한 번 더 주었다.
◦ 이 문장의 us는 수여동사 다음에 '~에게'로 해석되는 간접 목적어입니다.

b. 재귀대명사

재귀대명사는 '누구 자신'이라는 뜻이며, 인칭대명사에 self나 selves를 붙인 형태입니다. 목적어가 주어를 다시 가리킬 때 목적어 자리에 인칭대명사 대신 재귀대명사를 씁니다. I love me.(X)가 아니라 I love **myself**.가 문법적으로 자연스럽습니다. 재귀대명사는 주어나 목적어, 보어 강조를 위해 사용되기도 합니다.

▶ 재귀 용법 (생략 불가)

He taught **himself** to draw.   그는 그림을 독학했다.
 S V O

I cut **myself** with a knife.   나는 칼에 베였다.
S V O

Sometimes my grandma talks to **herself**.   가끔 할머니는 혼잣말을 하셔.
          S V O

▶ 강조 용법 (생략 가능)

I've baked some cookies **myself**.   내가 직접 쿠키를 좀 구었어.

Did you talk to the man **himself**?   그 남자와 직접 이야기해 보셨어요?

* NOTE: 재귀대명사의 관용어구

- by oneself: (다른 사람 없이) 혼자 = alone
- for oneself: 혼자 힘으로
- of itself: 저절로
- in itself: 그 자체로, 본질적으로
- enjoy oneself: 즐겁게 보내다.
- help oneself: 마음껏 먹다. 마음대로 쓰다.
- behave oneself: 예의 바르게 행동하다.
- make oneself at home: 편히 쉬다.
- make oneself understood: 자기 말을 남에게 이해시키다.

c. one & ones

> one = a + 명사   ones: one의 복수형   one's: one의 소유격

　one이 대명사로 쓰일 때 하나라는 뜻의 명사가 아니라, 앞에 언급된 명사를 가리키며, 명사의 반복을 피하기 위해서 쓰입니다. 언급된 명사가 단수이면 one, 복수이면 ones로 받습니다. 부정대명사 one은 정해지지 않은 대상이나 같은 종류의 대상을 나타냅니다. 이와는 달리, 앞에 언급된 정해진 특정 사물을 언급할 때는 it (= the + 명사)이나 them을 씁니다. one과 ones는 이들을 수식하는 형용사와 함께 쓰일 수 있지만, it과 them은 이들을 꾸며주는 형용사와 함께 쓰일 수 없습니다. one은 막연한 '누군가'나 일반적인 사람(들)을 나타내기도 합니다.

I forgot to bring my pencil case. I need a pen. Can you borrow **one**?
= a pen (정해지지 않은)

Old friend is better than two new **ones**. – 영국 속담
= friends
오랜 친구 하나가 새로운 친구 둘보다 낫다.

One should never criticize if one is not certain of the facts.
누군가, 일반적인 사람

Where is the red pen that you bought yesterday? Can I use **it** for a moment?
= the red pen (정해진 사물)

40

d. those who V: V하는 사람들

Do you mean **those** <u>who are holding the signs that say 'World Peace'</u>?
 S   V   O

너는 '세계 평화'라고 쓰인 피켓을 들고 있는 사람들을 말하는 거니?

e. 동사 + **대명사** + 부사

　Check it out, please.를 예로 들어 설명하겠습니다. check out은 동사와 부사가 함께 쓰이는 '이어동사'입니다. 이어동사는 동사가 부사나 전치사가 함께 쓰여 원래 동사에 없던 새로운 뜻의 동사구가 되거나, 부사로 인해 동사의 뜻이 더 명확해지는 동사구입니다. 이어동사의 목적어로 대명사가 쓰이면 "동사 + **대명사**(목적어) + 부사"의 순이 되어야 합니다. 따라서, Check out it.(**X**)은 틀린 표현입니다.

　Check this car out.과 같이 목적어가 구체적인 명사인 경우 목적어 this car는 동사와 부사 사이에 오거나, Check out this car.와 같이 부사 다음에 위치할 수 있습니다.

Put on your gloves. (O)　　　Put your gloves on. (O)

Put on them. (X)　　　　　　Put them on. (O)

Pick the trash up! (O)　　　Pick up the trash! (O)

Pick it up! (O)　　　　　　Pick up it! (X)

* NOTE: 알아두면 유용한 이어동사

figure out: 파악하다. 이해하다.	go over: 복습하다. 검토하다.
call off: 취소하다.	put off: 미루다. 연기하다.
turn down: 거절하다.	hang up: 전화를 끊다.
turn on: 켜다.	turn off: 끄다.
turn in: 제출하다.	turn up: 나타나다.
put on: 입다. 착용하다.	take off: 벗다. 이륙하다.
hold on: 잠깐 기다리다.	give up: 포기하다.
cut in: 끼어들다.	bring up: 화제를 꺼내다.
pass out: 기절하다.	pull it off: 성공하다. 해내다.

♣ 다음의 보기 중 적절한 것을 고르세요. (1 ~ 8)

1. Can you help ____ move the boxes?

  ① my   ② me   ③ mine   ④ I

2. The instructor teaches _____ how to swim.

  ① them   ② their   ③ they   ④ theirs

3. The witch was looking at _____ in the mirror.

  ① her   ② herself   ③ she   ④ hers

4. Please help _____. (다들 마음껏 드세요.)

  ① yourselves   ② you   ③ them   ④ themselves

5. A: Is there a flower shop nearby?

  B: Yes, there is ____ around the corner.

  ① ones   ② them   ③ it   ④ one

6. I want some mangos. Give me _____ big ones.

  ① these   ② it   ③ this   ④ that

7. If you have the book, let me borrow ____.

  ① them   ② it   ③ one   ④ another

8. These are the books I am looking for. I'll buy _____.

  ① ones   ② one   ③ it   ④ them

♣ 다음 중 어법상 틀린 표현을 고르세요. (9 ~ 10)

9. It is so dark. _____.

  ① Turn on the light   ② Turn on it

  ③ Turn it on   ④ Turn the light on

10. I can lend you my umbrellas. Please _____ later.

  ① bring them back   ② bring my umbrellas back

  ③ bring back them   ④ bring back my umbrella

★C. to 부정사와 동명사

주어 자리에서는 to 부정사와 동명사가 거의 구분 없이 쓰일 수 있지만, 목적어 자리에서는 동사의 의미나 성격에 따라서 to 부정사를 쓸지 동명사를 쓸지가 결정됩니다. 참고로, 「to + 동사 원형」인 to 부정사나 「동사원형+ing」인 동명사가 명사 자리에 위치할 때 '~하기' 또는 '~하는 것'으로 해석됩니다.

a. to 부정사만 목적어로 취하는 동사: **미래지향적**인 의미를 갖는 동사는 목적어 자리에 주로 to 부정사를 취합니다.

> want, would like, wish, hope, desire, plan, need, promise,
> expect, tend, decide, determine, mean, ask, demand, offer,   + to 동사원형
> choose, agree, struggle, afford, learn, pretend, refuse, fail etc.

I **would like to improve** my writing skills.
나는 내 작문 실력을 향상시키고 싶다.

Could I **ask to introduce** your team?
당신의 팀을 소개해줄 수 있나요?

The team **has promised to make** some positive changes for the next season.
그 팀은 다음 시즌을 위해서 긍정적인 변화를 줄 것을 약속했습니다.

They **pretended** not **to speak** English.
그들은 영어를 못하는 척했다.

If you **fail to plan**, it will **plan to fail**.
만약 당신이 계획을 세우지 못하면, 실패할 것이다.

He **hoped to go** to college but his parents **expected** him **to have** a job.
그는 대학에 진학하고 싶었지만, 그의 부모님은 그가 일하길 원했다.

b. 동명사만 목적어로 취하는 동사: 이미 일어난 일이나 진행 중인 일에 대해 언급하는 동사, 또는 마무리 짓거나, 일을 미루거나 피하는 의미를 가진 동사의 목적어 자리에는 동명사가 옵니다. 그 외에도 여러 가지 동사의 목적어로 동명사가 쓰입니다.

---

consider, imagine, suggest, involve, enjoy, appreciate, go on,

practice, mind, avoid, quit, finish, give up, end up,   + 동사원형ing .

mention, escape, deny, delay, postpone, put off, can't help etc.

We have to **avoid creating** such tension with our clients.
우리는 고객들과 갈등이 생기는 것을 피해야만 합니다.

I **put off making** a decision in order to have enough time to think it through.
나는 충분히 생각할 시간을 갖기 위해서 결정을 미뤘다.

She **enjoys practicing playing** the piano.
그녀는 피아노 연습하는 것을 즐긴다.

A: Would you **mind switching** seats with me?　저와 자리 좀 바꿔 주시겠습니까?
B: No problem.　　　　　　　　　　　　　　물론이죠.

c. to 부정사와 동명사 둘 다 목적어로 취할 수 있지만, 그에 따라 의미가 달라지는 동사

▶ 동명사: 과거지향적

▶ to부정사: 미래지향적

remember ~ing : ~했던 것을 기억하다.
remember to V : ~할 것을 기억하다.

I **remember giving** a tip of ten dollars to the waiter.
나는 그 웨이터에게 10달러를 준 것을 기억한다.

You need to **remember to tip** the waiter.
너는 웨이터에게 팁 줄 것을 기억해야 해.

44

forget ~ing : ~했던 것을 잊어버리다.

forget to V: ~할 것을 잊어버리다.

I'll never **forget hearing** this song for the first time.
나는 이 노래를 처음 들었을 때를 결코 잊지 못할 거야.

Don't **forget to take** out the garbage.
쓰레기 내다 놓는 거 잊지 마.

try ~ing : 그냥 시험 삼아 해보다.

try to V : ~하려고 노력하다, 애쓰다.

You might **try calling** Sue to figure out the situation.
상황을 파악하기 위해서 Sue에게 전화 한 번 해보세요.

I was **try**ing not **to hurt** her feelings.
그녀의 감정을 상하게 하지 않으려고 노력했다.

regret ~ing : ~했던 것을 후회하다.

regret to V : ~해야만 해서 유감이다.

I **regret sending** texts to her last night.
어젯밤 그녀에게 문자 보낸 것이 후회돼.

I **regret to say** that Sam is ill in bed.
유감스럽게도 샘이 병상에 있습니다.

stop ~ing : 하고 있던 것을 멈추다.

stop to V: 하기 위해서 멈추다. (부사적 용법)

Stop talking and listen.
그만 말하고, 얘기 좀 들어봐.

We had to **stop to fix** a flat tire.
우리는 펑크 난 타이어를 바꾸기 위해서 멈춰야만 했다.

d. to 부정사, 동명사를 둘 다 목적어로 취하며, 둘 중 어느 것을 목적어로 써도 어색하지 않은 동사: '시작하다, 좋아하다, 싫어하다.'등의 의미를 가진 동사들입니다.

> start, begin, like, love, prefer, hate, intend, continue ...

She **began to work** as a photographer.
= She **began working** as a photographer.
그녀는 사진작가로 일하기 시작했다.

I **hate to go** to the dentist.
= I **hate going** to the dentist.
난 치과에 가는 것이 싫다.

e. 전치사 + 동명사

전치사 다음에는 명사가 와야 하며, 명사어구 중 동사를 기반한 형태가 올 경우 동명사가 쓰입니다. 전치사 다음에 to 부정사는 올 수 없습니다.

I'm interested **in learning** foreign languages. (O)
I'm interested in <u>learn</u> foreign languages. (X)
I'm interested in <u>to learn</u> foreign languages. (X)
저는 외국어 배우는 것에 관심 있습니다.

I am sorry **for being** late.
늦어서 미안해.

Is there any chance **of winning** the competition?
대회에서 우승할 확률이 있을까?

Do you object **to working** on weekends?
당신은 주말에 일하는 것에 반대합니까?
° object to N: N에 반대하다.

f. 동명사가 쓰이는 관용 표현

- How about ~ing? = What about ~ing? : ~하는 게 어때?

  How about going out for lunch?

  점심 먹으러 나가는 게 어때?

- spend + 시간/돈 + ~ing : ~하는데 시간이나 돈을 쓰다.

  She spends a lot of money buying expensive bags.

  그녀는 비싼 가방을 사는데 많은 돈을 쓴다.

- prevent (stop/keep/ban) 목적어 from ~ing : 목적어를 ~하는 것으로부터 막다.

  The medical teams have prevented the virus from spreading.

  의료진은 바이러스가 퍼지는 것을 막아내고 있다.

- have trouble (difficulty/a hard time) ~ing : ~하는데 어려움을 겪다.

  The boy has trouble adapting to school.

  그 소년은 학교에 적응하는 데 어려움을 겪고 있다.

- be worth ~ing = be worthy of ~ing : ~할 가치가 있는

  The book is worth reading.

  그 책은 읽을만한 가치가 있다.

- can't help ~ing : ~하지 않을 수 없다. = can't help but V

  I can't help falling in love with him.

  나는 그와 사랑에 빠지지 않을 수 없다.

- be busy ~ing : ~하느라 바쁘다.

  I am busy planning where to go in my summer vacation.

  나는 여름방학에 어디로 갈지 계획하느라 바쁘다.

- on (upon) ~ing : ~하자마자

  On arriving home, I discovered he had gone.

  집에 도착하자마자, 나는 그가 가버렸다는 것을 알게 됐다.

- feel like ~ing : ~하고 싶다.

  I feel like having ice cream.

  아이스크림 먹고 싶다.

- when it comes to ~ing = about N = as to N

  I'm all thumbs when it comes to sewing.

  난 바느질에는 손재주가 없어.

- with a view to ~ing : ~하기 위해서

  The anthropologists came here with a view to unearthing new evidence.

  인류학자들이 새로운 증거를 발견하기 위해서 이곳에 왔습니다.

- It is no use ~ing : ~해도 소용없다.

  It's no use crying over spilt milk.

  이미 일어난 일을 한탄해 봐야 소용없다.

- There is no point (in) ~ing : ~해도 소용없다.

  There's no point getting upset about it.

  그 일에 화 내봐야 소용없다.

- be used (accustomed) to ~ing : ~하는 것에 익숙해지다.

  I'm not used to speaking in public.

  나는 대중 앞에서 연설하는 것에 익숙하지 않다.

cf. □ be used to V: V하는데 사용되다.

  This drug is used to lower blood pressure.

  이 약은 혈압을 낮추는데 사용됩니다.

□ used to V: (과거에) V하곤 했다.

  I used to play here as a boy.

  나는 어렸을 때 여기에서 놀곤 했다.

♣ 어법상 적절한 것을 고르세요.

1. What are you planning (to do / doing) this weekend?

2. Lisa likes (to go / going) to the gym. She enjoys (to work out / working out).

3. John has decided (to sell / selling) his car.

4. Do you mind (to wait / waiting) a minute?

5. Where's Tom? I need (to ask / asking) him something.

6. Have you finished (to clean / cleaning) the bathroom?

7. He always puts off (to go / going) to the dentist.

8. I can't help (to bite / biting) my nails when I am nervous.

9. I'm too tired. I want (to get / getting) some rest.

10. I was surprised to bump into Tom. I didn't expect (to meet / meeting) him.

11. It was so good to visit that city. = I'll never forget (to visit / visiting) that city.

12. I remember (to meet / meeting) him, but I forgot to ask his name.

13. What do you regret (to buy / buying) recently?

14. The child who fell over began (to cry / crying).

15. I want to continue (to work / working) with him.

16. Do you prefer (to travel / traveling) by car or by bus?

17. Before (to go / going) home, you should clean the classroom.

18. The rain kept us from (to go / going) there.

19. I don't feel like (to go / going) out today.

20. How about (to go / going) to the movies?

D. 명사절

절이란 주어와 동사가 포함된 두 개 이상의 단어가 하나의 품사 역할을 하는 것을 말하며, 명사란 주어, 목적어, 보어 역할을 할 수 있는 성분입니다. 명사절의 종류에는 "접속사 + 주어 + 동사"와 "의문사 + 주어 + 동사"(간접 의문문), 관계대명사 what, 복합관계대명사가 있습니다. 아래 예문은 주어와 동사를 포함한 절의 형태를 갖추고 있으며 목적어 자리에 위치한 명사절입니다.

a. 접 + 주 + 동 (that 절 / whether 이나 if 절)

The boy said **that he could go alone.**
　　　　　　　　　　목적격 용법의 명사절
그 소년은 혼자 갈 수 있다고 말했다.

A lot of people know **that washing hands with soap prevents diseases such as a
cold, food poisoning and an eye disease.**　　　　목적격 용법의 명사절
많은 사람들은 비누로 손 씻는 것이 감기, 식중독, 눈병 같은 병들을 예방할 수 있다는 것을 안다.

She will see **if Tom can come to see us right now.**
그녀는 톰이 지금 당장 우리를 보러 올 수 있는지 확인할 것이다.

I'll ask **if it is all right to park here.**
여기에 주차해도 괜찮은지 물어볼게.

b. 의 + 주 + 동 (who / when / where / what / which / why / how 절)

I don't know **how it works.**　　　　　　　I wonder **why he did it.**
　　　　목적격 용법의 명사절　　　　　　　　　　목적격 용법의 명사절
그것이 어떻게 작동하는지 모른다.　　　　나는 그가 왜 그랬는지 궁금하다.

Could you tell me **when the package will arrive?**
택배가 언제 도착하는지 알려주시겠어요?

The members could not understand **what was happening** at the time.
그 당시에 멤버들은 무슨 일이 일어나고 있었는지 알지 못했다.

c. 관계대명사 what: '것'으로 해석됩니다.

The boy did **what he could**.
그 소년은 그가 할 수 있었던 것을 했다.

I'll tell you **what first comes to my mind** when I think of summer.
여름을 생각할 때 내 머릿속에 제일 먼저 떠오르는 것을 말해줄게.

d. 복합관계대명사: whatever (무엇이든), whichever (어느 ~이든), whoever (누구든)

You can eat **whatever you want**.
너가 원하는 무엇이든 먹어도 좋다.

We are willing to work with **whoever can offer a solution**.
우리는 해결책을 제시할 수 있는 누구든 같이 일할 의향이 있습니다.

*NOTE 1: 의문사가 포함된 명사절은 보통 「의문사＋주어＋동사」순이지만, 의문사가 주어 역할까지 할 경우에는 『의문사＋동사』가 됩니다. 주어 역할을 할 수 있는 who, what, which가 이에 해당됩니다.

The panel of judges will announce <u>which is</u> the best soon.
　　　　　　　　　　　　　　　　　의/주　동
판정단이 어느 것이 최고인지 곧 발표할 것입니다.

Did you hear <u>who was elected</u>?
　　　　　　　의/주　　　동
누가 뽑혔는지 들은 거 있어?

Can you tell me <u>what made</u> you think so?
　　　　　　　　의/주　동
왜 그렇게 생각했는지 말해줄 수 있나요?

51

*NOTE 2: 의문사 + to 부정사 = 의문사 + 주어 + should 동사원형

'의 + 주 + should 동'의 명사절이 미래와 관련된 일을 나타내면 『의문사 + to 부정사』로 표현될 수 있습니다. 주로 목적어 자리에 많이 쓰입니다.

ex) when to begin, where to go, what to buy, how to cook ...

I don't know **what to do**.
= I don't know **what I should do**.

I'll teach you **how to ride a bike**.
= I'll teach you **how you should ride a bike**.

He still has not made up his mind **whether to buy a new TV**.
= He still has not made up his mind **whether he should buy a new TV**.

♣ 어법상 적절한 것을 고르세요. (1 ~ 4)

1. I don't understand (what / why) he did it.

2. Do you know (if / that) he is coming?

3. I think (if / that) you should do something to make you feel better.

4. Please tell me (what / how) it was like.

♣ 목적어를 찾아주세요. (5 ~ 8)

5. If so, you have to consider whether you have a phobia.

6. I don't know who to talk to about my problem.

7. This shows that making a plan can help you achieve your goal.

8. We should decide which song we will sing.

Unit 3. 보어

보어는 명사의 의미를 보충해 주는 역할을 합니다. 보어에 대한 이해를 돕기 위해서 Steven이라는 가상의 인물을 예로 들어 보겠습니다.

Steven이라는 인물에 대한 설명을 잘 살펴봐 주세요. 「Steven는 어린 시절 고아였고, 매우 가난했습니다. 그 상황이 그를 비참하다고 느끼게 만들 수도 있었습니다. 하지만, 그는 낙천적이었기 때문에, 그 어려움들을 삶의 한 단계로 보았습니다. 마침내, 그의 긍정적인 태도는 그의 삶을 성공적으로 만들었습니다.」 이 문장을 영어로 표현해 보겠습니다. 「Steven was **an orphan** and he was too **poor**. It could have made him **feel miserable**. However, he was **optimistic**, so he considered the difficulties **a phase of life**. After all, his positive attitude made his life **successful**.」

Steven이라는 주어를 설명해 주는 단어는 우선 an orphan, poor, optimistic입니다. 이와 같이 주어에 대한 보충 설명을 하는 명사와 형용사를 "주격 보어"라고 합니다. 또한, feel miserable은 him이라는 목적어를, a phase of life는 the difficulties라는 목적어를, successful은 his life라는 목적어를 설명해 주고 있습니다. 이처럼 목적어를 설명해 주는 동사, 명사, 형용사를 "목적격 보어"라고 합니다.

다시 한번 정리하면, 보어의 종류에는 주격 보어와 목적격 보어가 있습니다. 주격 보어는 주어를 보충 설명하며, 명사와 형용사가 주격 보어로 쓰입니다.(2형식) 목적격 보어는 목적어를 보충 설명하며, 목적격 보어 자리에는 명사, 형용사, 동사가 올 수 있습니다.(5형식)

A. 주격 보어 (2형식 - S V C)

주격 보어는 주어를 설명하는 역할을 하며, 주격 보어 자리에는 명사와 형용사가 올 수 있습니다.

a. 명사: 명사 역할을 하는 명사, 대명사, to부정사, 동명사, 명사절로 분류하여 알아보겠습니다. 각 예문들의 동사 바로 뒤에 위치한 성분들이 주격 보어이며 주어에 대한 설명입니다.

- **명사**   Time is **money**.
  시간은 **돈**이다.

  The conflict between them is **one of the inevitable processes**.
  그들 사이의 갈등은 **피할 수 없는 과정 중의 하나**이다.

- **대명사**   The bag on the desk is **mine**.
  책상 위에 있는 가방이 **나의 것**이다.

  Yes, this is **she**.   네, 그게 **저**예요. (제가 그 사람이에요.)

- **to부정사**   My dream is **to go to Disneyland** in America someday.
  내 꿈은 언젠가 미국 **디즈니랜드에 가보는 것**이다.

  Our mutual goal is **to finish the project** by next month.
  우리의 공통 목표는 다음 달까지 **프로젝트를 끝내는 것**이다.

- **동명사**   His principal career was **constructing the buildings**.
  그의 주요 경력은 **건물을 건축한 것**이다.

  One of my biggest concerns is **protecting my property**.
  내 주된 관심사 중 하나가 **내 재산을 보호하는 것**이다.

- **명사절**   The most important thing is **when it begins**.
  중요한 것은 **그것이 언제 시작하는지**이다.

  Jane's problem was **that she did not practice enough**.
  제인의 문제점은 **그녀가 충분히 연습하지 않았다는 것**이었다.

b. 형용사: 형용사의 종류에는 형용사와 분사(현재분사 ~ing, 과거분사 ~ed)가 있습니다. 분사인 '동사+ing'와 '동사+ed'는 명사를 수식하는 형용사로 쓰입니다. 현재분사 Ving는 능동, 진행의 의미를, 과거분사 Ved는 수동, 완료의 의미를 갖습니다. 다음 문장의 형용사들은 주어에 대해 설명해 주는 주격 보어입니다.

- 형용사　The book is **difficult** to understand.
　　　　그 책은 이해하기 **어렵다**.

　　　　His uniform is **torn and dirty**.
　　　　그의 유니폼은 **찢기고 지저분하다**.

- 현재분사　The movie I saw yesterday was so **boring**.
　　　　어제 본 영화는 매우 **지겨웠다**.

　　　　It is **interesting** meeting people from other countries.
　　　　외국인을 만나는 것은 **흥미롭다**.

　　　　The ball went **flying** over the wall.
　　　　그 공은 담을 넘어 **날아갔다**.

* They **were playing soccer** last night. ☞ 주격 보어가 아니라 동사로 쓰임.
　어젯밤 그들은 **축구를 하고 있었다**. (3형식)

　◦ 진행형(be동사 + ~ing: ~하고 있는 중이다.)은 주어의 동작이나 상황을 설명하므로 동명사가 아니라 분사입니다. 하지만 위의 예문과 같이 주어의 동작을 나타내는 진행형으로 쓰일 경우 문장의 동사로 간주됩니다. 감정을 나타내는 동사는 의미상 진행형이 될 수 없고 주어에 대한 느낌이므로 주격 보어로 쓰입니다.

- 과거분사　I was feeling **depressed**, so I stayed at home with a good book.
　　　　나는 기분이 **울적해서** 좋은 책을 읽으며 집에 있었다.

　　　　He seemed **embarrassed** not to say a word with strangers who looked like Americans.
　　　　그는 미국인 같아 보이는 이방인들에게 말 한마디도 못해서 **창피해** 보였다.

55

주격 보어

♣ 다음 문장에서 주격 보어를 찾아주세요. (1 ~ 4)

1. She is someone who will assist you.

2. It is pointless to continue with the unproductive work.

3. The souvenir shops seem clustered in one particular area.

4. Tom was standing surrounded by his friends.

♣ 다음의 보기 중 적절하지 <u>않은</u> 것을 고르세요. (5 ~ 7)

5. He is _____.
   ① a nurse   ② on the way here   ③ swims   ④ talking on the phone

6. The aim is _____.
   ① to build muscle   ② reducing traffic   ③ help them   ④ obvious

7. She looks _____.
   ① younger   ② alarmed   ③ surprisingly well   ④ kindly

B. 목적격 보어 (5형식 – S V O O.C): 목적어에 대해 부연 설명하는 역할을 하며, 목적격 보어 자리에는 명사, 형용사, 동사가 올 수 있습니다.

a. 명사

You can call <u>me</u> **Aimee**.   (me = Aimee)
  S   V   O   O.C
저를 **에이미라고** 부르셔도 좋아요.

She named <u>the baby</u> **Wilson**.   (the baby = Wilson)
  S   V   O   O.C
그녀는 아기 이름을 **윌슨이라고** 지었다.

b. 형용사

He drove <u>me</u> **crazy**.   (me ➡ crazy)
  S   V   O O.C
그는 나를 **미치게** 만들었다.

They found <u>him</u> very **generous**.   (him ➡ generous)
   S   V   O   O.C
그들은 그가 **관대하다고** 생각했다.

° find와 consider이 5형식 문장에 쓰이는 경우에 두 동사의 주된 뜻으로 해석되기도 하지만 "생각하다"라고 해석하면 자연스러운 경우가 많습니다.

c. 동사

The song makes <u>me</u> **feel happy**.   (me ➡ feel happy)
    S   V   O   O.C
그 노래는 나를 **행복하게** 만든다.

° 내가 행복한 것이기 때문에 feel happy는 목적어 me의 보어입니다.

An old man was watching <u>his grandson</u> **play in the playground**.
         S   V   O   O.C
어떤 노인이 자기 손자가 **놀이터에서 놀고 있는 것을** 지켜보고 있었다.

° play in the playground의 주체는 목적어인 his grandson입니다.

The boss ordered <u>her secretary</u> to send the confidential documents to her.
     S   V   O   O.C

사장이 비서에게 기밀 문서를 본인에게 보내 달라고 시켰다.

◦ 문서를 보내는 사람이 사장이 아니라 비서이므로 to 부정사는 목적어 her secretary에 대해 설명하는 목적격 보어입니다.

목적격 보어

1. 다음의 보기 중 적절하지 <u>않은</u> 것을 고르세요.

   He made his son _____.

   ① doing his homework   ② happy

   ③ clean his room   ④ a soldier

2. 다음의 보기 중 적절하지 <u>않은</u> 것을 고르세요.

   I found her _____.

   ① open-minded   ② look angry

   ③ funny   ④ sitting on the bench

3. 다음 단어들을 해석에 맞게 올바른 순서로 배열하세요.

   나는 그가 정직하다고 생각한다.
   him / I / honest / think

   _____

【 동명사 정리 】

- 형태: 동사 + ing

  ex) playing, thinking, singing, jogging, clapping, improving, smiling ...

- 동사적 성격의 명사

  주어 (것은)

  Swimming in the ocean has been my passion since I was little.

  바다에서 수영하는 것은 어렸을 때부터 내가 좋아하는 것이다.

  목적어 (것을)

  Do you prefer swimming in the ocean or in a pool?

  너는 바다에서 수영하는 것을 좋아해, 아니면 수영장에서 수영하는 게 좋아?

  보어 (것이다)

  One of my favorite hobbies is swimming in the ocean.

  내가 좋아하는 취미 중의 하나는 바다에서 수영하는 것이다.

♠ 동명사의 의미상의 주어

  동명사의 주체는 동명사 바로 앞에 목적격이나 소유격으로 나타냅니다.

  Look at **the puppy** (**the puppy's**) swimming in the ocean.

  I am sure of **him** (**his**) passing the test.

♠ 동명사의 부정

  동명사 바로 앞에 not을 붙입니다.

  Not eating enough can block you from losing weight.

  Sorry for **not having told** you earlier.

♠ 전치사 + 동명사

▫ Aside from (guiding / guidance) the blind, guide dogs give them a sense of security.

안내견들은 시각장애인들을 안내해 주는 것 이외에도 그들에게 안정감을 줍니다.

▫ The upcoming workshop would be great for (enhancing / enhancement) our teamwork and boosting the morale of all the team members.

다가오는 워크숍은 팀워크를 향상시키고 팀원들의 사기를 높이기 좋을 것입니다.

전치사 다음에는 명사형만 올 수 있고, 위의 예문에서 괄호 성분들은 목적어를 이끄는 동사 역할도 하기 때문에 명사의 역할과 타동사의 역할을 동시에 하는 동명사가 와야 합니다. 그러므로 guiding과 enhancing이 옳은 표현입니다.

Chapter2 형용사

형용사를 살펴보기에 앞서 명사의 정의를 다시 확인해 보겠습니다. 명사는 주어, 목적어, 보어 역할을 할 수 있는 성분입니다. 주어와 목적어 자리에는 오직 명사만 올 수 있고, 보어 자리에는 명사나 형용사가 올 수 있습니다. 보어는 주어나 목적어를 설명하는 역할을 하는데, 보어 역할을 하는 형용사가 명사인 주어와 목적어를 보충 설명해 주기도 합니다. 예를 들어, The boy is wonderful, and he has an ability to make everyone happy. 형용사 두 개를 찾으셨나요? wonderful은 주어 the boy를 꾸며주고, happy는 make의 목적어인 everyone을 수식해 주고 있습니다.

형용사는 해바라기와 같습니다. 해만 바라보는 해바라기처럼 오직 명사를 꾸며 주기 위해서 태어났습니다. 이와는 달리, 부사는 명사를 제외한 동사, 형용사, 다른 부사, 문장 전체 등의 성분을 수식합니다. 형용사는 ①명사 앞, 뒤에서 명사를 수식해 주거나, ②2형식 문장의 주어(명사)를 설명하거나, ③5형식에서 목적어(명사)를 설명해 줍니다. 형용사의 종류에는 형용사와 분사(현재 분사, 과거 분사)가 있습니다. 형용사구는 단어 두 개 이상으로 이루어져 명사를 수식하며, 대표적인 형태가 전치사구와 to 부정사입니다. 형용사절에는 관계대명사와 관계부사가 있는데, 이 부분은 복문을 먼저 공부하고 나서 Chapter9에서 학습할 것입니다.

그럼 이제 형용사, 분사, 형용사구, 그리고 비교급의 순으로 형용사를 알아보겠습니다.

Unit 1. 형용사

▶ 명사 바로 앞, 뒤에서 명사 수식

The town has a very exotic and scenic landscape.

그 마을은 매우 이국적이고 좋은 풍경을 갖고 있다.

There are her several large old cloth dolls on the couch.

소파 위에 헝겊으로 만들어진 오래된 그녀의 큰 인형 몇 개가 있다.

Is there any room available?

이용 가능한 방 있습니까?

All the members present are involved in the project.

참석한 모든 멤버들은 그 프로젝트와 관련되어 있다.

▶ 주어(명사)를 설명

I am tired and hungry.

나는 피곤하고 배고프다.

His face turned red when he gave a presentation.

그는 발표할 때 얼굴이 빨개졌다.

▶ 목적어(명사)를 설명

My family painted the fence green.

우리 가족은 그 담장을 초록색으로 칠했다.

Do you consider him reliable?

너는 그가 믿을 만하다고 생각해?

A. 형용사들의 서열

수식어들의 어순은 다음과 같습니다.

　　1순위: all, both, half, double, 3 times (배수)

　　2순위: 소유격, 지시 형용사, 관사

　　3순위: 수사 (서수 - first, second ... ➡ 기수 - one, two ...)

　　4순위: 주관적 의견 ➡ 사이즈 ➡ 기타 특징 ➡ 나이 ➡ 모양 ➡ 색깔/패턴 ➡ 기원(국적) ➡ 재료

　　ex) Keep **all those shining** lights on!

　　　　I like **these two yellow silk** dresses.

　　　　Tom bought **a nice large new blue striped French cotton** T-shirt.

B. 수량 형용사

few와 a few는 셀 수 있는 명사와 함께 쓰이며, little과 a little은 셀 수 없는 명사와 함께 쓰입니다. few와 little은 '거의 ~없는'이라는 <u>부정</u>의 의미를 갖습니다. some, a lot of, lots of는 셀 수 있는 명사와 셀 수 없는 명사에 모두 사용 가능합니다.

	거의 없는	조금, 약간	많은
셀 수 있는 명사와 함께	few	a few, several	many, a number of, a variety of
셀 수 없는 명사와 함께	little	a little	much, a great/good deal of, a 형용사 amount of
두 경우 다 쓸 수 있는		some	a lot of, lots of, plenty of, most, all

A few friends of mine came over to my house.
내 친구 몇 명이 우리 집에 놀러 왔다.

There is **little coffee** left in my tumbler.
내 텀블러에 커피가 거의 남아있지 않다.

Can you let me know where **the several copies** are?
그 복사본 몇 부가 어디에 있는지 알려주실 수 있으세요?

How much time each night do you spend on reading?
당신은 매일 밤마다 독서하는데 얼마나 시간을 할애하세요?

He paid **a good deal of attention** to the issue.
그는 그 문제에 상당한 관심을 기울였다.

* NOTE 1: 「some / most / all / the rest / 분수 / percent + of + 명사」의 수의 일치

　　이런 명사구는 명사에 의해 수가 결정됩니다. 'some, most와 all, the rest, 분수나 퍼센트'는 동사의 수에 영향을 줄 수 없고, of 다음의 명사의 수에 따라 동사의 단수형과 복수형이 결정됩니다.

Some of **the whales** were migrating through New York.
그 고래들 중 일부는 뉴욕을 통해 이동하고 있었다.

Some of **the paint** has splashed out of the can.
페인트 일부가 통 밖으로 튀었다.

All of **the robot athletes** were ready for the competition.
모든 로봇 선수들이 경기할 준비가 되었습니다.

Two-fifths of **languages** do not have their own written forms.
언어 중 2/5는 그들 자체의 글자가 없습니다.

About 71 percent of **the Earth's surface** is water-covered.
지구 표면의 약 71퍼센트가 물로 덮여 있습니다.

* NOTE 2: 형용사 「every, each, another」 다음에는 단수 명사만 올 수 있습니다.

　　every는 우리말로 '모든'이라는 뜻이지만, 모든 것을 구성하는 개개인에 초점이 맞춰진 단어이기 때문에 단수 취급합니다. 예를 들어, Every student in the class is nice. 학생들의 전체적인 분위기보다는 학생들 개개인이 상냥하다는 뜻입니다. each는 '각각의'라는 뜻. Each member has his or her own duty. '각각의 멤버들은 각자 맡은 일이 있다.' another은 '또 다른(하나)'라는 뜻입니다. Another problem is that it is too pricey. '또 다른 문제는 너무 비싸다는 것이다.'

C. 한정적 형용사

a. 지시 형용사

This color is different from **that** one.
이 색은 저 색과 다르다.

I'll choose **these** shoes over **those** ones.
나는 저 신발보다 이 신발을 고를 것이다.

  ◦ this (이것)의 복수형: these (이것들) ◦ that(저것)의 복수형: those(저것들)

b. 의문 형용사

What fruit do you like best?
어떤 과일을 가장 좋아하세요?

Which book out of these do you want?
이 책들 중에서 어떤 것을 원하세요?

  ◦ 선택이 한정적이면 what보다 which가 쓰입니다.

c. 부정 형용사

Any color will do.
어느 색깔이든지 좋아요.

  ◦ any는 주로 부정문과 의문문에 쓰이고, 긍정문에서는 '어떤 ~이라도', '어느 ~이든'의 뜻으로 쓰입니다.

Some people spend a lot of time at their desks.
일부 사람들은 책상에서 많은 시간을 보냅니다.

D. something, anything, nothing을 수식하는 형용사의 위치

: thing으로 끝나는 명사를 수식하는 형용사는 명사 뒤에 위치합니다.

I want to eat <u>something delicious</u>.
맛있는 무언가를 먹고 싶다.

Have you ever heard <u>anything so sweet</u>?
그렇게 감미로운 어떤 소리를 들어본 적이 있니?

He has <u>nothing else to do</u>.
그는 달리 할 일이 없다.

♣ 형용사를 찾고 그 형용사가 꾸며주는 단어를 찾아주세요. (1 ~ 3)

1. The kid has lots of cool toys.

2. She is humorous and all-around.

3. I found the story interesting.

♣ 문장의 뜻이 같도록 빈칸을 완성해 주세요. (4 ~ 5)

4. This book is not easy. = This is not _____.

5. I think the situation complicated. = I think that _____.

6. 다음 단어들을 의미에 맞게 올바른 순서로 배열하세요.

> 저 키 큰 두 명의 소녀들은 그의 딸들이다.
>
> his / are / those / girls / two / tall / daughters

_____.

♣ 다음 중 어법상 적절하지 <u>않은</u> 것을 고르세요. (7 ~ 8)

7. There are _____ students on the playground.
   ① many   ② some   ③ much   ④ a few

8. We had _____ rain last summer.
   ① a great deal of   ② few   ③ a lot of   ④ little

♣ 어법상 적절한 것을 고르세요. (9 ~ 12)

9. Some of the scenes (was / were) filmed in Iceland.

10. Eighty percent of success (is / are) showing up. – Woody Allen

11. Every (move / moves) (was / were) monitored.

12. Eating (new something / something new) gives me so (much / many) pleasure.

★Unit 2. 분사(구)

현재 분사와 과거 분사는 동사가 변형되어 형용사의 기능을 갖는 것입니다. 현재 분사는 동사 원형에 ing를 붙인 형태이며, 수식을 받는 명사가 주체적으로 '~하는'이라는 능동의 의미를 갖거나, '~을 하고 있는'이라는 진행의 상태를 나타냅니다. 과거 분사는 동사 원형에 ed를 붙이며, 수식을 받는 명사가 '~되어진'이라고 해석되며 수동의 의미를 갖거나 완료의 상태를 나타냅니다. 분사는 명사와 분사의 관계가 중요합니다. 분사의 수식을 받는 명사가 주체적으로 하면 현재 분사를 쓰고, 수동적으로 당하면 과거 분사를 씁니다.

A. 현재 분사: 동사+ing (능동, 진행)

- a **crying** baby   - a **ringing** bell

- the girl **talking to Sue**

- That kid **walking his dog** is adorable.

  강아지를 산책시키고 있는 저 아이는 사랑스러워요.

  : That kid is walking the dog.

- The movie now **playing at the theaters** seems pretty **interesting**.

  지금 극장에 상영되고 있는 영화가 꽤 재미있어 보여.

- She is **looking for her key**.

  그녀는 그녀의 열쇠를 찾고 있다.

  ◦ 진행형의 ing는 동명사가 아니라 주어에 대해 설명해 주는 현재 분사입니다.

B. 과거 분사: 동사+ed (수동, 완료)

- the **broken** window   - the **repaired** car

- the goods **made in China**

- Let's go to see **the newly released** movie.

  새로 개봉된 영화를 보러 가자.

  : The movie has been recently released.

- The athlete **surrounded by many fans** looked **pleased**.

  많은 팬들에 의해 둘러싸인 그 선수는 기뻐 보였다.

  : Many fans surrounded the athlete, and they pleased him.

- I felt **refreshed** after taking a walk with my dog for a while.

  강아지와 함께 잠시 산책한 후에 기분 전환이 됐다.

* NOTE 1: 감정 동사는 분사로 많이 쓰입니다.

감정 동사	현재 분사	과거 분사
please (~을 기쁘게 하다)	pleasing 기쁘게 만드는 a pleasing performance	pleased 기쁨을 느끼는 a pleased smile
bore (~ 을 지루하게 만들다)	boring 지루하게 하는 a boring movie	bored 지루해진 bored children
satisfy (~을 만족시키다)	satisfying 만족시켜주는 a satisfying result	satisfied 만족하는 satisfied members
excite (~을 신나게 하다)	exciting 신나게 만드는 an exciting game	excited 신난 an excited player
interest (~에게 흥미를 갖게 하다)	interesting 재미있는 an interesting story	interested 흥미를 느낀 an interested audience
surprise (~을 놀라게 하다)	surprising 놀라게 하는 a surprising party	surprised 놀란 surprised mom
fascinate (~을 매혹시키다)	fascinating 매혹시키는 a fascinating movie	fascinated 매료된 fascinated fans
amaze (~을 놀라게 하다)	amazing 놀라게 하는 an amazing song	amazed 놀란 an amazed cat

* NOTE 2: 현재 분사 VS 동명사

　동명사와 현재 분사는 형태가 같습니다. 따라서 해석이나 위치한 자리로 구분됩니다. 동명사는 명사적 성격이 있고, 현재 분사는 형용사적 성격이 있습니다. 예를 들어 the waiting room은 '대기실'로 waiting이 '대기'라는 명사로 해석이 되며 명사와 명사가 합쳐진 합성어처럼 해석되므로 동명사입니다. a waiting boy는 '기다리고 있는 소년'으로 해석되며, waiting이 boy를 꾸며주는 형용사의 성격을 띠므로 현재 분사입니다.

　동명사는 명사적 성격이 있으므로 주어, 목적어, 보어 자리에 위치하거나, 명사 바로 앞에 위치해 명사와 하나의 합성어처럼 쓰이기도 합니다. 현재 분사는 명사 앞뒤에서 명사를 수식해 주는 역할을 하거나, 진행형으로 주어를 설명하는 역할을 합니다.

┌ a **sleeping** bed　　침낭 (동명사)

└ a **sleeping** baby　　잠자고 있는 아기 (현재 분사)

┌ Tom likes **swimming**.　수영하는 것을 → 목적어 (동명사)

└ Tom is **swimming**.　　수영 중인 → 형용사 (현재 분사)

♣ 다음의 분사가 수식하는 명사(구)를 찾아주세요. (1 ~ 4)

1. The cat is **sleeping** on the rug.

2. She has some **used** cell phones.

3. I saw my dad **cooking** in the kitchen.

4. There was a big car **parked** in front of the house.

♣ 어법상 적절한 것을 고르세요. (5 ~ 10)

5. Who are those people (waiting / waited) outside?

6. Some of my friend (inviting / invited) to the party can't come.

7. There's no one (living / lived) in the building.

8. Lots of accessories (making / made) in Italy are exported.

9. The village has the magnificent mountains (covering / covered) with snow.

10. The boy (picking / picked) fruit off from a tree is my brother.

Unit 3. 형용사구

형용사구란 단어 두 개 이상으로 이루어져 명사를 수식해주는 덩어리입니다. 단, 구는 주어와 동사로 구성될 수 없습니다. 형용사구, 전치사구, to 부정사구, be to 용법 순으로 살펴보겠습니다.

A. 형용사구: 형용사로 시작하는 단어 두 개 이상의 덩어리가 명사를 수식하는 것

He is **full of energy**. 그는 에너지가 넘친다.

My phone is **low on battery**. 핸드폰 배터리가 부족하다.

Citrus fruits are **rich in Vitamin C**. 감귤류는 비타민C가 풍부합니다.

B. 전치사구: 전치사 + 명사 = 형용사구

전치사로 시작하는 단어 두 개 이상의 덩어리가 명사를 수식하는 것

Our school is **on a hill**. 우리 학교는 언덕 위에 있다.

The man **with good manners** is popular. 예의 바른 그 남자는 인기가 많다.

This is the golden opportunity **of a lifetime**. 이것은 일생일대의 절호의 기회이다.

It's a matter **of importance**. 그것은 중요한 문제이다.

▶ 「of + 명사」 = 형용사

ex) of importance = important
of use = useful
of no use = useless

*NOTE: 『전치사 + 명사』는 형용사구 또는 부사구가 될 수 있습니다. 명사를 수식하면 형용사구이고, 명사 이외의 성분을 꾸며주면 부사구입니다. (Chapter 4 부사의 부사구를 참고해 주세요.)

C. to 부정사구

to 부정사는 『to + 동사』의 형태로 명사(주어, 목적어, 보어 자리), 형용사, 부사의 역할을 합니다. 여기에서는 to 부정사가 형용사적 용법으로 쓰이는 경우를 살펴보겠습니다. 주로 명사 바로 다음에 to 부정사가 오며, to 부정사가 앞에 있는 명사를 꾸며주는 역할을 합니다.

명사 to + 동사: 동사할 명사

I have a lot of **work** to do.　　　　　　저는 할 일이 많아요.

Do you want **something** to drink?　　　마실 것을 드릴까요?

Is there **anything** to clarify?　　　　명확히 할 것이 있나요?

The movie to watch is E. T.　　　　　볼 영화는 E.T.이다.

She had no **one** to rely on.　　　　　그녀는 의지할 사람이 아무도 없었다.

I have **a spot** to drop by.　　　　　저는 들를 곳이 있어요.

I need **a pen** to write with.　　　　나는 쓸 펜이 필요해.

。 마지막 예문에서 write 다음에 전치사 with가 쓰인 이유는 동사의 뜻과 관련 있습니다. write는 '(글자, 숫자, 단어 등)을 쓰다'라는 뜻을 갖고 있습니다. 따라서 write a pen이라는 문장은 어색하며, write with a pen '펜으로(펜을 가지고) 쓰다'가 옳은 표현입니다. 동사의 의미적인 완성을 위해 전치사가 필요합니다.

비슷한 예로 '나는 쓸 종이 한 장이 필요하다.'라는 표현을 영어로 말해 봅시다. I need a piece of paper to write on.이 될 것입니다. write on paper처럼 종이 위에 무언가를 쓰므로 전치사 on이 자연스럽습니다. 동사와 전치사가 마치 한 세트처럼 쓰입니다. 무조건 암기하기보다는 문장 속 동사의 의미를 파악하여 동사와 전치사를 유기적으로 이해해야 합니다.

D. be to 용법

be동사 뒤에 to 부정사가 주어에 대한 설명을 서술함으로써 주격 보어 역할을 합니다. 따라서 형용사적 용법으로 간주됩니다. be to 용법은 5가지로 해석됩니다. 문맥에 따라 **예정**, **의무**, **가능**, **의도**, **운명**의 뜻으로 해석되며, 앞 자만 따서 '**예의가의 운명**'으로 알아 두면 기억하기 쉽습니다. 주로 '미래에 ~하다.'라는 뜻을 가지고 있는 경향이 있습니다.

▶ 예정 (~할 예정이다.)

  Jim **is to** arrive here the day after tomorrow.

 = Jim **is going to/is expected to** arrive here the day after tomorrow.

  Jim은 내일 모레 여기 도착할 것이다.

▶ 의무 (~해야 한다.)

  They **are to** obey the digital copyright law.

 = They **must** obey the digital copyright law.

  그들은 디지털 저작권법을 준수해야만 한다.

▶ 가능 (~할 수 있다.)

  My phone **was** not **to** be found anywhere.

 = My phone **could** not be found anywhere.

  어디에서도 내 폰을 찾을 수 없었다.

▶ 의도 (~하려고 의도하다.)

  If you **are to** pass the exam, study hard.

 = If you **intend to** pass the exam, study hard.

  시험에 통과하고 싶으면, 열심히 공부해라.

▶ 운명 (~할 운명이다.)

  She **was to** be an actress from birth.

 = She **was destined to** be an actress from birth.

  그녀는 태어날 때부터 여배우 감이었다.

♣ 어법상 적절한 것을 고르세요. (1 ~ 8)

1. Logic is of no (use / useful) to an unthinking person.

2. The girl (in / with) red glasses on is my friend.

3. The men (in / with) the black suits are his employees.

4. I'm in favor of her idea. But you seem to be (for / against) it.

5. Tom was the first guest (to arrive / to arrive at).

6. I think they need some chairs (to sit / to sit on).

7. Does he have a house (to live / to live in)?

8. I have something (to tell / to telling) you.

♣ be to 용법이 쓰인 문장을 괄호 안의 동사를 활용하여 문맥에 맞게 바꿔주세요. (9 ~ 12)

예정(be going to)   의무(must)   가능(can)   의도(intend to)   운명(be destined to)

9. We are to meet at seven.

 = We _____ meet at seven.

10. Unfortunately, the man was never to return to his homeland.

  = Unfortunately, the man _____ never _____ return to his homeland.

11. You are to do the work faster to finish it as soon as possible.

  = You _____ do the work faster to finish it as soon as possible.

12. If you are to have good friends, you must be good.

  = If you _____ have good friends, you must be good.

Unit 4. 형용사와 부사의 "원급, 비교급, 최상급"

A. 원급, 비교급, 최상급의 형태

1) 기본 형태

원급	비교급 (더 ~한)	최상급 (가장 ~한)
fast	faster	fastest
short	shorter	shortest
old	older / elder(가족관계)	oldest / eldest(장남,장녀)
beautiful	more beautiful	most beautiful
famous	more famous	most famous
important	more important	most important

이번 유닛에서는 비교급과 최상급에 대해 알아보려고 합니다. 학습하기 전에 반드시 알아 두어야 할 사항은 이 개념들은 대상들을 비교하여 우열을 표현하는 형용사나 부사에 관한 것이라는 점입니다.

원급은 형용사나 부사의 원래 형태를 말합니다.

비교 대상이 두 개인 비교급은 '더 ~한'이라는 뜻을 가지며, 형태는 「원급+er」 또는 「more + 원급」(3음절 이상 또는 -ful, -ous, -less) 입니다. 비교급은 대상이 두 개이므로, '~보다'라는 뜻을 가진 'than'과 주로 함께 쓰입니다. 비교급을 강조하기 위해서 much, still, far, a lot, even 등이 비교급 바로 앞에 쓰이며, 뜻은 '훨씬 더 ~한'이 됩니다.

A tiger is much **stronger** than a mouse.

Math is **more difficult** for me than science.

비교 대상이 세 개 이상인 최상급은 '가장 ~한'이라는 뜻을 가지며, 형태는 「the 원급+est」 또는 「the most + 원급」(3음절 이상의 형용사나 -ful, -ous, -less로 끝나는 형용사) 입니다. 최상급은 세 개 이상의 비교 대상들 중 가장 최고나 최저의 상태 딱 하나만을 가리키므로 최상급 앞에 **the**를 붙여야 합니다. 또한, 비교 대상은 'in + 소속 그룹'이나 'of + 구성 멤버나 구성 요소'로 나타낼 수 있습니다.

He is **the smartest** of the students.

The singer seemed to be **the most famous** in the world then.

2) 자음+모음+자음으로 끝나는 단어

원급	비교급 (더 ~한)	최상급 (가장 ~한)
big	bigger	biggest
fat	fatter	fattest
hot	hotter	hottest

단어 끝부분이 '자음+모음+자음'으로 구성된 형용사나 부사는 발음을 위해서 비교급과 최상급을 만들 때 마지막 자음을 하나 더 붙여야 합니다. 예를 들어 big에 er만 붙이면 biger이 되고, [비걸]이 아니라 [바이걸]이라고 읽히며 발음의 일관성에 어긋납니다. 따라서 bigger [비걸]이라고 쓰는 것이 자연스럽습니다.

> This puppy is **the biggest** of them.

> Today it is **hotter** than yesterday.

3) 자음+y으로 끝나는 단어

원급	비교급 (더 ~한)	최상급 (가장 ~한)
pretty	prettier	prettiest
easy	easier	easiest
funny	funnier	funniest

y로 끝나는 형용사나 부사 중 y 바로 앞이 자음(자음+y)인 경우 비교급이나 최상급을 만들 때 y를 i로 고쳐야 합니다. 예를 들어, easy의 비교급은 easier [이지얼]입니다. easy에 er을 그대로 붙이면 easyer은 [이지얼]이 아니라 [이사이얼]이라고 발음이 되어 발음의 일관성에 어긋나기 때문에 y를 빼고 ier를 붙여야 합니다. 모음 바로 다음에 y로 끝나는 경우는 발음이 일관적이기 때문에 규칙 변화합니다. ex) gray - grayer - grayest

> That's **easier** said than done.

> This is **the happiest** moment in my life.

4) 불규칙 변화

원급		비교급 (더 ~한)	최상급 (가장 ~한)
good (좋은)/well (건강한, 잘)		better	best
bad (나쁜) / ill (아픈)		worse	worst
much(셀수 X)/many(셀수 O)		more	most
little		less	least
late	시간 순서	later 후에 (나중에) latter 후자의	latest 최근의 (가장 나중) last 제일 마지막의
far	거리 정도,거리	farther 더 먼 further 더욱 더	farthest 가장 먼 furthest 가장 깊게, 가장 먼

자주 쓰이는 불규칙 변화들은 꼭 알아두어야 합니다.

Most species of sharks are **less** than 20 feet long.

This is **the best** vacation that I've ever had.

5) 비교급에서 than 대신 to를 쓰는 비교급

- superior to 비교 대상: ~보다 우등한

- inferior to 비교 대상: ~보다 열등한

- junior to 비교 대상: ~보다 (나이, 직급) 어린

- senior to 비교 대상: ~보다 (나이, 직급) 많은

- or로 끝나는 라틴어 형용사

- prefer A to B: B보다 A를 더 선호하다.

  I **prefer** coffee **to** tea.
  저는 차보다 커피를 선호합니다.

  This latest model is technically **superior to** the previous models.
  이 최신 모델은 이전 모델들보다 기술적으로 더 뛰어납니다.

B. 동급 비교

1) as 형/부 as 비교 대상: (비교 대상)만큼 형/부 한

> 주어 동사 as (so) 형용사/부사의 원급 as 비교 대상 (명사나 절)
>
> '주어가 비교 대상만큼 형용사/부사 하다.'

Tom is **as** tall **as** David (is). = Tom is the same height as David is.
톰은 데이비드만큼 키가 크다. = 톰과 데이비드의 키는 같다.

Joey doesn't like soccer **so** much **as** he likes baseball.
조이는 야구를 좋아하는 것만큼 축구를 좋아하지 않는다.

Learning manners is **just as** important **as** learning academic subjects.
예절 학습은 교과목 학습만큼이나 중요하다.
◦ 동급 비교의 강조를 위해서 just를 사용하기도 합니다.

2) the same as 비교 대상 (명사나 절): ~와 똑같은

Tom is **just the same as** his father. – stubborn and stingy
Tom은 그의 아버지와 똑같다. – 고집 세고 인색한

It is **the same day as** any other day.
다른 날과 똑같은 날이다.

3) as 형/부 as possible = as 형/부 주어 can(may): 가능한 한 형/부

I try to visit my grandparents **as** often **as possible**.
= I try to visit my grandparents **as** often **as I can**.
저는 가능한 한 자주 할아버지, 할머니를 찾아뵈려고 합니다.

Please use public transportation **as** much **as possible**.
= Please use public transportation **as** much **as you may**.
가능한 한 대중교통을 많이 이용하시길 바랍니다.

C. 배수 표현

1) 배수 비교급 than ☆: ☆보다 몇 배 더 ~한

2) 배수 as 원급 as ☆: ☆의 몇 배 ~한

3) 배수 × (the 정도, 크기, 단위 등을 나타내는) 명사 of ☆: ☆의 몇 배 ~한

This castle is **four times larger than** that one.

This castle is **four times as large as** that one.

This castle is **four times the size of** that one.

이 성은 저 성보다 4배 더 크다.

Young trees absorb **three times more CO_2 than** old trees.

Young trees absorb **three times as much CO_2 as** old trees.

Young trees absorb **three times the amount of CO_2 that** old trees do.

어린 나무는 오래된 나무가 흡수하는 이산화탄소 양의 3배를 흡수한다.

Your pool is **twice deeper than** ours.

Your pool is **twice as deep as** ours.

Your pool is **twice the depth of** ours.

너희 수영장은 우리 수영장보다 두 배는 더 깊다.

---

1) 비교 대상A + 동사 + 배수 (twice, three times…) + 비교급 than + 비교 대상B

2) 비교 대상A + 동사 + 배수 + as 원급 as + 비교 대상B

3) 비교대상A + 동사 + 배수 × (the 정도, 단위 등을 나타내는) 명사 of 비교 대상B

   '비교 대상A가 비교 대상B보다 몇 배 ~하다.'

D. 비교급과 원급을 이용한 최상급

AP tower is **the tallest building** in the town.

AP타워는 마을에서 가장 높다.

1) AP tower is **taller than any other building** in the town.

　　　　　비교급 than any other 단수명사

AP타워는 마을에 (개별적으로 하나씩) 어떤 다른 건물과 비교해도 더 높다.

2) AP tower is **taller than all the other buildings** in the town.

　　　　　비교급 than all the other 복수명사

AP타워는 마을에 있는 모든 다른 건물들과 비교했을 때 그들보다 더 높다.

3) **No building** in the town is **taller than** AP tower.

　No 단수명사　　　　　　　비교급 than

마을에 AP타워보다 더 높은 건물은 하나도 없다.

4) **No building** in the town is **as tall as** AP tower.

　No 단수명사　　　　　　　as 원급 as

마을에 AP타워만큼 높은 건물은 하나도 없다.

◦ 영어 문장의 주어 자리에 부정어가 있더라도 우리말로 해석 시 동사를 부정해야 합니다.

A가 가장 ~하다. ◁ 최상급

1) A 동사 **비교급** than any other 단수 명사

　A는 (개별적으로 하나씩) 다른 명사보다 더 ~하다.

2) A 동사 **비교급** than all the other 복수 명사

　A는 다른 모든 명사들보다 더 ~하다.

3) No 단수 명사 동사 **비교급** than A

　A보다 더 ~한 명사는 아무것도 없다.

4) No 단수 명사 동사 as **원급** as A

　A만큼 ~한 명사는 아무것도 없다.

E. 비교급을 이용한 표현들

1) 비교급 and 비교급: 점점 더 ~한

The kid is **taller and taller**.
그 아이는 점점 더 키가 크고 있다.

The movie was getting **more and more interesting** towards the end.
그 영화는 끝으로 갈수록 점점 더 재미있었다.

★2) the 비교급 주어 동사, the 비교급 주어 동사: 더 ~할수록, 더 ~하다.

The more you read the book, **the more fully** you will understand.
= As you read the book more, you will understand more fully.
그 책을 읽으면 읽을수록, 더 잘 이해할 것이다.

The more interested she is in films, **the more** she wants to be a movie director.
= As she is more interested in films, she wants to be a movie director more.
그녀는 영화에 관심이 더 많아질수록, 더 영화감독이 되고 싶어 한다.

The more popular the restaurant became, **the more crowded** it got.
= As the restaurant became more popular, it got more crowded.
그 가게는 인기가 더 많아질수록, 더 붐볐다.

The higher you go up, **the colder** it gets.
= As you go up higher, it gets colder.
위로 더 올라 갈수록, 기온이 더 내려간다.

The less, the better.
= As it is less, it is better.
더 적을수록, 더 좋다.

* NOTE: the 비교급은 해석상 동사와 유기적으로 연결되어 있어서, the 비교급 문장을 파악하기 위해서는 as로 풀어쓴 문장의 동사와 비교급을 연결 지어 이해해야 합니다.

3) 비교 관용 표현

- other than: 이외에

- rather than: 보다는

- the same 명사 as ☆: ☆와 같은 명사

- less than: 보다 적은

- more than: 보다 많은

- no more than = only: 오직, 겨우
  She has **no more than** 5 dollars.   그녀는 겨우 5달러만 가지고 있다.

- not more than = at most, at best: 기껏해야
  She has **not more than** 5 dollars.   그녀는 기껏해야 5달러를 가지고 있다.

- no less than = as much/many as: ~만큼, 자그마치, ~못지않게
  She has **no less than** 5 dollars.   그녀는 5달러나 가지고 있다.

- not less than = at least: 적어도
  She has **not less than** 5 dollars.   그녀는 적어도 5달러는 가지고 있다.

* NOTE 주어 동사 not so much A as B: A라기보다는 B (= B rather than A)

있는 그대로 해석하면 A가 B만큼 되지 않다는 뜻이므로, 'A라기보다는 B'라고 해석됩니다. not so much A but B도 not so much A as B와 같은 의미입니다.

They are **not so much** a couple **as** friends.
= They are friends **rather than** a couple.
그들은 연인이기보다는 친구이다.

It's famous **not so much** for the things that happened there, **but** for the people who visited.
그것은 거기에서 일어난 일들 때문이 아니라, 방문한 사람들 때문에 유명합니다.

What we need to do is **not so much** interfere **as** understand.
우리가 해야 할 일은 간섭하는 것이 아니라 이해하는 것이다.

F. 비교급 강조, 최상급 강조

1) 비교급 강조

> even, still, a lot, much, far 등: 훨씬

even, still, a lot, much, far 등이 비교급 more ~ (than)이나 ~cr (than) 바로 앞에 위치해 비교급을 강조해 줍니다. '훨씬 (더 ~한)'이라는 뜻이 됩니다. 비교 대상들의 약간의 차이를 표현할 때는 a bit, a little, slightly 등을 비교급 앞에 붙이고 '조금 (더 ~한)'이라고 해석합니다.

You look **a lot nicer** than usual.

The novel was **even more fascinating** than I had expected.

Tom is **slightly taller** than Amy.

＊NOTE: very는 원급과 함께 쓰입니다. 비교급에 쓰일 수 없습니다.

Yogurt is usually **very low** in fat.

Temperatures will be <u>very lower</u> over the weekend. (X)
→ **far lower**

2) 최상급 강조

> ever (역대급으로), quite, very (정말로), much, by far (단연코) 등

최상급을 강조할 때는 부사에 따라 다음과 같이 세 가지 어순으로 쓰입니다.

▶ by far, much, quite, even, still + <u>the 최상급</u>

▶ <u>the</u> very, single + <u>최상급</u>

▶ <u>the 최상급</u> ever, by far, yet

ex) **by far** the best, the **very** best, the best **ever**

The hardest choices require **by far the strongest** wills.

They wanted **the very best** quality.

That's **the most watched** sporting event **ever** in the United States.

비교급과 최상급 문제

1. 비교급과 최상급의 형태가 <u>어색한</u> 것을 고르세요.

① large - larger - the largest

② strong - more strong - the most strong

③ lucky - luckier - the luckiest

④ useless - more useless - the most useless

2. 다음의 비교급과 최상급의 형태를 완성해 주세요.

▪ good	-	( )	-	best	
▪ ill	-	worse	-	( )	
▪ much	-	( )	-	most	
▪ little	-	less	-	( )	

3. 다음 중 어법상 <u>틀린</u> 문장을 고르세요.

① There's no culture superior or inferior than others.

② My membership fee does not cost as much as yours.

③ This magazine is more interesting than that one.

④ She is the youngest girl in the group.

4. 다음 중 어법상 <u>올바른</u> 문장을 고르세요.

① The cat is more small than the dog.

② This is one of the longest river in the world.

③ Cows are usefuler than all the other animals.

④ Who is the fastest among them?

♣ 다음 문장의 뜻이 같도록 빈칸을 완성해 주세요. (5 ~ 14)

5. Tom is the same age as Sue.

 = Tom is ____ old ____ Sue is.

6. This box is twice as heavy as that one.

 = This box is _____ _____ than that one.

7. Tom is not so tall as Sam.

 = Tom is ____ _____ than Sam. = Sam is _____ than Tom.

8. Mr. Bang is the richest CEO in Asia.

 = Mr. Bang is richer _____ any _____ CEO in Asia.

 = Mr. Bang is richer than ____ the other _____ in Asia.

 = ____ CEO in Asia is _____ than Mr. Bang.

 = No CEO in Asia is ____ rich ____ Mr. Bang.

9. As you exercise more, you burn more calories.

 = ____ _____ you exercise, ____ _____ _____ you burn.

10. As you learn more, it gets easier.

 = ____ _____ you learn, ____ _____ it gets.

11. The warmer the weather, the better I feel.

 = ____ the weather gets _____, I feel _____.

12. My initial plan was to read not less than 10 books in two months.

 = My initial plan was to read ____ _____ 10 books in two months.

13. There is room for no more than two cars.

  = There is room for _____ two cars.

14. It is a hobby rather than a career.

  = It is _____ so much a career ____ a hobby.

♣ 비교급 and 비교급 (점점 더 ~한) 표현을 써서 다음을 완성해 주세요. (15 ~ 16)

15. Your English is improving. It's getting _____ and _____. (good)

16. As the conversation went on, he became _____ and _____ _____. (talkative)

♣ 다음의 단어를 활용하고 비교급 또는 최상급을 써서 빈칸을 채워주세요. (17 ~ 21)

peaceful   early   old   cheap   interested

17. I feel tired today, so I'll go to bed _____ than usual.

18. I like living in the countryside. It's _____ to live in a town.

19. Tom doesn't like reading. He's _____ in exercising at the gym.

20. Mr. and Mrs. Brown have three sons. _____ is 20 years old.

21. We didn't have enough money.

    We had to stay at _____ hotel in the town.

22. 다음 중 어법상 적절하지 <u>않은</u> 것을 고르세요.

① This car is much cheaper than that car.

② His illness was a lot more serious than we thought at first.

③ Could you speak a bit more slowly?

④ Don't go by taxi. It's very more expensive than by bus.

Chapter3

동사

영어의 평서문에서는 보통 주어 바로 다음에 동사가 위치하며, 동사 다음에 오는 성분들은 동사의 성격에 따라 위치가 결정됩니다. 따라서 문장 형식의 기준은 동사입니다.

솔직히 저는 중, 고등학교 시절과 심지어 대학 시절에도 문장의 형식을 공부할 때 머리가 아프곤 했습니다.^^; 일단 문장의 형식을 알아야 하는 이유를 몰랐고, 이해하기도 쉽지 않았습니다. 그런 문장의 형식을 이 책의 동사 파트에서 제일 먼저 다루는 이유는 동사의 성격에 따라 달라지는 문장의 형식을 인지하고, 우리말과 다른 영어 문장의 구조를 알게 되면 영어에 대한 접근이 한결 수월해지기 때문입니다. 문장의 형식을 어렵게 생각하기보다는, 영어 문장 어순의 다섯 가지 형태를 편안한 마음으로 소설 읽듯 쭉 읽어보세요. 동사를 기준으로 문장의 형식을 최대한 쉽게 이해할 수 있도록 설명해 드리겠습니다.

Unit 1. 문장의 형식

문장의 형식을 알아야 하는 이유

make를 예로 들어 그 이유를 알아보겠습니다. 아래의 설명을 읽기 전에 다음 문장 안에 쓰인 make가 무슨 뜻으로 쓰였는지 생각해 보세요.

⑴ He will make a good dad if he gets married.

⑵ I'm going to make a cake for my mom's birthday.

⑶ She made her baby a new dress.

⑷ Tom always tries to make his girlfriend happy.

⑴ 그는 결혼하면 좋은 아빠가 _____ 것이다.

⑵ 나는 엄마 생일을 위해 케이크를 _____ 것이다.

⑶ 그녀는 그녀의 아기에게 새로운 드레스를 _____ _____.

⑷ 톰은 항상 여자 친구를 행복하게 _____ 노력한다.

(1)번 문장에서 make는 '~이 되다'라는 뜻으로 쓰였습니다. 주어와 이를 설명해 주는 명사나 형용사(주격 보어)로 구성되는 문장에서는 make가 become의 의미로 쓰입니다. '그는 좋은 아빠가 될 것이다.'로 해석됩니다. (2)번 문장의 make는 우리에게 가장 친숙한 뜻인 '~을 만들다'이며, make 다음에 만들어지는 대상인 명사(목적어)가 필요합니다. '케이크를 만들 것이다.'로 해석됩니다. (3)번 문장에서의 make도 만든다는 뜻을 담고 있기는 하나, 엄밀히 말하자면 '~에게 ~을 만들어 주다'라는 뜻을 갖습니다. 이 경우 make 다음에 '~에게' 자리에 들어가는 명사(간접 목적어)와 '~을'이라는 만들어지는 대상을 나타내는 명사(직접 목적어), 총 2개의 목적어가 오게 됩니다. '아기에게 새로운 드레스를 만들어 줬다.'라고 해석됩니다. (4)번 문장의 make는 '~을 ~하게 만들다.'라는 뜻을 갖습니다. 주어가 어떤 대상을 어떠한 상태로 만들기 때문에 make 다음에 대상이 되는 명사(목적어)와 그 명사의 상태를 말해주는 명사나 형용사 또는 동사 중 하나의 형태(목적격 보어)가 오게 됩니다. '여자 친구를 행복하게 만들려고 노력한다.'로 해석될 수 있습니다.

네 문장 속 모두 make가 쓰였지만, make의 뜻이 조금씩 다르며 그에 따라 동사 뒤에 따라오는 문장 성분이 달라집니다. 이것이 문장의 형식을 결정합니다. 문장의 형식을 이해하기 위해서는 그 문장의 동사의 의미적 성격을 파악해야 합니다. (1)번 문장에서 make는

'~이 되다'라는 뜻이며 명사나 형용사(주격 보어) 하나가 필요한 **2형식**입니다. (2)번 문장의 make는 '~을 만들다'라는 뜻이며 명사(목적어) 하나가 필요한 **3형식**입니다. (3)번 문장에서의 make는 '~에게 ~을 만들어 주다'로 해석되며 동사 다음에 명사(간접 목적어, 직접 목적어) 두 개가 필요한 **4형식**입니다. (4)번 문장의 make는 '~을 ~하게 만들다'라고 해석되며 명사(목적어) 하나와 명사/형용사/동사(목적격 보어) 중 하나가 필요한 **5형식**입니다.

위의 예문에서 알 수 있듯이 각각의 문장 안에 같은 동사가 쓰이더라도 동사의 의미적 성격에 따라 동사가 필요로 하는 성분들이 정해져 있으며, 그것이 문장의 형식입니다. 따라서 영어 문장을 효율적으로 이해하기 위해서는 무엇보다도 동사를 중심으로 문장의 다섯 가지 형식을 잘 파악하는 것이 중요합니다.

1형식   S + V (주어 + 동사)

1형식 동사는 <u>왕래 발착</u>(가고 오고, 출발하고 도착), 즉 주어의 이동을 나타내거나, <u>사건의 발생, 주어의 존재 유무, 주어의 증감 상태</u> 등을 나타냅니다. 1형식 문장은 주어에 대한 설명이 동사로 끝날 수 있는 문장이거나, 한 문장의 주어와 동사에 대한 부연 설명이 목적어나 보어가 아닌 부사로 충분한 문장입니다.

---

go, come, depart, begin, arrive, exist, live, appear, disappear, happen, occur, take place, rise, grow, increase, decrease, fly, walk, run, differ, vary, starve...

My brother went to Busan yesterday.

She will be arriving in Seoul next Saturday.

The movie festival is taking place Oct. 7 – 14.

The number of newborns has decreased over a few decades.

More staple food crops will be needed in the future.

1형식은 주어와 동사로 이루어져 있습니다. 물론 뒤에 부사어구들이 따라와 문장이 길어질 수 있습니다. 주어와 동사만으로 이루어진 이유는 주어의 움직임이나 이동을 나타내거나 어떤 사건이(주어) 일어난 것을 나타내는데 동사만으로 충분하고, 1형식 동사의 특성상 부연 설명이 필요한 경우 부사(구/절)가 오기 때문입니다. 1형식 동사는 보어나 목적어를 필요로 하지 않습니다. 우리의 영문법에서는 수식어인 부사는 문장 형식의 성분이 되지 못하고, 특히 전치사로 시작하는 부사구는 문장의 형식에 포함되지 않는다는 것을 꼭 기억해 주세요! 그렇다고 해석이 중요하지 않다는 것은 아닙니다.

The sun rises in the east and sets in the west.
해가 동쪽에서 뜨고, 서쪽으로 진다.

rises와 sets는 태양의 움직임을 보여주는 1형식 동사이며, '전치사 + 명사'로 된 in the east나 in the west는 부사구로 동사를 부연 설명해 주는 역할을 합니다. 부사는 문장의 형식의 구성 요소로 인정되지 않습니다. 이 문장은 주어가 the sun이고, 동사가 rises와 sets인 1형식입니다.

They go to school at 8 o'clock in the morning.

그들은 오전 8시에 학교에 간다.

이 문장에서 go는 주어의 이동을 나타내는 1형식 동사입니다. to school (학교로)은 이동하는 장소를 알려주는 부사구이며, at 8 o'clock in the morning (오전 8시에)는 이동하는 시간을 알려주는 부사구입니다. '전치사 + 명사'는 부사구이므로 문장의 형식에 포함되지 않습니다. 따라서, they가 주어이고, go가 동사인 1형식 문장입니다.

Because of global warming, Arctic glaciers are melting fast.

지구 온난화 때문에, 북극 빙하가 빠른 속도로 녹고 있습니다.

Arctic glaciers가 주어이고, are melting이 동사인 1형식 문장입니다. Because of global warming은 전치사구이자 이유를 설명해 주는 부사구이고, fast는 동사를 꾸며주는 부사입니다.

▶ 전치사와 함께 쓰이는 대표적인 자동사 ◀

- wait for 명사 to 동사: 명사가 동사할 것을 기다리다.

- listen to 명사: ~을 듣다.

- look at 명사: ~을 보다.

- look for 명사: ~을 찾다.

- look into 명사: ~을 조사하다. ~을 들여다보다.

- result from 명사(원인): ~에서 비롯되다.

- result in 명사(결과): ~한 결과를 낳다.

- account for 명사: ~을 설명하다, (부분, 비율)을 차지하다.

- refer to 명사: ~을 언급하다. 참고하다.

- rely on 명사 = depend on = count on = draw on = turn to: ~에 의존하다.

◦ 위와 같이 주로 전치사와 함께 쓰이는 자동사(목적어를 갖지 않는 동사)들이 있습니다. 이런 자동사들은 전치사의 유무에 따라서 문장의 형식이 달라질 수 있습니다. 예를 들어, Please, **listen** up! '잘 들어보세요!'라는 문장은 1형식이고, He **listened to** me carefully. '그는 내 말을 주의 깊게 들었다.'라는 문장은 3형식입니다.

▶ 혼동되는 자동사(목적어 필요 없는 1형식)와 타동사(목적어 필요한 3형식) ◀

자동사 (목적어X)	타동사 (목적어O)
lie – lay – lain (lying) (주어)가 자리잡다. 누워있다.	lay – laid – laid (laying) = put (목적어)를 눕히다.
rise – rose – risen (주어)가 일어나다.	raise – raised – raised (목적어)를 들어 올리다.
sit – sat – sat (주어)가 앉다.	seat – seated – seated (목적어)를 앉히다.

I lay in bed.   나는 침대에 누웠다.

My daughter laid her doll in her bed.   내 딸은 자기 인형을 침대에 눕혔다.

The unemployment rate has risen.   실업률이 올랐다.

Raise your arm if you have any questions.   질문 있으면 손을 들어주세요.

After seating his baby next to him, he sat on the chair.
그는 아이를 그의 옆에 앉히고 나서, 의자에 앉았다.

*NOTE: 헷갈리는 1형식 문장 구문

> There is / There are + 명사: (명사)이/가 있다. ☞ 이 구문은 1형식입니다.

『There is/are + 명사』구문은 명사인 주어와 be 동사로 구성된 1형식 문장입니다.
There be 동사 구문은 유도 부사라는 there이 문장 맨 앞에 위치함으로써 동사 다음에 주어가 오게 됩니다. 영어에서는 문장 맨 앞자리에 명사(주어)가 아닌 다른 품사가 위치하면 주어와 동사의 어순이 바뀌는 도치가 일어날 확률이 높습니다. 예를 들어, There were many people at the festival. (축제에 많은 사람들이 있었다.) many people이 주어이며, were이 동사인 1형식 문장입니다. there은 특별한 뜻 없이 문장 형태를 위해 필요한 유도 부사이고, at the festival은 전치사와 명사로 구성된 부사구입니다. 부사(구)는 문장의 형식에 포함되지 않습니다. 따라서 주어와 동사로 이루어진 1형식입니다.

1형식 문제

♣ 문장의 주어(S)와 동사(V)를 표시해 주세요. (1 ~ 4)

1. My cousins are in the room.

2. One's word should be kept by one.

3. The song you like is playing on the radio.

4. Here are a few simple tips for grocery shopping.

♣ 어법에 맞게 올바른 순서로 배열해 주세요. (5 ~ 7)

5. to the market / some fruits / went / Sam and Sue / to get

_____.

6. stands / with / on the hill / the white house / a roof deck

_____.

7. a friendly way / smiled / the beautiful lady / in

_____.

8. 문장의 형식이 다른 하나를 고르세요.

① The train gets to New York at 9 : 30.

② It has been raining over the past several days.

③ She is kind to everyone.

④ Did Sam talk to you?

2형식 S + V + C (주어 + 동사 + 보어)

2형식 동사들의 뜻은 주로 '이다, 되다, ~하게 느껴지다.'입니다. 따라서, 2형식 동사는 동사 자체에 주어에 대한 정보가 부족합니다. 주어에 대한 설명이 부족하기 때문에 문장을 더 보충해 줄 수 있는 명사나 형용사 (주격 보어)가 필요합니다. 2형식 동사들의 의미를 완성해 주는 명사와 형용사를 보어라고 부릅니다.

---

a. be동사류 (이다, 하게 있다): keep, stay, remain... + 명사, 형용사

b. become동사류 (되다): come, go, fall, run, get, grow, turn, prove, make...
         + 형용사, 명사

c. 감각동사류: feel, smell, touch, taste, seem, look, sound... + 형용사
         feel, smell, touch, taste, seem, look, sound... like + 명사

She never stays angry for long.

He will turn 20 next week.

If you become a good listener, it will get easier to communicate with others.

As you grow older, you will be busier and busier.

Your voice sounds different today.

예를 들어, 평정심을 유지해야 하는 상황에서 Keep calm!이라는 표현을 쓸 수 있을 것입니다. 이 문장에서 keep이라는 동사는 '~을 보존하다'의 뜻이 아니라 '어떤 상태로 있다'의 뜻으로 be동사적 성격을 가지고 있으며 형용사와 같은 보어와 함께 쓰입니다. keep 바로 다음에 calm이라는 형용사와 함께 쓰여 be동사의 의미를 갖는 2형식 동사로 분류됩니다. 이와 같이 동사에 대해 공부할 때 동사의 의미에 따라 동사 바로 뒤에 따라오는 문장 성분이 달라진다는 것을 인지하면 동사의 성격을 파악하는 데 도움이 될 것입니다.

또 다른 2형식의 예로 The milk went bad.라는 문장을 살펴봅시다. go의 주된 뜻은 '가다'이고 이동을 나타내는 1형식 동사입니다. 하지만, go가 형용사와 같은 보어와 함께 쓰이면 '되다'의 뜻이 됩니다. 따라서 go bad는 '나쁘게 되다'이고 직역하면 '우유가 나쁘게 되다.' 이므로 '우유가 상하다.'라고 해석하면 자연스러울 것입니다. 이 문장의 went (go)는 2형식

become동사류에 속합니다.

 다음은 특정 형용사와 함께 쓰이는 2형식 동사의 예입니다. run short of ~ (~이 부족하다) / run low (on) (부족하다) / fall asleep (잠들다) / fall apart (무너지다, 악화되다) / go wrong (잘못되다) / turn pale (창백해지다) / come clean (사실을 털어놓다) / get older (나이 들다) 이와 같이 2형식 동사 다음에는 보어가 오며 원래의 동사 뜻 대신 '이다'나 '되나'의 뜻이 됩니다.

 감각동사는 일상 회화에서도 많이 접하게 됩니다.
It tastes good. '맛있다.'나 She looks gorgeous. '그녀는 멋져 보여.'처럼 동사 자체가 오감을 나타내며 (어떻게) '느껴지다'나 '~인 것 같다' 정도의 뜻만 있고, 실질적인 뜻이 없기 때문에 감각동사 다음에 형용사인 보어가 와서 의미를 보충해 줍니다.

The story sounds awful. '그 이야기는 끔찍하게 들린다.' 우리말에서는 보어가 부사처럼 해석이 되기도 하지만, 영어에서는 주어의 의미를 완성해 주는 필수적인 역할을 하기 때문에 반드시 형용사가 와야 합니다. ← 2형식 동사 (be 동사류, become 동사류, 감각동사류) 다음에는 부사가 아니라 형용사가 온다는 것이 시험에 잘 출제됩니다. 물론 보어 자리에 명사가 필요한 경우에는 명사가 옵니다. 단, 감각동사류 바로 다음에는 형용사만 올 수 있으며, 명사를 쓸 경우에는 감각동사류 다음에 like를 붙입니다.
The lipstick smells **like** strawberries. '그 립스틱은 딸기 냄새가 나.'
It sounds **like** a plan. '좋은 생각이야.'

2형식 문제

♣ 문장의 주어(S), 동사(V)와 보어(C)를 표시해 주세요. (1 ~ 4)

1. Things are getting better.

2. My younger brother is smart and humorous.

3. Those people at the table are tennis players.

4. This spaghetti tastes so good.

♣ 어법에 맞게 올바른 순서로 배열해 주세요. (5 ~ 7)

5. happy / looks / the baby

_____.

6. to learn / it / difficult / is / Latin

_____.

7. his stupidity / seemed smart / at first /, / Tom / but soon / became evident

_____.

8. 어법상 적절하지 <u>않은</u> 것을 고르세요.

① He remained unmarried until 50.

② I was too tired, so I fell asleep without taking a shower.

③ My grandpa looks lonely whenever I go to see him.

④ The rumor proved truly.

9. 어법상 적절한 것을 고르세요.

① You sound like my mom.

② The cookies Sue gave me tasted sweetly.

③ I felt like bad about not being able to join the book club.

④ It smells chocolate.

3형식 S + V + O (주어 + 동사 + 목적어)

3형식 동사는 한 개의 목적어를 필요로 하는 타동사입니다. 목적어 자리에는 명사만 올 수 있습니다. 목적어는 '명사, 대명사, to 부정사, 동명사, 명사절'로 표현될 수 있습니다.

---
love, make, get, do, have, take, sell, buy, raise, close, know …+ 목적어 (명사)

He likes making coffee.

The boy showed it to me.

The cellist is planning to visit the U.S. for recitals.

It takes a lot of time for you to accomplish great things.

I think that this book will be useful to me.

예를 들어, Please **raise** your hand if anyone of you has any question. '질문이 있으시면 손을 들어주세요.' 이 예문에서 raise는 your hand를 목적어로 갖는 3형식 동사이고, has는 any question을 목적어로 갖는 타동사로 쓰였습니다.

My grandpa really **loves** cooking some special foods for me whenever I visit him. '우리 할아버지는 내가 그를 방문할 때마다 나를 위해 특별한 음식을 요리해 주시는 것을 좋아하신다.' 이 문장에서 loves는 cooking some special foods를 목적어로 갖는 3형식 동사이고, some special foods는 cooking의 목적어이기도 합니다. 종속절의 visit은 him을 목적어로 갖는 타동사로 쓰였습니다.

▶ 타동사처럼 보이지 않는 타동사 ◀

: 타동사 바로 다음에는 전치사 없이 목적어(명사)가 와야 합니다.

Let's **discuss** the topic. (O)　　　　Let's discuss about the topic. (X)

She will **marry** him. (O)　　　　She will marry with him. (X)

They are **entering** the gate. (O)　　　　They are entering into the gate. (X)

The boy **resembles** his mom. (O)　　　　The boy resembles with his mom. (X)

I hope you **answer** my question. (O)　　　　I hope you answer to my question. (X)

　한국어 해석대로 영어 문장을 연상하면 필요 없는 전치사를 쓸 수 있으므로, 영어 동사의 성격을 이해하기 위해서 영어는 영어 자체로 쉬운 문장을 통째로 암기해도 좋을 것 같습니다.

▶ 비슷한 뜻을 가진 타동사와 자동사 ◀

- reach VS. arrive at

　We will be able to **reach** the summit of the mountain in an hour.

= We will be able to **arrive at** the summit of the mountain in an hour.

- answer VS. reply to

　You'd rather **answer** his text messages right away.

= You'd rather **reply to** his text messages right away.

- oppose VS. object to

　The local people **have opposed** building the factory.

= The local people **have objected to** building the factory.

- attend VS. participate in

　The members are supposed to **attend** the meeting.

= The members are supposed to **participate in** the meeting.

3형식 문제

♣ 문장의 주어(S), 동사(V)와 목적어(O)를 표시해 주세요. (1 ~ 4)

1. He didn't do his homework.

2. Wash your hand before you have lunch.

3. She said that her nickname is Sam.

4. Jenny wants to meet her friend in L.A.

♣ 어법에 맞게 올바른 순서로 배열해 주세요. (5 ~ 7)

5. her / the news / he / told / to

_____.

6. bought / that store / some snacks / Tom / at

_____.

7. you and Sue / study / every Sunday / together / do / French

_____?

8. 어법상 적절하지 <u>않은</u> 것을 고르세요.

① I guess I can possibly attend the conference.

② He agreed with your idea.

③ She reached at the airport earlier than the others.

④ The villagers have opposed the development.

4형식 S + V + I.O + D.O
주어 + 동사 + 간접목적어 Indirect Object + 직접목적어 Direct Object

우선 간접목적어나 직접목적어라는 문법 용어에 집중하기보다는 "주어가 (간목)에게 (직목)을 ~(해)주다."로 문장 전체의 뜻을 알아 두는 것이 좋습니다.

4형식 동사는 "~(해)주다."라는 의미를 갖는 수여동사입니다. 우리가 누군가에게 무언가를 해줄 때, 받는 사람이 있고, 주는 물건이나 주는 내용이 있을 것입니다. 그렇기 때문에 4형식 문장은 수여동사 다음에 문장의 효율성을 고려해 전치사 없이 목적어 두 개가 나란히 오고 누구에게 무언가를 "(해)주다"라고 해석됩니다.

---

give, send(보내주다), lend(빌려주다), write(써주다), teach(가르쳐주다), tell(말해주다), make(만들어주다), show(보여주다), read(읽어주다), offer(제공해주다), bring(가져다주다), buy(사주다) ... + ~에게 + ~을

They sent their teacher a gift.

She told me an unbelievable story over dinner.

I'll make my sister a dress for the special occasion.

The mother reads her children a bedtime story every night.

My dad bought us pizza for lunch.

4형식의 대표적인 동사 give를 이용하여 문장을 만들어보겠습니다.

The teacher always tries to **give** her students many things to dream and hope for the future.
I.O (~에게)   D.O (~을)

그 선생님은 / 항상 노력하신다. 해주려고 / 학생들에게 / 꿈꾸고 희망을 품을 수 있는 많은 것을 / 미래를 위해서

위의 문장은 선생님이 주체이고, 선생님이 간접목적어인 학생들에게, 직접목적어인 꿈꾸고 희망을 품을 수 있는 많은 것을 해준다는 수여동사가 쓰인 문장입니다. 보통 '주다'의 의미를 가지는 동사는 누군가에게 무언가를 주기 때문에 목적어 두 개가 필요합니다. 참고로 '을, 를'만 목적어로 취급하는 것이 아니라 '~에게'도 목적어입니다.

또 다른 예로 Please, **send** me an e-mail as soon as possible. '가능한 한 빨리 저에게 이메일을 보내주세요.'라는 문장을 살펴봅시다. 이 문장 또한 보내달라는 수여동사 send 다음에 간접목적어 <u>나에게</u>, 직접목적어 <u>이메일을</u> 이라는 목적어 두 개가 나란히 따라오는 4형식 문장입니다.

▶ 4형식을 3형식으로 바꾸기 ◀

여기서 4형식 문장에 대해 의문이 하나가 생길 수 있습니다.

간접목적어(~에게)와 직접목적어(~을)의 어순이 바뀔 수 있는지입니다. 가능합니다. 단, 직접목적어가 먼저 올 경우는 그 뒤에 위치하는 간접목적어 앞에 <u>전치사</u>가 필요합니다.

```
 4형식:   S(주어) + V(동사) + I.D.(간접목적어) + D.O(직접목적어)
= 3형식:  S(주어) + V(동사) + D.O(직접목적어) + to / for / of + I.D.(간접목적어)
```

He taught me how to ride a bike.　　그는 나**에게** 자전거 타는 법을 가르쳐**줬다**.
= He taught how to ride a bike to me. 그는 자전거 타는 법을 나**에게** 가르쳐**줬다**.

동사 바로 뒤에 직접목적어(~을/를)가 위치하고 직접목적어 다음에 간접목적어(~에게)가 쓰이면, 목적어가 하나인 3형식이 됩니다. 그 이유는 직접목적어 뒤에 위치하는 간접목적어 앞에 전치사가 동반되기 때문입니다. 전치사구(부사구)는 문장의 형식의 구성 요소로 포함되지 않으므로 3형식이 됩니다. 4형식에서 3형식으로 바뀌면 직접목적어는 3형식 문장의 목적어가 되고, 간접목적어는 3형식의 부사구가 됩니다.

수여동사가 쓰이고, 직접목적어(~을/를) 다음에 간접목적어(~에게)가 오는 3형식 문장에서 간접목적어 '누구에게'의 뜻을 완성하기 위해 <u>제일 많이 쓰이는 전치사</u>는 to입니다. for이 쓰이는 경우는 '~을 위해서' <u>요리하고(cook), 만들고(make), 사주고(buy), 얻어다 주고(get), 찾아주다(find)</u> 등의 동사가 쓰일 때입니다. of는 '요구하다'의 의미를 가진 동사(<u>ask, require, beg</u>)와 함께 쓰입니다.

Nick will cook his mother delicious food.
닉은 엄마에게 맛있는 음식을 해 드릴 것이다.

= Nick will cook delicious food **for** his mother.
닉은 맛있는 음식을 엄마에게 해 드릴 것이다.

A friend of mine asked me some questions about my school life.
내 친구 중의 한 명이 나에게 나의 학교 생활에 대해 몇 가지 질문을 했다.

= A friend of mine asked some questions about my school life **of** me.
내 친구 중의 한 명이 나의 학교 생활에 대해 몇 가지 질문을 나에게 했다.

*NOTE: 목적어가 대명사 it이나 them일 경우 3형식만 가능

Show **it** to me. (O) 3형식   나에게 그것을 보여주세요.

* Show me it. (X)   it은 4형식의 직접목적어 자리에 올 수 없음.

Show me **the money**. (O) = Show **the money** to me. (O)

I've sent **them** to her. (O) 3형식   나는 그것들을 그녀에게 보냈다.

* I've sent her them. (X)   them은 4형식의 직접목적어 자리에 올 수 없음.

I've sent her **some packages**. (O) = I've sent **some packages** to her. (O)

4형식 문제

♣ 문장의 주어(S), 동사(V)와 간접 목적어(I.O), 직접 목적어(D.O)를 표시해 주세요. (1 ~ 4)

1. My sister made me some doughnuts for dessert.

2. Tom gave her a ride home on his motorbike.

3. Van is writing his brother a letter.

4. The instructor teaches us how to swim in P. E. class.

♣ 어법에 맞게 올바른 순서로 배열해 주세요. (5 ~ 8)

5. some water / me / get /, please

   _____.

6. I / for / a seat / you / have saved

   _____.

7. you / can / this evening / me / lend / your car ?

   _____?

8. the way / a kind old man / showed / to the station / me

   _____.

♣ 두 문장의 뜻이 같아지도록 빈칸을 채워주세요. (9 ~ 12)

9. He bought me a watch.

  = He bought a watch _____ ____.

10. Sam passed the bottle to his friend.

  = Sam passed _____ _____ the bottle.

11. She gave the staff specific instructions.

  = She gave specific instructions ___ _____ _____.

12. Can I ask you a favor?

  = Can I ask a favor ___ _____?

13. 어법상 적절하지 <u>않은</u> 것은?

 ① I've made my mom a promise.

 ② He lent it to me.

 ③ They offer the poor free meals.

 ④ My husband cooked instant noodles to me.

5형식   S + V + O + O.C (주어 + 동사 + 목적어 + 목적격 보어)

5형식 문장은 주어와 동사 다음에 목적어와 목적어에 대해 보충 설명해 주는 목적격 보어로 구성됩니다. 목적격 보어 자리에는 명사, 형용사, 동사 형태가 올 수 있습니다. 5형식 동사의 특징을 알면 5형식의 목적어와 목적격 보어에 대한 이해가 쉬울 것입니다.

5형식의 대표적인 동사에는 사역동사와 지각동사가 있습니다. 사역동사란 주어가 목적어에게 무엇을 하게 또는 어떠한 상태가 되게 "시키다"라는 의미를 갖는 동사입니다. 목적어가 시킴을 당하는 내용, 즉 목적어가 해야 하는 것이나 목적어가 되어야 하는 상태가 목적격 보어로 표현됩니다. 지각동사를 쓰는 경우는 목적어가 목적격 보어 한 것을 주어가 "(오감으로) 느끼다, 인지하다"라고 해석됩니다. 목적어가 하는 행동이나 상태가 목적격 보어로 표현됩니다.

A. 목적격 보어 자리에 명사나 형용사가 오는 경우

```
주어 + 동사 + 목적어 + 목적격 보어(명사/형용사)
```

▶ 주어가 목적어를 ~하게 만들다, ~한 상태로 남기다

make, get, keep, leave, paint 등

The habit **has made** his life *splendid*.   (형)
그 습관이 그의 삶을 멋지게 만들었다.

Leave the door *open*, please.   (형)
문을 열어 두세요.

Jessie **dyed** her hair *pink*.   (형)
제시는 머리를 핑크색으로 염색했다.

The plot twist **got** me *excited* about that book.   (형)
줄거리 반전은 내가 그 책이 재밌다는 생각이 들게 했다.

Many trees **keep** their seeds *safe* from bad weather.   (형)
많은 나무들은 악천후로부터 그들의 씨를 안전하게 지킨다.

She **makes** it *a rule* to study French every weekend.   (명)

그녀는 주말마다 프랑스어를 공부한다.

∘ it – 가목적어   ∘ to study French every weekend – 진목적어

▶ 주어가 목적어를 ~하다고 생각하다

think, find, consider, believe, suppose 등

I **found** the box *empty*.   (형)

나는 그 박스가 비었다는 것을 알았다.

They **consider** him (to be) *a hero*.   (명)

그들은 그를 영웅으로 간주한다.

I don't think he **considers** the task (to be) *a nuisance*.   (명)

그는 그 일을 성가시게 생각하는 것 같지 않아.

I **believe** him (to be) *cruel*.   (형)

나는 그가 잔인하다고 생각해.

Suppose the distance (to be) *ten miles*.   (명)

그 거리가 10마일이라고 가정해 봅시다.

I **think** it *difficult* to win her heart.   (형)

그녀의 마음을 얻는 것은 어려운 것 같아.

∘ it – 가목적어   ∘ to win her heart – 진목적어

My mom **thinks** it *a good idea* to eat lots of vegetables.   (명)

우리 엄마는 채소를 많이 먹는 것이 좋다고 생각하신다.

∘ it – 가목적어   ∘ to eat lots of vegetables – 진목적어

She **finds** it *easy* to cook pasta.   (형)

그녀는 파스타를 요리하는 것이 쉽다고 생각한다.

∘ it – 가목적어   ∘ to cook pasta – 진목적어

▶ 주어가 목적어를 ~라고 부르다, ~로 선출하다

call, name, elect, appoint 등

People **call** him *Walking Dictionary*.   (명)

사람들은 그를 걸어 다니는 백과사전이라고 부른다.

They all agreed to **elect** him (as) *chairman*.   (명)

그들은 그를 의장으로 선출하는 것에 모두 동의했다.

We had no hesitation in **naming** him *captain*.   (명)

우리는 그를 주장으로 지명하는 것에 조금도 주저하지 않았다.

B. 목적격 보어 자리에 동사가 오는 경우

주어 + 동사(사역/지각) + 목적어 + 목적격 보어(동사원형 / to V / Ving / p.p)

사역 동사 get을 예로 들어 문장을 만들어 보겠습니다.

Donald **got** his kids *to go* to bed earlier than usual.

'도널드가 그의 아이들에게 평소보다 좀 일찍 잠들라고 시켰다.'라고 해석됩니다. 이 문장에서 got은 '얻었다'라는 뜻이 아니라 '시켰다'라는 사역 동사로 쓰였습니다. 사역 동사 get 다음에 시킴을 당하는 사람과 시킴을 당하는 내용, 즉 당하는 사람이 하는 행동이 나란히 나오게 됩니다. 시킴을 당하는 누군가는 목적어인 his kids이고, 시킴을 당하는 내용은 목적격 보어인 to go to bed earlier than usual입니다. get이 5형식에서 사역 동사로 쓰이는 경우 목적격 보어 자리의 동사 형태는 to부정사입니다.

이번에는 지각 동사 see를 예로 들어 5형식을 만들어 보겠습니다.

Donald **saw** his wife *jumping rope* outside the house through the window.

'도널드는 창문으로 자기 아내가 집 밖에서 줄넘기하는 것을 보았다.'

도널드가 보는 대상은 목적어인 his wife이며, 그의 아내의 행동에 대한 보충 설명인 jumping rope outside the house 집 밖에서 줄넘기를 하는 것이 목적격 보어입니다.

그럼 여기서 두 문장의 목적격 보어의 형태가 동일하지 않다는 것을 눈치채신 분들도 있을 겁니다. got의 목적격 보어로 to 부정사가 쓰였고, saw의 목적격 보어 자리에는 현재분사인 ~ing가 쓰였습니다. 문장의 형식의 기준은 동사라고 언급했듯이 5형식에 쓰이는 동사에 따라 목적격 보어의 형태가 달라집니다. 아래의 표를 암기해 두세요.

★5형식 동사와 목적격 보어의 형태

	5형식 동사 (사역동사, 지각동사)		목적격 보어	
			능동	수동
주어	make, let	목적어	동사원형	p.p
	have, 지각동사		동사원형 또는 V+ing	p.p
	keep, find		V+ing	p.p
	get		to + V	p.p
	help		동사원형 또는 to + V	p.p

My comfort food always **makes** me *feel* so good.　(동사원형)
나의 힐링푸드는 나를 항상 기분 좋게 만들다.

Let him *go* ahead of you.　(동사원형)
당신보다 그를 먼저 가게 해주세요.

I don't **let** my kid *watch* violent movies.　(동사원형)
나는 우리 아이가 폭력적인 영화를 보는 것을 허락하지 않는다.

Have the boy *run* the errand.　(동사원형, ~ing)
그 소년에게 심부름을 시키세요.

I will **have** my secretary *call* him to visit my office.　(동사원형, ~ing)
나는 비서에게 그가 내 사무실에 방문하도록 전화하라고 지시할 것이다.

I **watched** them *running* back and forth, loading and unloading their trucks.
나는 그들이 트럭에서 짐을 싣고 내리며, 왔다 갔다 뛰어다니는 것을 보았다.

(동사원형, ~ing)

She **heard** the doorbell *ring* and went to answer it.   (동사원형, ~ing)
그녀는 초인종 울리는 것을 듣고 응답하러 갔다.

I **find** it *amazing* to see so many people here.   (~ing)
내가 이곳에서 매우 많은 사람들을 본 것이 놀랍다.

You'll be used to driving soon if you **keep** the ball *rolling* with your driving lessons.
주행 수업을 계속 받으면 운전하는 것에 곧 익숙해질 것이다.   (~ing)

The government TV commercials are trying to **get** people *to stop* smoking.
정부 텔레비전 광고는 사람들이 금연하게 하려고 노력 중이다.   (to V)

He **got** a mechanic *to check* my brakes.   (to V)
그는 정비사에게 브레이크를 확인해 달라고 했다.

My mom **helped** me *(to) make* doughnuts.   (동사원형, to V)
우리 엄마는 내가 도넛 만드는 것을 도와주셨다.

Reading before bed **helps** me *(to) relax.*   (동사원형, to V)
잠들기 전 독서는 나를 편안하게 하는 데 도움을 준다.

I **am having** my hair *cut* tomorrow.   (p.p)
나는 내일 머리를 자를 것이다.

◦ have는 '목적어를 목적격 보어한 상태가 되게 하다.'의 의미를 갖습니다. 내 머리카락을 내가 스
  스로 자르는 것이 아니라 미용사에 의해서 잘리는 것이므로 과거 분사 cut이 자연스럽습니다.

How can I **get** my computer *fixed*?   (p.p)
어떻게 제 컴퓨터를 고칠 수 있나요?

◦ 컴퓨터가 수리가 되는 것이므로 과거 분사 형태인 fixed가 적합합니다.

C. 목적격 보어 자리에 to부정사가 오는 경우

> 주어 + 동사(시키다,~하게 하다) + 목적어 + 목적격 보어(to부정사)

5형식 동사들 중 목적격 보어 자리에 to 부정사를 쓰는 동사들이 있습니다. 이때 to 부정사는 미래 지향적인 의미, 즉 앞으로 할 내용을 담고 있습니다. 그렇기 때문에 <u>주어가 목적어에게 시키거나 원하거나 허락하는 의미를 가진 동사</u>가 많이 쓰입니다.

> want, expect, get, tell, ask, invite, encourage, enable, lead,
> require, order, command, compel, cause, urge, warn, + 목적어 + **to V**
> convince, remind, advise, persuade, force, permit, forbid, allow ...

Summer **told** me *to work out* with her every morning.
써머는 나에게 매일 아침 그녀와 함께 운동하자고 했다.

이 예문에서 tell은 단순히 써머가 의사 전달을 위해 어떤 말을 하는 3형식이나 4형식 동사가 아니라, 내가 그녀와 함께 운동할 것을 제안하는 5형식 동사로 쓰였습니다. 써머 입장에서 내가 앞으로 무언가를 했으면 하고 바라는 의미이므로 to 부정사가 어울립니다.

My dad **allowed** me *to go* to the party.
아빠는 내가 파티에 가는 것을 허락하셨어.

Where do you **want** me *to drop* you off?
어디에 내려 드릴까요?

Some foreigners **asked** me *to take* pictures of them.
어떤 외국인들이 나에게 사진 좀 찍어 달라고 부탁했어.

My mom doesn't **permit** us *to eat* while watching TV.
우리 엄마는 우리가 텔레비전을 보면서 식사하는 것을 허락하지 않으셔.

Most schools in Korea **require** students *to wear* uniforms.
한국의 대부분의 학교들은 학생들이 교복을 입게 합니다.

I think that human activity **causes** the planet *to* warm.
나는 인간의 활동이 지구를 온난하게 만든다고 생각한다.

Pupils **are encouraged** *to be* creative.

학생들은 창의적이 되도록 장려된다.

◦ 5형식 문장의 수동태입니다. (2형식)

Many people did not **expect** the team *to make* it that far.

많은 사람들은 그 팀이 그렇게 높은 순위까지 오를 줄은 예상하지 못했다.

*NOTE 1: 5형식 문장의 목적어와 목적격 보어의 해석

5형식의 동사와 목적격 보어에 대해 알아보았다면, 이번에는 우리말과 많이 달라 보이는 5형식 문장 구조에 대해 이해를 도울 수 있는 팁 하나를 설명해 드리겠습니다.

5형식 문장 구조 S(주어) + V(동사) + O(목적어) + O.C(목적격 보어)에서 목적어와 목적격 보어를 마치 의미상으로 안긴 문장의 주어와 동사의 관계라고 생각하면 해석하기 한결 수월해집니다. 사역동사의 경우 '주어가 목적어에게 목적격 보어하게 시키다.'라고 해석되고, 목적어가 해야 하는 내용이 목적격 보어입니다. 감각동사의 경우에는 '주어가 목적어가 목적격 보어하는 것을 느끼다.'이고, 이때도 목적어가 하는 내용이 목적격 보어이기 때문에 이들은 의미상 주어와 동사처럼 해석됩니다.

▫ Matilda wanted her dad to take her to the amusement park.
　　 S　　　 V　　　 O　　　　　 O.C

마틸다 → 원했다 / 그녀의 아빠가 → 그녀를 놀이 동산에 데려가기를

▫ Matilda's father heard his daughter screaming on a roller coaster.
　　　 S　　　　 V　　　 O　　　　　　 O.C

마틸다의 아빠 → 들었다 / 그의 딸이 → 롤러코스터를 타면서 소리 지르는 것을

*NOTE 2: 2형식 보어와 5형식 보어 비교

2형식의 보어 자리, 즉 주격 보어 자리에는 어떤 품사가 오는지 기억하시나요? 2형식 동사가 '이다, 되다, 하게 느껴지다'라는 뜻이기 때문에 주어에 대한 보충 설명이 담긴 명사나 형용사가 와야 합니다. 5형식의 목적격 보어 자리에도 명사와 형용사가 올 수 있으며, 2형식과 달리 앞에 언급된 동사의 형태도 올 수 있습니다. 지각 동사와 사역 동사가 쓰인 5형식 문장에서 목적어가 「~하는 것을」 느끼다.」 또는 「~하게」 시키다.」라는 형태가 되기 위해서 목적격 보어 자리에 행동이나 상태를 나타내는 동사가 필요하기 때문입니다.

5형식 문제

♣ 문장의 주어(S), 동사(V)와 목적어(O), 목적어 보어(O.C)를 표시해 주세요. (1 ~ 8)

1. They think me a liar.

2. Tom thought his sister bright and brave.

3. I found Greg in the room reading a book.

4. The spectators voted the black dog the grand prize winner.

5. How often do you get your car washed?

6. Sue suddenly felt something touch her on the back.

7. She asked me to help her.

8. Do you expect her to believe you?

♣ 옳은 것을 고르세요. (9 ~ 17)

9. Keep your room (clean / cleanly)!

10. Who do you consider (responsible / responsibly)?

11. Her coming home late had her father (worrying / worried).

12. Can you smell something (burning / burnt)?

13. Jim had the roof (repairing / repaired) yesterday.

14. I found the story (fascinating / fascinated).

15. My mom made me (get rid of / to get rid of) it.

16, He got the staff (check / to check) the stage.

17. Tom noticed them (come / coming) in.

♣ 어법에 맞게 올바른 순서로 배열해 주세요. (18 ~ 21)

18. the boy / not guilty / the court / pronounced

   _____.

19. my dog / heard / I / at the wind / barking

   _____.

20. we / to the client / the goods / will have / delivered / tomorrow

   _____.

21. told / not / the doctor / him / to drink

   _____.

22. 다음 중 <u>어색한</u> 문장을 고르세요.

  ① Sam has invited me to join him and his friends for dinner.

  ② We saw Tom to jog in the park this morning.

  ③ All she wanted was to make her mother happy.

  ④ The people elected her President.

《 문장의 형식 종합 문제 》

☺ 문장의 형식

1형식: 주어 + 동사

2형식: 주어 + 동사 + _____

3형식: 주어 + 동사 + _____

4형식: 주어 + 동사 + _____ + _____

5형식: 주어 + 동사 + _____ + _____

♣ 다음 문장이 몇 형식인지 적어주세요.

1. I would like to play tennis this afternoon.

2. That's the man who Tom talked about.

3. The children jumped up and down and cheered when they won the game.

4. I caught the guard napping.

5. She is always busy because she has lots of things to do.

6. Could you lend me the book I have to read for my homework?

7. Since the Industrial Revolution, the global annual temperature has increased.

8. I made a cake for mom's birthday.

9. Listen to the birds singing.

10. There are talks of relocating the landfill.

11. Wash your hand before you have lunch.

12. I think that you should get enough sleep.

13. Will you let me borrow your bike?

14. The gathering has been put off for a week due to bad weather conditions.

15. Did you turn in your report to the professor?

16. My mom bought me a warm winter coat the other day.

17. The teacher always asks his students to take a debate class.

18. My voice sounds weird on a recording.

Unit 2. 동사의 시제

앞 단원에서 문장의 형식으로 동사를 알아보았다면, 이번에는 동사의 시제에 대해 살펴보겠습니다.

동사의 시제는 과거, 현재, 미래로 나누어지고, 각각은 기본형, 완료형, 진행형, 완료 진행형을 갖습니다.

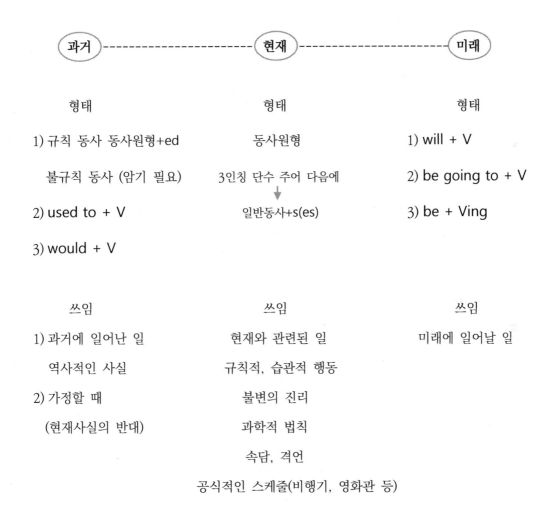

형태	형태	형태
1) 규칙 동사 동사원형+ed	동사원형	1) will + V
불규칙 동사 (암기 필요)	3인칭 단수 주어 다음에	2) be going to + V
2) used to + V	↓	3) be + Ving
3) would + V	일반동사+s(es)	

쓰임	쓰임	쓰임
1) 과거에 일어난 일	현재와 관련된 일	미래에 일어날 일
역사적인 사실	규칙적, 습관적 행동	
2) 가정할 때	불변의 진리	
(현재사실의 반대)	과학적 법칙	
	속담, 격언	
	공식적인 스케줄(비행기, 영화관 등)	

1. 현재

How old **are** you?

What do you **do** for a living?

Water **freezes** at zero degrees.

(1) 형태

현재형의 형태는 동사 원형입니다. 단, be 동사의 현재형은 am, are, is입니다. The twin brothers **have** one sister. They **love** her. Their parents **like** being with them. They **are** a happy family. 이 문장들은 현재형 동사가 쓰였습니다.

현재형 동사에서 주의해야 할 점은 주어가 3인칭 단수일 때 일반 동사의 현재형에 s를 붙인다는 것입니다. 우리말에 없는 문법이기 때문에 주어와 동사의 수의 일치를 의식적으로 신경 써야 합니다. 영어는 명사에서 언급했듯이 단수와 복수에 민감하며, 주어의 인칭에 따라서 동사의 형태가 바뀔 수 있습니다. 우선, 3인칭 단수란 1인칭(나)과 2인칭(너)을 제외한 제3자가 하나인 것을 말하며, 예를 들어 he, she, it, 이름 하나, 대상 하나 등이 있습니다. 3인칭 단수인 주어가 쓰이고, 일반 동사의 현재 시제가 쓰일 때 일반 동사 끝에 s 나 es를 붙여야 합니다. She runs. It grows. He smiles. Tom eats. 보통 s를 붙이지만, 일반 동사가 o, x, s(s), sh, ch로 끝날 경우에는 es를 붙입니다. He watches TV. The boy goes to church. She fixes it. The road passes through the city center.

☞ es를 붙이는 동사의 예: do → does, mix → mixes, kiss → kisses, wash → washes, finish → finishes, catch → catches …

일반 동사 have의 3인칭 단수의 현재형은 has입니다.   Tom has lots of friends.

주어가 3인칭 단수이고, 현재 시제의 일반 동사가 y로 끝나는 경우에 자음+y이면 y를 제거하고 ies로 바꾸고, 모음+y이면 원래 동사 형태에 s를 붙이는 규칙 변화가 됩니다. (모음은 a, e, i, o, u를 말하며, 이 5가지를 제외한 알파벳들을 자음이라고 합니다.) 예를 들어, study의 경우에는 y 앞에 자음 d가 오기 때문에 studies[스터디스]라고 해야 합니다. 만약에 동사 원형 study에 s를 그대로 붙여 studys라고 하면 [스터다이즈]라고 소리 나며 발음의 일관성에 어긋나기 때문입니다. Tom studies Korean. stay와 같이 y 앞에 모음이 있는 경우는 s를 붙입니다. stays[스테이스]라고 발음되는데, y 앞에 모음 a가 있어 원래 동사 원형 발음[스테이]가 보존되므로 s만 붙는 형태가 됩니다.

(2) 쓰임

1) 현재형은 현재 사실을 나타낼 때 쓰입니다.

You **look** beautiful.

당신은 아름다워 보여요.

2) 규칙적이고 습관적인 행동을 나타낼 때 쓰입니다.

On weekdays, I usually **go** to school at 8 and **come** home at 4,
and then I **spend** the rest of the time doing what I want.

평일에, 보통 8시에 학교에 갔다가 4시에 집에 오고, 그리고 나서 내가 하고 싶은 것을 하면서 나머지 시간을 보낸다.

3) 반박의 여지가 없는 불변의 진리에 현재형을 씁니다.

The math teacher explained that two times four **makes** eight.

수학 선생님은 2 곱하기 4는 8이라고 설명하셨다.

4) 과학적인 사실도 현재형으로 씁니다.

A water molecule **is made** of one atom of oxygen bonded with two hydrogen atoms.

물 분자는 두 개의 수소 원자와 결합된 산소 원자 하나로 만들어집니다.

5) 속담이나 격언도 현재형을 씁니다.

Birds of a feather **flock** together.

같은 깃털을 가진 새들끼리 모인다. (유유상종)

6) 공식적인 스케줄에 현재형을 쓰는데, 예를 들어, 영화 상영 시간이나, 기차, 버스, 비행기 출발 도착 일정 등이 있습니다. 회화에서도 유용하게 쓰입니다.

We should hurry up! The movie **starts** in 10 minutes.

우리 서두르자! 10분 후에 영화 시작해.

I **go** to the office next Monday.

나는 다음주 월요일에 사무실에 갈 것이다.

* NOTE: 현재 시제가 미래를 나타내는 경우 (시간과 조건의 부사절에서)

　시간과 조건의 부사절에서는 미래를 나타낼 때 현재 시제가 쓰입니다. 시간을 나타내는 접속사 (when, after, before, until 등)나 조건을 나타내는 접속사 (if, unless 등)에 문맥상 미래의 의미가 내포되어 있다고 보면 됩니다.

If you **see** Amy tomorrow, can you tell her to call me?　(O)

　　　　조건의 부사절

내일 Amy를 보면, 나한테 전화하라고 전해줄래?

If you <u>will see</u> Amy tomorrow, can you tell her to call me?　(X)

When I **get** home tonight, I'm going to watch my favorite show.　(O)

　　　　시간의 부사절

오늘 밤 집에 들어가면, 내가 좋아하는 쇼를 볼 것이다.

When I <u>will get</u> home tonight, I'm going to watch my favorite show.　(X)

2. 과거

I **saw** the painting two years ago.

Your shirt is so nice. **Were** they expensive?

Apple inc. **released** the first iPhone on June 29, 2007.

(1) 형태

1) 규칙 동사의 과거형은 동사원형에 ed를 붙인 형태입니다.

ex) work – worked, want – wanted, stay – stayed, miss – missed ...

불규칙 동사의 과거형은 암기가 필요합니다. (321쪽을 참고해 주세요.)

ex) sleep – slept, run – ran, come – came, eat – ate, feel – felt,
   wake – woke, have – had, get – got, buy – bought, take – took ...

2) 동사의 과거형 이외에도, used to + V 나 would + V 로 과거를 표현할 수 있습니다.

- used to V: '(과거에) ~하곤 했다.'라고 해석되며, 과거의 사실이나 습관, 행동, 과거의 지속적인 상태를 나타냅니다. 회화에서 잘 쓰입니다.

  ex) There used to be a big chestnut tree in our front yard.
  앞마당에 큰 밤나무가 있곤 했다. (The chestnut tree is no longer there.)

  My sisters and I used to love this cartoon.
  나와 내 동생들은 이 만화를 좋아했었다.

- would V: 이 표현 또한 '(과거에) ~하곤 했다.'라고 해석되며 과거의 습관을 나타냅니다. 행동을 보여주는 동사에만 쓰입니다. 상태 동사(love, think, have, feel 등)에는 쓰일 수 없고, 상태 동사는 used to와 함께 쓰입니다. would는 과거의 일이 언제 일어났는지 설명해 주는 구체적인 시간 개념과 같이 쓰여야 합니다. 또한, used to 보다 더 격식을 차린 표현입니다.

  ex) When he was little, he would go to the internet cafe after school.
  그는 어렸을 때, 방과 후에 PC방에 가곤 했다.

  Every Sunday, we would visit our grandmother.
  일요일마다 우리는 할머니 댁을 방문하곤 했다.

(2) 쓰임

   1) 과거에 일어난 사실을 나타낼 때 과거 시제가 쓰입니다.

     과거를 나타내는 부사(last week, a month ago, then 등)는 과거 시제와 함께 쓰이고, 현재나 현재 완료와는 함께 쓰일 수 없습니다.

     Jack hung out with his friends yesterday and had a great time with them.
     잭은 어제 친구들과 어울려 즐거운 시간을 보냈다.

   2) 과거 역사적인 사실을 언급할 때 과거를 씁니다.

     World War I lasted from July 1914 to November 1918.
     제1차 세계 대전은 1914년 7월에서 1918년 11월까지 지속되었다.

* NOTE: 과거의 탈을 쓴 가정법 과거

  영어에서 과거형은 두 가지 경우에 쓰입니다. 첫 번째는 위에 언급된 과거를 나타내는 과거형이며, 두 번째는 과거 사실과 관련 없이 가정할 때 쓰이는 가정법 과거형입니다. 가정법 과거는 과거와 관련이 없고 현재 사실에 반대가 되는 내용을 말할 때 사용됩니다. 예를 들어 Tom은 현재 여자 친구가 없지만, 여자 친구가 있다면 놀이 동산에 가고 싶다는 것을 영어로 표현한다면 Tom은 이렇게 말할 것입니다. If I had a girlfriend, I would go to an amusement park with her. (= Now, I don't have a girlfriend who goes to an amusement park with me.) 여기에서 had는 과거를 표현하는 것이 아니라, if 라는 가정 안에서 현재 사실과 반대되는 내용을 나타내는 가정법의 동사입니다. 따라서, if 주어 + 과거 동사는 '주어가 (현실과 반대되는 내용을) ~한다면'이라고 해석되며 현재 사실과 반대되는 상황을 가정할 때 쓰입니다. 가정법 과거의 주절은 주어 + would/could 동사원형으로 표현되고 '주어가 동사할 텐데'로 해석됩니다.

> If 주어 + 동사의 과거형, 주어 + would/could 동사원형 ...
> 만약 주어가 (현재의 사실과 반대로) ~한다면/라면, 주어가 동사할 텐데.

If I were a bird, I could fly to you. = I am not a bird, so I cannot fly to you.
내가 새라면, 너에게 날아갈 텐데. (be동사의 가정법 과거형은 주어의 인칭과 수에 상관없이 were입니다. 하지만, 회화에서는 was가 쓰이기도 합니다.)

3. 미래

Some friends **will come** over to my place this Friday.

I **am** probably **going to go out** this evening.

He **is starting** a new job next week.

미래 시제를 나타내는 4가지 형태와 쓰임을 알아보겠습니다.

1) will: will 은 명사로 '의지, 유언장'이라는 뜻을 갖고 있습니다. 동사에서도 미리 정해진 계획이 아닌 주어의 즉흥적으로 나온 의지나, 확실하지 않은 추측을 나타낼 때 주로 쓰입니다.

I've decided what to buy.   I'll take this.
나 무엇을 살지 결심 했어.   나 이것을 살래.

That looks heavy.   I will help you with it.
무거워 보이네.   내가 도와 줄게.

2) be going to V: 어떤 일이 일어나기 전에 주어가 미리 무언가를 하기로 결심했거나, 어떤 일이 일어날 조짐이 보일 때 쓰입니다. '~할(일) 것이다.'라고 해석됩니다.

We're going to go to the beach next Friday.
우리는 다음주 금요일에 해안가에 갈 것이다.

It's 20-0. They are going to win.
20:0이네. 그 팀이 이기겠군.

3) be + Ving: 구체적으로 계획을 했고, 곧 실행에 옮길 때 쓰는 표현입니다.
계획한 것을 곧 할 것이라는 의미로 쓰입니다.
be + Ving 가 '~하는 중이다.'라고 쓰이는 진행형과 별개의 의미입니다.

I'm going to the movies tonight.   오늘 밤에 영화 보러 갈 거야.

Q: What are you doing this evening?   오늘 저녁에 뭐해?
A: I'm just staying at home.   그냥 집에 있으려고.

4) be about to V: 막 V 하려는 참이다

Tim and I were about to have lunch. Would you like to eat with us?
팀이랑 나 점심 먹으려던 참인데, 우리와 같이 식사할래요?

I was about to get to work, but a cold-call interrupted me.
막 일을 시작하려고 했는데, 광고 전화가 나를 방해했어.

동사의 시제

현재

♣ 어법상 적절한 것을 고르세요. (1 ~ 4)

1. What (is / was) the weather like today?

2. I (drink / drank) coffee every morning to wake me up.

3. The train (arrives / will arrive) at 9 o'clock sharp in the morning.

4. School (begins / will begin) tomorrow.

♣ 다음 중 틀린 부분을 바르게 고쳐주세요. (5 ~ 8)

5. Tom is an undergraduate. He study economics in college.

6. Aimee always keep on doing what she wants to achieve until she reach her goal.

7. The girl sometimes walk to school, but not very often.

8. If it will rain tomorrow, I won't go on a picnic.

과거

♣ 어법상 적절한 것을 고르세요. (9 ~ 11)

9. There (are / were) some colorful flowers in the garden last spring.

10. He (dies / died) young.

11. When I was little, I (am / was) afraid of spiders.

♣ 밑줄 친 부분을 바르게 고쳐주세요. (12 ~ 14)

12. How <u>is</u> the weather when you were on holiday?

13. What time <u>do</u> you get off work yesterday?

14. In 1876, Bell and Watson <u>invent</u> the telephone and <u>make</u> the first phone call.

미래

♣ 어법상 적절한 것을 고르세요. (15 ~ 18)

15. What (are / do) you doing tomorrow night?

16. They (come/ are coming) to see me the day after tomorrow.

17. Joyce is going away for several days.
    She's leaving soon, so she (won't / will) be at home tomorrow.

18. They are just about to (begin / beginning) the exam.

♣ 조동사 will 대신 be going to가 쓰인 문장으로 만들어 주세요. (19 ~ 20)

19. I will play basketball this afternoon.

   = I ____ _____ ___ _____ basketball this afternoon.

20. What will you wear to the party tonight?

   = What _____ _____ _____ ___ _____ to the party tonight?

21. 다음 해석에 맞게 빈칸을 채워주세요.

   나 가봐야 해. 지금 막 친구를 만나려던 참이었어.

   I have to go. I _____ just _____ ___ _____ a friend of mine.

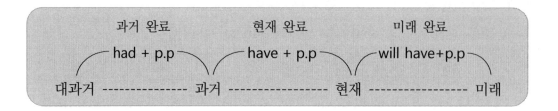

과거 완료	현재 완료	미래 완료
had + p.p	have + p.p	will have+p.p

대과거 -------------- 과거 ---------------- 현재 ---------------- 미래

4. 현재 완료 (have + p.p)

They **have lived** here for 5 years.

Have you ever **eaten** avocados?

He **has** just **cleaned** the room.

Tom **has lost** his watch.

현재 완료는 우리말에 없는 표현이기 때문에 이해하기 쉽지 않지만, 현재 완료 용법과 그에 따른 의미를 차근차근 알아봅시다.

우선, 현재 완료는 have의 현재형과 과거분사 p.p가 결합된 형태이며, 우리말의 과거처럼 해석되지만, 의미상 반드시 현재와 연관되어 있습니다. 과거에 일어난 일이 현재까지 영향을 미칠 때 사용됩니다. 다음은 의미에 따른 현재 완료 have p.p의 4가지 용법(계속, 경험, 완료, 결과)입니다.

(1) 계속적 용법 (과거부터 현재까지 쭉 ~해 왔다.): 과거에 일어난 어떤 일이 현재에도 계속 영향을 미쳐 '~해 왔다.'라고 해석되는 표현입니다. 예를 들어, I started to learn to play the piano 2 years ago. I'm still learning to play the piano. '2 년 전에 피아노를 배우기 시작했다. 여전히 피아노를 배우고 있다.' 이 문장을 현재 완료를 사용하여 한 문장으로 표현하면 'I **have learned** to play the piano for two years.'가 됩니다.

계속적 용법은 과거의 일이 현재까지 이어지므로, 지속적인 시간을 보여주는 「for + 지속기간」이나 「since + 과거의 한 시점」과 함께 쓰이기도 합니다.

I **have known** Jane since elementary school.
(= I first met Jane in elementary school. + Jane and I are still friends.)
나는 초등학교 때부터 제인을 알아왔다.

She **has played** tennis in the club for 4 years.

그녀는 그 클럽에서 4년 동안 테니스를 쳐오고 있다.

Human beings **have** constantly **evolved** and **changed**.

인간은 끊임없이 진화하고 변화하고 있다.

(2) 경험적 용법 (~ 한 적이 있다.): 우리말로 말할 때, "나 ~한 적이 있어."라는 말을 종종 쓰듯이, have p.p 의 경험적 용법이 영어로 대화할 때도 유용하게 쓰입니다. 과거에 한 행동이 현재에 경험이 될 수 있는 것에 쓰입니다. 경험적 용법은 ever, before, never, once, several times 등과 함께 쓰일 수 있습니다.

Have you ever **been to** Jeju-do? I **have been to** Jeju-do twice.

제주도에 가본 적이 있어?   나는 제주도에 두 번 가 봤어.

　◦ have been to 장소: 직역하면 '(어떤 장소)에 있어 본 적이 있다.'이고, 우리말로
　　　　　　　　　　　'(어떤 장소)에 가 본 적이 있다'라고 해석하면 자연스럽습니다.

I **have** never **met** any celebrities in my life.

나는 살면서 어떤 유명 인사도 만나본 적이 없다.

(3) 완료적 용법 (막 ~했다.): 우리말에서는 어떤 일을 방금 끝냈어도 과거형을 쓰지만, 영어에서는 어떤 일이 막 완료되었을 때 그 일에 대한 결과물이 현재에 있거나, 방금 끝난 일이 현재에 영향을 미칠 때 현재 완료를 씁니다. 방금 일이 끝났을 때는 부사 just (방금), 이미 벌써 일을 끝낸 상황에서는 부사 already (이미, 벌써), 아직까지 끝내지 못한 상황에서는 부사 yet (아직까지)이 부정어인 not 과 함께 쓰입니다.

Howl **has** just **finished** his homework.

하울은 숙제를 막 끝냈다.

Have you already **cleaned** up?

너는 벌써 다 치웠어?

I **have**n't **done** the assignment yet.

나는 아직까지 과제를 하지 못했어.

(4) 결과적 용법 (~해 버렸다.): 결과적 용법은 어떤 일에 대한 결과를 현재 시점에서 서술한 것입니다. I have lost my wallet. '나는 내 지갑을 잃어버렸다.' 이 문장을 풀어쓰면 I lost my wallet and I still can't find it. '내 지갑을 잃어버렸고, 아직도 지갑을 찾을 수 없다.'입니다. I lost my wallet.과 같은 과거형 문장에서는 현재 사실에 대한 정보를 알 수가 없으나, I have lost my wallet.처럼 현재 완료를 쓸 경우에는 지갑을 잃어버려서 지금도 찾지 못하고 있는 현재 상황에 태한 정보를 알 수 있습니다.

> I **have lost** my phone.
> 핸드폰을 잃어버렸다.

> She **has gone** to Paris.
> = She went to Paris, so she is not here now.
> ◦ have gone to 장소: (어떤 장소)로 가버렸다. (그래서 주어가 지금 여기에 없다.) 의미상 주어가 제 3자에 대해서 말하는 상황만 연출되므로, 주어 자리에 I나 You는 올 수 없습니다.

* NOTE 1: 현재 완료의 4가지 용법에 대해 알아보았습니다.^^

계속적 용법 (쭉 ~해왔다.), 경험적 용법 (~한 적이 있다.), 완료적 용법 (막~했다.), 결과적 용법 (~해 버렸다.) 이 4가지 용법은 해석할 때 과거형으로 해석되나, 의미적으로 반드시 현재와 연관되어야 한다고 했습니다. 따라서, 과거를 나타내는 부사와 같이 쓰일 수 없습니다. 시험에 잘 나오는 문법 사항 중의 하나입니다.

> I've been to the museum the other day. (X)
> I **went** to the museum **the other day**. (O)
> 나는 며칠 전에 박물관에 갔었다. ◦ the other day = a few days ago

> Noah has traveled around the world when he was young. (X)
> Noah **traveled** around the world **when he was young**. (O)
> 노아는 젊은 시절에 세계 일주를 했다.

* NOTE 2: I **cleaned** my room. VS I **have cleaned** my room.

 두 문장의 차이는 각각 과거 시제와 현재 완료 시제가 쓰인 것입니다. 우리말로 바꾸면 두 문장 모두 '내 방을 청소했다.'라고 해석될 수 있습니다. 하지만, 과거 시제가 쓰인 첫 번째 문장은 과거에 방 청소를 한 사실만 알 수 있을 뿐 현재의 방 상태는 알 수가 없습니다. 현재 완료가 쓰인 두 번째 문장은 지금 막 청소가 끝났거나 청소한 지 얼마 되지 않아 현재 방이 깨끗하다는 것을 나타냅니다.

* NOTE 3: 현재완료 have p.p의 탈을 쓰고 있는 과거

 have p.p가 조동사와 함께 쓰이면 과거에 대한 후회, 추측, 가정을 나타냅니다.

 should have p.p는 '과거에 ~을 했어야만 했다.' 즉, 과거에 무언가를 하지 않은 것에 대한 후회를 표현입니다. 반대로, should not have p.p는 '과거에 ~하지 말았어야 했다.'입니다. 이것 또한 과거에 한 일이 대한 후회를 나타냅니다. must have p.p는 '과거에 ~했음이 틀림없다.'는 과거에 대한 강한 추측을 나타냅니다. 이와 정반대의 표현인 과거에 대한 강한 부정의 추측은 can't have p.p이며 뜻은 '과거에 ~했을 리가 없다.'입니다. may(might) have p.p는 '과거에 ~했을지도 모른다.'라는 과거에 대한 확실치 않은 추측입니다. could have p.p와 would have p.p는 각각 '과거에 ~했었을 수도 있다.'와 '과거에 ~했었을 텐데.' 라고 해석됩니다. 회화에서도 유용하게 쓰이는 표현이니 의미를 확실히 알아 두는 것이 좋습니다.

Don't you like the food I ordered?
You **should have said** what you wanted to eat.
내가 주문한 음식 별로야? 너가 먹고 싶은 것을 말했어야 했어.

Mike **must have put** a lot of sugar in my coffee. It's too sweet.
마이크는 내 커피에 설탕을 많은 넣은 게 틀림없어. 너무 달거든.

Q: Why did he leave the gathering so early yesterday?
　 그는 어제 왜 그렇게 모임에서 빨리 떠났어?
A: He **might have been tired**.
　 좀 피곤했을지도 모르지.

* NOTE 4: 한 문장의 현재 완료는 문장의 의미에 따라 두 가지 이상의 용법으로 해석될 수 있습니다.

문법은 딱딱한 학문이 아니라, 사람들이 많이 쓰는 구문에서 규칙성을 찾아 정리해 놓은 것입니다. 현재 완료에 대한 이해를 위해 편의상 크게 4가지 용법으로 나누어 놓았는데, 현재 완료가 쓰인 모든 문장이 4가지 용법 중 하나에만 속하는 것이 아닙니다. I have painted my room blue. '내 방을 파란색으로 칠했다.'라는 문장을 예로 들어보겠습니다. 파란색으로 칠해서 현재 파란색 방이므로 결과적 용법으로 볼 수 있습니다. 또한, I have just painted my room blue. just와 함께 쓰여 '방금 방을 파란색으로 칠했다.'라고 해석되고 막 무언가를 끝냈으므로 완료적 용법이 될 수 있습니다. I have painted my room blue for a few days. '나는 며칠 동안 내 방을 파란색으로 칠했다.'는 for a few days라는 지속적인 시간의 개념과 함께 쓰인 계속적 용법입니다.

♣ 둘 중 옳은 것을 고르세요. (1 ~ 6)

1. Since the 19th century, the global literacy rate (increased / has increased).

2. The composer (made / has made) one song every other day for the last two weeks.

3. I know Sue. I have known her (for a long time / a long time ago).

4. Kevin hasn't phoned his parents (since a month ago / a month ago).

5. I haven't sent the packages (yet / already).

6. A: Is Katy here?   B: No, she (has been / has gone) home.

♣ 다음 두 문장의 뜻이 같도록 빈칸을 채워주세요. (7 ~ 9)

7. We moved to Seoul in 2010, and we still live in Seoul.

 = Since 2010, we _____ _____ in Seoul.

8. I had a splitting headache as soon as I woke up this morning, and I still suffer from a headache.

 = I _____ _____ a splitting headache since this morning.

9. She lost her key and still can't find the key.

 = She _____ _____ her key.

♣ 우리말에 알맞게 빈칸을 완성해 주세요. (10 ~ 13)

10. 얼마나 오랫동안 한국에 머무셨어요?

How long _____ you _____ in Korea?

11. 테니스를 쳐 본적이 없다.

I _____ _____ _____ tennis.

12. 방금 점심 먹었어.

I _____ _____ _____ lunch.

13. Tom은 아직 이 문제를 풀지 못했다.

Tom _____ not _____ this problem _____.

14. 다음 중 어법상 <u>틀린</u> 문장을 고르세요.

① She has been working at the company for 4 years.

② He has just arrived from Australia.

③ I have lost my luggage at the airport last week.

④ My family and I have been to Cebu City several times.

15. 다음 중 어법상 <u>옳은</u> 문장을 고르세요.

① Aimee wrote a book on grammar since 2 years ago.

② Tom lives in Hong Kong for a decade.

③ We have been working on it, but we still had not finished it.

④ I have heard a song sung by Paul before.

5. 과거 완료 (had + p.p)

I **hadn't felt** well for a few days when I met him.

New Zealand was the first foreign country she **had visited**.

When Tom got there, his friends **had** already **left**.

I **had lost** my glasses so I could not see well.

　과거 완료는 (과거보다 먼저 일어난) 대과거에서 어떤 일이 시작해서 과거에 영향을 미치는 시제입니다. 현재 완료는 have의 현재형과 과거 분사가 합쳐진 형태이며, 현재와 연관되어 있고, 과거 완료는 have의 과거형인 had와 과거 분사가 합쳐진 형태로, 과거 사실과 관련되어 있습니다. 현재 완료와 마찬가지로 의미상 4가지 용법으로 나누어집니다.

(1) 계속적 용법 (과거에 쭉 ~했었다.)
　과거에 한동안 지속되었던 일에 과거 완료가 쓰입니다.

I **had learned** to play the piano from the age of 8 to the age of 13.
나는 8살부터 13살까지 피아노를 배웠었다.

(2) 경험적 용법 (~했던 적이 있다.)
　과거에 영향을 미치는 이전의 경험을 나타낼 때 쓰입니다.

I **had met** Rachel once before, so I could recognize her at once.
나는 레이첼을 전에 한번 만난 적이 있어서, 한 번에 그녀를 알아볼 수 있었다.
◦ 과거 완료형 had met 만난 것이 과거형 could recognize 인식한 것보다 먼저 일어남.

(3) 완료적 용법 (~을 해 놓았다.)
　과거 이전에 끝난 일이 과거에 영향을 미칠 때 쓰입니다.

She **had cleaned** up the rooms before I arrived home.
내가 집에 도착하기 전에 그녀는 방들을 다 치워 놓았다.
◦ 과거 완료형 had cleaned 청소한 것이 과거형 arrived 도착한 것보다 먼저 일어난 일

(4) 결과적 용법 (~해 버렸다.) 일에 영향을

어떤 일에 대한 결과가 과거의 미칠 때 쓰입니다.

Tom was late for work because he **had missed** the bus.

톰은 버스를 놓쳐서, 회사에 늦었다.

◦ 과거 완료형 had missed the bus 버스를 놓친 것이 과거형 was late 늦은 것보다 먼저 일어남.

*NOTE 1: 한 문장에서 과거와 과거 완료의 의미가 유기적일 때

과거 완료 시제에서 꼭 기억해야 할 사항은 한 문장에 과거 시제와 함께 쓰이면, 과거 완료는 과거보다 한 시제 먼저 일어났다는 것을 보여준다는 점입니다.

예를 들어, When I **got** home, my family **had** already **had** dinner. '내가 집에 도착했을 때, 가족들은 이미 저녁을 먹었다.' 내가 집에 도착한 것(과거)보다 가족들이 저녁 식사를 마친 것(과거 완료)이 먼저 일어난 일입니다. 단, 과거의 관련 있는 두 사건의 시간차가 거의 없거나, 두 사건의 시간차가 큰 의미가 없을 경우는 제외됩니다.

*NOTE 2: 한 문장에 과거와 과거 완료가 같이 쓰이더라도 항상 과거 완료가 과거보다 한 시제 먼저 일어난 일을 나타내는 것이 아니라, 과거 완료 시제가 현재 완료처럼 <u>어떤 일이 (과거에) 지속적으로 일어나는 것</u>을 나타내기도 합니다. 계속적 용법에 속합니다.

JR **quit** school to become a singer at 14, and **had released** three albums since then.

JR은 14살에 가수가 되기 위해서 학교를 그만두었고, 그때부터 총 3장의 앨범을 발매하게 되었다.

이 문장에서 had released는 과거보다 한 시제 먼저 일어난 일을 나타내는 것이 아니라, JR이 가수가 되고 나서 지속적으로 3장의 앨범을 낸 것을 표현한 것입니다.

◈ 과거 완료가 쓰이는 관용어구 ◈

S had no sooner p.p than S + 과거동사 = No sooner had S p.p than S + 과거동사
  　　A　　　　　　　　B　　　　　　　　　　A　　　　　　　　B

　왼쪽의 문장 형태를 그대로 해석해 보면 'A가 B보다 더 빨리 발생하지 않았다.'지만, had p.p(A)가 과거형(B)보다 먼저 일어났다는 것을 나타내므로, A를 하고 시간차가 거의 없이 바로 B를 한 것을 의미합니다. 따라서 'A 하자마자 B 했다.'라고 해석됩니다.

Sumi had no sooner met her friends than she talked about what happened to her.
수미는 친구들을 만나자마자 자신에게 일어난 일에 대해 이야기했다.

여기서 한 가지 더!

No sooner had Sumi met her friends than she talked about what happened to her.
　부정어구는 의미를 강조를 위해 문장 맨 앞에 위치할 수 있습니다. 부정어구가 맨 앞에 자리 잡으면, 부정어구와 관련된 주어와 동사가 도치되어야 합니다. 도치가 되면 「부정어구 + 동사 + 주어 ...」가 됩니다. (동사 자리에 have p.p나 had p.p가 쓰인 문장은 조동사 have와 had만 주어와 도치됩니다. 이 구문에서는 도치 시 'no sooner + had + 주어 + p.p.'가 됩니다.)

S had hardly/scarcely p.p when(before) S + 과거 동사
  　　　A　　　　　　　　　　　B

= Hardly/Scarcely had S p.p when(before) S + 과거 동사
  　　　A　　　　　　　　　　　B

　이 표현 또한 'A 하자마자 B했다.'라고 해석됩니다. 이 문장에서도 had p.p(A)가 과거 동사(B)보다 먼저 일어난 일을 가리킵니다.

　Sumi had hardly met her friends when she talked about what happened to her.
= Hardly had Sumi met her friends when she talked about what happened to her.
　수미는 친구들을 만나자마자 자신에게 일어난 일에 대해 이야기했다.

*NOTE: 문장 맨 앞에 부정어(구)가 오면 주어와 동사의 도치가 일어납니다.

부정어(구)를 강조하기 위해서 문두에 위치시키는 것입니다. 부정어(구)란 말 그대로 문장을 부정적으로 표현하는 어구들이며, no, not, never, only, not only ... but, few, little = hardly = scarcely = barely = rarely = seldom (거의 ~하지 않는) 등이 있습니다.

Never did the boy expect to be a champion.

= The boy never expected to be a champion.

　그 소년은 결코 챔피언이 될 것이라고 기대하지 않았다.

Not only can he cook Korean food but French cuisine.

= He can cook not only Korean food but French cuisine.

　그는 한국 요리뿐만 아니라 또한 프랑스 요리도 할 줄 안다.

♣ 어법상 적절한 것을 고르세요. (1 ~ 5)

1. Tom (has / had) already had lunch, so he did not go out to eat with us.

2. I (has written / had written) the complaint email before they apologized.

3. She came here (after / before) you had left.

4. Tom (has met / had met) his friends a week ago.

5. Tom (has worked / worked) on it since a week ago.

♣ 우리말에 알맞게 빈칸을 완성해 주세요. (6 ~ 7)

6. 나는 그것이 푸아그라라고 불린다는 것을 알기 전에 푸아그라를 먹어본 적이 있다.

　I _____ _____ foie gras, goose liver, before I knew what it was called.

7. 나는 그가 미국으로 가버린 것을 알았다.

　I found that he _____ _____ to America.

6. 미래 완료 시제 (will have p.p)

Tom will have arrived in U.K by this time tomorrow.

미래 완료 시제는 <u>과거나 현재에 어떤 일이 지속적으로 일어나서 미래에까지 영향을 미칠 때</u> 사용됩니다. 어떤 일이 지속되어 미래 한 시점에서 그 일이 어떤 상태나 결과 또는 완료가 될 것이라는 것을 설명하기 위해 미래 완료 시제를 씁니다. 예를 들어, Next year, my daughter will have been 5 years old. '내년이면 내 딸은 5살이 되는 셈이다.' 내 딸이 태어날 때부터 지금까지 쭉 나이를 먹고 있고, 지금은 4살이고, 내년이면 5살이라는 의미를 담고 있습니다.

The building **will have been completed** by 2038.
그 건물은 2038년에 완공될 것이다.

The movie **will** already **have started** by the time we get to the theater.
우리가 영화관에 도착할 때쯤 그 영화는 이미 시작돼 있을 거야.

They **will have arrived** at the concert by now.
그들은 지금쯤 그 콘서트에 도착했을 것이다.

◦ 미래 완료 시제는 지금쯤 막 완료된 상황에 대한 추측을 나타내기도 합니다.

1. 어법상 적절한 것을 고르세요.

They (has been married / will have been married) for 10 years next year.

2. 우리말에 알맞게 빈칸을 완성해 주세요.

우리는 여행이 끝날 때쯤 모든 돈을 다 써버리게 될 것이다.

We _____ _____ _____ all our money by the time our trip is over.

7. 진행 시제 (be + ~ing)

Why are you up in the tree? What **are** you **doing** up there?

Who **were** you **talking** to a while ago?

The children **have been playing** on the street since morning.

진행형의 형태는 「be동사 + 동사원형ing」이고, '~ 하고 있는 중이다.'라는 뜻입니다. 예를 들어, I work out. '나는 운동한다.'를 진행형으로 바꾸면 I am working out. '나는 운동하고 있는 중이다.'가 됩니다.

(1) 현재 진행형 am/are/is + Ving: ~하고 있는 중이다.

A: What **are** you **doing** now?　　B: I**'m doing** the laundry.
지금 뭐 하고 있어?　　　　　　　나 빨래하고 있어.

Let's go out. It **is not raining** anymore.
외출하자.　　더 이상 비가 오지 않아.

(2) 과거 진행형 was/were + Ving: ~하고 있는 중이었다.

We **were watching** television when the doorbell rang.
초인종이 울렸을 때, 우리는 TV를 보고 있는 중이었다.

While I **was cooking** dinner, I burned my hand.
나는 저녁 요리하다가, 손을 데였다.

(3) 미래 진행형 will be + Ving: (미래 한 시점에) ~하고 있는 중일 것이다.

At noon tomorrow, they **will be having** lunch together.
내일 정오에, 그들은 함께 점심 식사를 하고 있을 것입니다.

Do not call her between 8 and 9. She **will be taking** a walk by then.
그녀에게 8시와 9시 사이에 전화하지 않도록 해. 그때쯤 산책 중일 거니까.

(4) 현재 완료 진행형 have been ~ing: (과거부터 지금까지) ~하고 있는 중이다.

현재 완료의 계속적 용법과 비슷하지만, 진행의 의미가 더 강조됩니다.

have p.p

+ _____ be ~ ing

have been ~ing

I **have been reading** this book for hours and I will keep reading until bedtime.

나는 몇 시간 동안 이 책을 읽고 있고, 잠들기 전까지 계속 읽을 것이다.

She **has been traveling** around Europe for 2 months.

그녀는 2달 동안 유럽 전역을 여행하고 있는 중이다.

(5) 과거 완료 진행형 had been ~ing: (대과거에서 과거까지) ~하고 있었던 중이었다.

had p.p

+ _____ be ~ing

had been ~ing

At last the bus came. I **had been waiting** for half an hour.

마침내 버스가 도착했다. 나는 30분 동안 기다리고 있었다.

Joe quit smoking a year ago. He**'d been smoking** for over 20 years.

Joe는 1년 전에 담배를 끊었다. 그는 20년 이상 담배를 피웠었다.

* NOTE 1 진행형을 쓸 수 없는 동사

love, like, prefer, want, need, hate

understand, know, realize, remember, believe, suppose, seem, mean

belong to, depend on, contain, consist of

have: '가지다, 소유하다'라는 의미로 쓰일 때

I much **prefer** cats to dogs.

We don't **believe** what he said.

Do you **belong to** the tennis club?

She **has** two sisters.

* NOTE 2 현재 진행형 + 성격 형용사

You **are** naive.　VS　You **are being** naive.

You are naive.는 평소에 원래 순진하다는 뜻이지만, 현재 진행형을 쓴 You're being naive. 는 '평소에는 안 그러면서 왜 지금은 순진하게 굴어?'라는 뜻입니다. 사람의 성격을 나타내는 형용사가 현재 진행형과 함께 쓰이면 평소와는 다른 현재 특정한 성격을 보여주고 있다는 것을 나타냅니다.

* NOTE 3 현재 진행형 + always

You **are always being** doz**ing** off in class.

현재 진행형이 always와 함께 쓰이면 '항상 ~해.'라는 뜻으로, 위의 문장은 '너는 항상 수업 시간에 졸구나.'라고 해석됩니다. They are always arguing. '그들은 맨날 말다툼해.'

135

♣ 어법상 적절한 것을 고르세요.

1. Tom is (to have / having) a video conference at the moment.

2. We had to be quiet, because they (are / were) studying.

3. Call me after 6 o'clock. I (was / will be) working till then.

4. I (love, am loving) reading mystery novels.

♣ 다음 두 문장의 뜻이 같도록 빈칸을 채워주세요.

5. It began to rain 4 days ago. And it's still raining now.

= It _____ _____ _____ for 4 days straight.

6. We were playing tennis yesterday. An hour after playing tennis, it started to rain.

= We _____ _____ _____ tennis for an hour when it started to rain.

【 시제 정리 】

시제	과거	현재	미래
단순	규칙동사 – Ved 불규칙동사	동사원형(s)	will 동사원형
진행형	was/were Ving	am/are/is Ving	will be Ving
완료	had p.p	has/have p.p	will have p.p
완료 진행	had been Ving	has/have been Ving	will have been Ving

Unit 3. 능동태와 수동태

A. 의미와 형태

우선 「능동적」과 「수동적」의 우리말 정의를 알아보겠습니다. **능동적**의 사전적 의미는 '다른 것에 이끌리지 아니하고 스스로 일으키거나 움직이는'이고, **수동적**의 사전적 의미는 '스스로 움직이지 않고 다른 것의 작용을 받아 움직이는'입니다. 둘의 차이점은 주어의 의지나 적극적 태도에 의해 스스로 움직이는 것인지 아니면 주어가 아닌 다른 요소에 영향을 받아 움직이는 것인지 입니다. 따라서 능동과 수동은 주어와 동사의 관계를 파악하는 것이며, 주어의 주체성에 따라 동사가 능동인지 수동인지 결정됩니다.

수동태에서 주목해야 할 부분이 있습니다. 수동태 문장이 되기 위해서는 반드시 목적어가 있어야 합니다. 능동태에서는 주어가 목적어를 주체적으로 행하는 것이고, 수동태에서는 관점(주어)이 능동태의 목적어가 됩니다. 즉, '능동태의 목적어가 ~하게 되어지다.'가 수동태 문장이므로, 목적어가 있는 3형식, 4형식, 5형식 능동태 문장이 수동태가 될 수 있습니다. 예를 들어, '엄마가 아이에게 우유를 먹이다.'라는 문장을 만들어 봅시다. A mother feeds her baby. 주어인 엄마가 아기에게 우유를 먹이는 것이므로 능동태입니다. 이 문장의 주어(관점)를 아기로 바꾸어 표현하면 '아기는 우유가 먹여진다. / 엄마에 의해서'가 되고, 영어로 A baby is fed by her mother. 입니다. My mother is busy.와 같이 목적어가 없는 문장은 수동태가 될 수 없습니다. 수동태의 주체가 없기 때문입니다.

그럼 이번에는 능동태에서 수동태로 바뀌는 과정을 자세히 살펴보겠습니다. 수동태의 주어 자리에 능동태의 목적어가 옵니다. 수동태의 동사 형태는 『be동사 + p.p』이고, '~되어지다.'라고 해석됩니다. be동사의 종류에는 현재형 am/are/is, 과거형 was/were, 미래형 will be 또는 완료형 have been, has been, had been, will have been이 있습니다. 수동태를 만들 때 be 동사 대신 get이 쓰이기도 합니다. 영어로 작문할 때 항상 주의해야 할 것이 동사의 시제와 수의 일치입니다. 수동태를 쓸 때도 문장이 과거인지 현재나 미래인지 확인하고, 주어가 단수인지 복수인지 살펴야 합니다. 동사 다음에 주어에게 영향을 주고 시키는 주체를 써야 하는데, 주어 입장에서 무엇에 의해서 당하는 것이므로, '~에 의해서'를 의미하는 by를 씁니다. 단, 수동태를 일으키는 주체가 누구나 예상할 수 있는 일반적인 사람들이나 일반적인 것일 경우 「by + 명사」는 생략될 수 있습니다.

능동태:	S (주어)		V (동사)	O (목적어)
수동태: O (능동태의 목적어가 주어 자리에)		be + p.p		by S (주어의 목적격)

능동태: 그는 그녀를 좋아한다.

He loves her.
S　　V　　O

수동태: 그녀는 그에게 사랑받는다.

She is loved by him.
O　be+p.p　 by S

◦ by는 전치사이므로 뒤에 반드시 **명사형**이 와야 합니다.

능동태: 한국은 개최했다.　/　88 하계 올림픽을 / 서울에서

South Korea hosted the 1988 Summer Olympics in Seoul.
　　　　S　　　　V　　　　　　　O

수동태: 88 하계 올림픽이 개최되었다. / 서울에서 / 한국에 의해서

The 1988 Summer Olympics was hosted in Seoul by South Korea.
　　　　O　　　　　　　be+p.p　　　　　　　 by S

능동태: 부모님들은 그들의 아이들을 잘 돌봐야 합니다.

Parents should take good care of their children.
　　S　　　　V　　　　　　　O

수동태: 아이들은 그들의 부모님들에 의해서 잘 돌봐져야 합니다.

Children should be taken good care of by their parents.
　　O　　　　　　be+p.p　　　　　　　 by S

* NOTE 1: 동사구의 수동태

　　마지막 예문에 take care of는 '~을 책임지다. 돌보다.'라는 뜻을 가진 하나의 동사구입니다. 이런 경우 동사가 수동태로 변하더라도, 몇 개의 단어가 합쳐져 하나의 뜻을 이루는 동사구의 단어들은 떨어져서는 안 됩니다. 따라서, take care of가 수동형으로 바뀌면 「be 동사 + taken care of」가 됩니다.

　　　　The large company <u>took over</u> the record label.

　　= The record label **was taken over** by the large company.

　　　　The kids <u>made fun of</u> the girl with red hair.

　　= The girl with red hair **got made fun of** by the kids.

* NOTE 2: 수동태가 불가능한 동사

▪ 1형식과 2형식 동사는 목적어를 가질 수 없기 때문에 수동태가 될 수 없습니다.

　　The accident happened. (O)　　　　The accident was happened. (X)

　　He seems passionate.　(O)　　　　He is seemed passionate.　　(X)

▪ 소유 동사 have, possess, belong to 등은 동사 자체의 의미상 수동태가 어색합니다. 상태 동사 resemble, lack, cost, become(= fit, suit) 등과 같이 주어의 의지가 없는 동사도 능동태만 가능합니다.

　　I have a car.　　　　(O)

　　A car is had by me. (X)

　　That cloud resembles a dolphin.　　(O)

　　A dolphin is resembled by that cloud. (X)

▪ 동사 자체가 수동의 의미를 담고 있는 경우 수동태를 쓸 필요가 없습니다.

> sell (팔리다), read (쓰여 있다, ~하게 읽히다), write (펜 등이 써지다), peel (벗겨지다), lock (잠기다), wash (없어지다), cut (베어지다), photograph (사진에 찍히다) etc.

The bag is selling well online.　cf. The painting was sold for $400.

The sign read 'No Trespassing'.　cf. The book's been read by millions of people.

The paint is peeling off my house.　cf. The oranges were peeled.

139

* NOTE 3: 자주 쓰이는 수동태 구문

be told: (주어가) 듣다.

be seated: 앉다.

be filled with N: N로 가득 차다.

be crowded with N: N로 붐비다.

be covered with N: N로 덮이다.

be caught = be busted: (주어가 못된 짓을 하다가) 걸리다.

be known as N: N로서 알려지다.　　　　be known for N: N때문에 유명하다.

be known to N: N에게 알려지다.　　　　be known to V: V해서 유명하다.

be made of N: (물리적 변화) N으로 만들어지다.

be made from N: (화학적 변화) N으로 만들어지다.

be made up of N = be composed of N: N으로 구성되다.

be related to N = be connected/associated with N: N과 관련 있다.

be involved in N: N에 개입되다, 연루되다, N에 휘말리다.

be located at/on/in N: N에 위치하다.

A be interested in B: A가 B에 흥미/관심이 있다.

A be surprised/amazed at B: A가 B때문에 놀라다.

A be pleased/satisfied with B: A가 B로 인해 기쁘다./만족하다.

A be tired of B: A가 B에 싫증이 나다. 질리다.

A be caused by B = A be brought about by B: A가 B때문에 일어나다.

A be followed by B: B가 A를 따르다. (A가 앞섬)

A be preceded by B: B가 A를 선행하다. (B가 먼저 일어남)

We **were told** not to leave before noon.
우리는 정오까지 떠나지 말라고 들었다.

The city **is** always **crowded with** a large number of people.
그 도시는 항상 많은 사람들로 붐빈다.

They **are known for** collaborating with a world-famous singer.
그들은 세계적으로 유명한 가수와 공동 작업한 것으로 유명하다.

Those chairs **were made of** wood. (만들 때 쓰인 재료 형태 식별 가능)
저 의자들은 나무로 만들어졌다.

Wine **is made from** grapes. (만들 때 쓰인 재료 형태 식별 불가)
와인은 포도로 만들어진다.

The exhibition **is composed of** 45 paintings and 12 sculptures.
그 전시회는 45개의 그림과 12개의 조각상으로 구성되어 있다.

His learning issues and behavioral stuff **are related to** ADHD.
그의 학습 문제와 행동은 ADHD와 관련되어 있습니다.

The stationery store **is located on** the fourth floor of the shopping complex.
그 문구점은 쇼핑센터 4층에 위치해 있습니다.

We **were surprised at** the news.
우리는 그 소식에 놀랐다.

Anxiety can **be caused by** lack of sleep.
불안감은 수면 부족으로 생길 수 있다.

His hard work **was followed by** the prize.
그는 열심히 일해서 상을 받았다.

The prize **was preceded by** his hard work.
그 상은 그가 열심히 일해서 받은 것이다.

B. 4형식의 수동태

4형식은 이 책의 문장의 형식에서 다루어져 있고, 문장의 형식은 동사를 기준으로 접근해야 한다고 언급했습니다. 4형식 문장에는 수여 동사가 쓰입니다. 수여 동사는 누군가에서 무엇을 준다는 의미를 갖고 있기 때문에, 4형식은 '누구에게'라는 간접목적어와 '무엇을'이라는 직접목적어가 필요합니다. 능동태의 목적어가 수동태의 주어 자리에 오는데, 4형식은 목적어가 두 개이므로 수동태로 전환될 때 주어 자리에 올 수 있는 대상이 두 가지가 될 수 있습니다. 그러므로 4형식 문장 하나가 두 개의 수동태 문장을 가질 수 있습니다. (단, 4형식 문장을 수동태로 만들 때 의미가 부자연스러우면 한 개의 수동태로만 표현될 수 있습니다. 특히 4형식 동사 중 buy, make, get, write, send, pass 등은 의미상 거의 직접목적어만이 수동태의 주어가 될 수 있습니다.)

	S	V	I.O (~에게)	D.O (~을)
1)	I.O	be p.p	D.O	by S
	I.O는	받았다.	D.O를	S에 의해서
2)	D.O	be p.p	to/for/of I.O	by S
	D.O가	주어졌다.	I.O 에게	S에 의해서

다음의 4형식 문장을 예로 들어 봅시다.^^

I gave <u>him</u> <u>a book</u>.　　나는 <u>그에게</u> <u>책 한 권을</u> 주었다.
　　　　간.목　직.목

위의 문장을 수동태로 바꾸어 봅시다. 능동태와 수동태는 주어와 동사의 의미적 관계가 중요하며, 4형식 문장이 수동태로 전환되면 4형식 능동태의 주어의 관점이 아닌 간접목적어나 직접목적어의 관점으로 바뀌게 됩니다.

1) 간접목적어(~에게) him이 주어 자리에 올 경우: he가 주어

<u>He</u> <u>was given</u> / <u>a book</u> / by me.

그는 주어졌다.(= 받았다) / 책 한 권이 / 나에 의해서

직접목적어 a book은 수동태 동사 바로 다음에 위치합니다.

142

★2) 직접목적어(~을) **a book**이 주어 자리에 올 경우: a book이 주어

A book <u>was given</u> / <u>to him</u> / by me.

책 한 권이 주어졌다. / 그에게 / 나에 의해서

직접 목적어(~을/를)가 주어 자리에 오는 수동태에서 주의할 점이 있습니다. 직접 목적어가 주어이고, 그 대상이 누구에게 전달될 때, 간접 목적어 앞에 우리말과 같이 '~에게'라는 전치사가 필요합니다. 위의 예문을 활용하면 a book이 그에게 주어지는데, 이때 him 앞에 to가 필요합니다. 4형식 문장의 간접 목적어는 전치사가 없어도 '~에게'라고 해석이 되지만, 4형식의 수동태(1형식)에서는 동사 다음에 '누구에게'라는 의미를 완성하기 위해 보통 to가 필요하며, 동사의 의미에 따라 '누구를 위해서' 요리하고(cook), 사고 (buy), 만들고(make), 가져다주면(get) for이 필요합니다. 동사가 물어보다, 요청하다(ask, require)의 뜻을 가지면 of를 써야 합니다.

▶▷ 4형식의 수동태에서 직접목적어(~을)가 주어 자리에 올 때, 동사 다음에 위치하는 간접목적어(~에게) 앞에 필요한 전치사

> - to: give, send, teach, tell, show, write ... (제일 많이 쓰임)
> - for: cook, buy, make, get, find ...
> - of: ask, require, inquire, beg ...

Tom will send me a text when he arrives here.

= A text will be sent **to me** by Tom when he arrives here.

Tom이 여기 도착하면 그가 보낸 문자 하나가 나에게 보내질 것이다.

My mom has cooked me a turkey.

= A turkey has been cooked **for me** by my mom.

나를 위해 칠면조가 엄마에 의해서 요리되었다.

≠ I have been cooked a turkey by my mom.

◦ 해석상 의미가 부자연스러운 문장은 수동태가 될 수 없습니다.

Did the teacher ask the students some questions?

= Were some questions asked **of the students** by the teacher?

학생들은 선생님으로부터 질문을 받았습니까?

143

C. 5형식의 수동태

5형식은 『주어 + 동사 + 목적어 + 목적격 보어』로 이루어지며, 5형식의 수동태는 능동태의 목적어가 주어 자리로 이동하고, 동사는 be p.p로 바뀌는 것입니다. 이 부분은 앞에 언급한 수동태들과 동일하지만, 5형식에서 주의할 점은 수동태로 바뀔 때 목적격 보어가 그 자리에 오는 품사에 따라 형태가 조금 달라진다는 점입니다. 목적격 보어 자리에는 명사, 형용사, 동사가 올 수 있습니다. 보어 자리에 명사와 형용사가 올 경우는 이들의 형태 변화는 없습니다. 하지만, 목적격 보어가 동사인 경우, 수동태로 전환 시 문장의 동사가 사역동사이면 목적격 보어는 to 부정사가 되고, 지각 동사이면 보어는 to 부정사나 현재분사(동사+ing)가 됩니다.

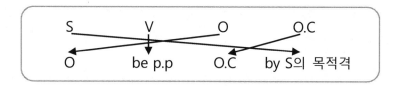

1) 능동태의 목적격 보어 자리에 **명사**가 쓰인 경우: 수동태로 전환 시, 명사로 된 목적격 보어는 형태 변화 없이 그대로 수동태 동사 바로 다음에 위치합니다.

  They elected Tom **their leader**.
  그들은 톰은 그들의 리더로 선출했다.

= Tom was elected **their leader** (by them).
  톰은 그들의 리더로 선출됐다.

2) 능동태의 목적격 보어 자리에 **형용사**가 쓰인 경우: 수동태로 전환 시, 형용사로 된 목적격 보어는 형태 변화 없이 그대로 수동태 동사 바로 다음에 위치합니다.

  The players considered the match **successful**.
  그 선수들은 그 경기가 성공적이라고 생각했다.

= The match was considered **successful** by the players.
  그 경기는 선수들에 의해서 성공적이라고 간주됐다.

★3) 능동태의 목적격 보어 자리에 **동사**가 쓰인 경우: 사역 동사가 쓰인 5 형식 문장의 목적격 보어가 동사인 경우, 수동태가 되면 목적격 보어는 <u>to 부정사</u>가 됩니다.

make는 단어 그 자체로 수동태 문장에 be동사 + made로 쓰일 수 있지만, 사역 동사 have와 let의 수동형은 각각 be asked (to V)와 be allowed (to V)입니다.

have가 사역 동사로 쓰이면 '시키다'라는 의미이므로 수동태로 쓰일 때 be asked '요구 받다'라는 표현이 자연스럽습니다. let은 허락의 의미가 강하므로 let의 수동의 형태는 be allowed입니다.

지각 동사가 쓰인 5형식 문장이 수동태가 될 때 목적격 보어가 동사이면 to 부정사나 현재 분사로 바뀝니다.

Who made you **clean** the office?
누가 너에게 사무실 청소하라고 시켰어?

= By whom were you made **to clean** the office?
너는 누가 시켜서 사무실을 청소하게 됐어?

She had me **sing** a song.
그녀는 나에게 노래를 불러달라고 했다.

= I was asked **to sing** a song by her.
나는 그녀로부터 노래를 불러달라는 요청을 받았다.

The boss let his workers **leave** work early.
사장은 직원들을 일찍 퇴근하게 했다.

= The workers were allowed **to leave** work early by their boss.
직원들은 일찍 퇴근해도 된다고 사장에게 허락받았다.

We saw the kids **dance** to the music.
우리는 아이들이 음악에 맞춰 춤추는 것을 보았다.

= The kids were seen **to dance/dancing** to the music by us.
아이들이 음악에 맞춰 춤추는 것이 우리에게 보였다.

I noticed him **ignore** the persistent pain.
나는 그가 지속적인 통증을 무시하는 것을 알아차렸다.

= He was noticed **to ignore/ignoring** the persistent pain by me.
그가 지속적인 통증을 무시하는 것이 나에게 보였다.

D. 수동태를 품고 있는 형태들

1. 진행형 + 수동태

| be being p.p   ~되고 있는 중이다. |

    be   ~ing   ☞ ~하고 있는 중이다: 진행형

+   be   p.p

    be   being   p.p

Sweet potatoes are being dug up.   ° dig-dug-dug: 파다, 캐다
고구마들이 캐내어지고 있는 중이다.

He was being followed by someone.
그는 미행당하고 있었어.

Why are they **being investigated**?
왜 그들은 조사받고 있습니까?

2. 현재 완료 + 수동태

| have been p.p   ~되었다. 당해오고 있다. |

    have   p.p   ☞ 계속 ~해왔다, 막 ~했다: 현재 완료

+   be   p.p

    have   been   p.p

The furniture **has been moved**.
가구가 옮겨졌다.

One of the problems occurring online is that some **have been bullied** with comments in cyber space.
온라인에서 일어나고 있는 문제들 중 하나는 일부 사람들이 가상 공간에서 댓글로 왕따를 당해오고 있다는 것이다.

How long **have** you **been unemployed**?
당신은 얼마나 오랫동안 실직된 건가요?

3. 조동사 + 수동태

┌─────────────────────────────────┐
│ 조동사 + **be p.p / have been p.p** │
└─────────────────────────────────┘

   Tom will bring some sandwiches.

= Some sandwiches will be brought by Tom.

   They may not regard him as their friend.

= He may not be regarded as their friend by them.

   How could you have made the mistake?

= How could the mistake have been made by you?

4. 명령문의 수동태

┌───────────────────────┐
│ **Let** 목적어 **be p.p** │
└───────────────────────┘

   명령문의 수동태는 let으로 시작하여 『let + 목적어 + be p.p』의 형태이며, '목적어가 ~되게 하세요.'라고 해석됩니다. 부정 명령문의 수동태는 『Don't let 목적어 be p.p』 또는 『Let 목적어 not be p.p』입니다.

Do your work.	당신의 일을 하세요.
= Let your work be done.	당신의 일을 끝내도록 하세요.
Don't forget the day.	그날을 잊어버리지 마세요.
= Don't let the day be forgotten.	그날이 잊히면 안 됩니다.
= Let the day not be forgotten.	
Love the children.	아이들을 사랑하세요.
= Let the children be loved.	아이들이 사랑받도록 하세요.
Don't break the glass.	유리를 깨지 마세요.
= Never let the glass be broken.	유리가 깨지지 않게 하세요.
= Let the glass not be broken.	

E. 목적어가 that절인 문장의 수동태

> It is said/believed/thought/supposed/reported that S V.

목적어 자리에 that 명사절이 쓰인 문장을 수동태로 만드는 것입니다. that절이 수동태의 주어 자리에 오기에 너무 길기 때문에 가주어 It을 쓰고, 동사는 수동태인 be p.p로 만들고, 수동태 동사 바로 다음에 진주어 that절을 쓰는 것입니다. 이런 문장 형태에 쓰이는 동사에는 say, believe, think, suppose, consider, expect 등이 있습니다. 목적어가 that절인 문장의 수동태는 『It is p.p that S V.』와 『S is p.p to V.』 두 가지로 표현될 수 있습니다. 해석은 'that절 하다고 전해진다, 여겨진다.'입니다.

People say that Sam has made a huge donation.   능동태

= That Sam has made a huge donation / is said (by people).   수동태 1

= It is said that Sam has made a huge donation.   수동태 2

= Sam is said to have made a huge donation.   수동태 3
     샘은 거액의 기부를 했다고 전해진다.

People believe that Joe is very polite.

= That Joe is very polite / is believed (by people).

= It is believed that Joe is very polite.

= Joe is believed to be polite.
     Joe는 예의 바르다고 여겨진다.

They think that the idea was true with numerous people in those days.

= That the idea was true with numerous people in those days / is thought (by them).

= It is thought that the idea was true with numerous people in those days.

= The idea is thought to have been true with numerous people in those days.
     그 생각은 그 당시 수많은 사람들에게 사실이었다고 여겨진다.

° to 부정사 자리에 들어가는 동사가 주절의 동사보다 한 시제 먼저 일어난 경우 완료형 부정사 to have p.p가 쓰입니다.

1. 다음 중 수동태로 전환할 수 <u>없는</u> 문장을 고르세요.

① They love playing hockey.

② She gave the boys some apples.

③ He became a world-renowned singer.

④ I saw the boy cross the street.

♣ 어법상 적절한 것을 고르세요. (2 ~ 10)

2. The room is (cleaning / cleaned) every day.

3. The bread was baked by (her / she).

4. She was (pleased / pleasing) with my gifts.

5. Kimchi is known (as / to) one of Korean traditional foods.

6. The crisis is being (dealt with / dealt) carefully.

7. A package was given (to / for) Sue by him.

8. A few questions were asked (to / of) some undergraduates.

9. He was made (leave / to leave) the country as he violated the national law.

10. The boy was seen (crossing / cross) the street.

♣ 해석에 맞춰 빈칸을 채워주세요. (11 ~ 14)

11. 집 한 채가 내년에 지어질 것이다.

　　A house will ____ _____ next year.

12. 그 집은 Tom에 의해 지어지고 있는 중이다.

　　The house ____ _____ _____ by Tom.

13. 그 집은 Tom에 의해 최근에 지어졌다.

　　The house _____ _____ recently _____ by Tom.

14. 그 집은 10년 전 Tom에 의해 지어졌다.

　　The house ____ _____ by Tom 10 years ago.

15. She did not write the letter.

  = The letter _____ _____ _____ by her.

16. Sue has been helped by Tom.

  = Tom _____ _____ Sue.

17. Why did the boy sing such sad songs?

  = Why _____ such sad songs _____ ___ the boy?

18. I bought the kid a yellow T-shirt.

  = A yellow T-shirt _____ _____ _____ the kid by me.

19. Lincoln was elected President by them.

  = They _____ _____ President.

20. An officer made us open all our bags.

  = We _____ _____ ___ _____ all our bags by an officer.

21. Don't repeat it over and over again.

  = Don't _____ it ___ _____ over and over again.

22. People believed that she was the heroin of the town.

  = It _____ _____ that she was the heroin of the town.

  = She _____ _____ ___ ___ the heroin of the town.

23. People suppose the fund is used for the underprivileged in the country.

  = ___ ___ _____ that the fund is used for the underprivileged in the country.

  = The fund ___ _____ ___ ___ _____ for the underprivileged in the country.

Unit 4. 부정문과 의문문

부정문과 의문문 만들기는 동사와 관련되어 있으며, 동사의 종류에 따라 부정문과 의문문의 형태가 결정됩니다. 동사의 종류에는 'be 동사, 조동사, 일반 동사'가 있습니다. be 동사의 형태에는 be / am / are / is / was / were이 있고, 조동사는 동사를 도와주는 역할을 하며 can, will, may, must, should 등이 있습니다. be 동사와 조동사 이외의 나머지 동사를 일반 동사라고 합니다. 일반 동사의 부정문과 의문문은 조동사 do의 도움을 받아 만들어집니다. 부정문과 의문문을 만들 때 동사가 be 동사, 조동사, 일반 동사 중 어디에 속하는지 파악하는 것이 중요합니다.

부정문

1. not이 쓰인 부정문

부정문을 만들기 위해서 우선 동사를 be 동사, 조동사, 일반 동사 세 가지로 나누어 생각해야 합니다. be 동사와 조동사의 부정문에서는 be 동사나 조동사 바로 뒤에 not이 위치합니다. 일반 동사의 부정문은 do동사 (do/does/did)가 필요하며, do동사 + not + 일반 동사의 동사원형의 형태로 부정문을 만들 수 있습니다.

	긍정문	부정문
be동사	She is able to eat it.	She is not able to eat it.
	Some of them are kind.	Some of them are not kind.
	I was starving.	I was not starving.
	Those paintings were large.	Those paintings were not large.
조동사	He can eat it.	He can't eat it.
	We will get it done.	We will not get it done soon.
	I have seen him once.	I haven't seen him for ages.
	You would rather tell her.	You would rather not tell her.

> ◦ 현재 완료 have p.p의 have는 조동사이므로 have 바로 뒤에 not을 붙입니다.
>   would rather 자체가 하나의 조동사이므로 would rather 다음에 not을 붙입니다.

일반동사	The boy runs fast.	The boy does not run fast.
	I want to go there.	I don't want to go there.
	They took a break.	They did not take a break.
	We knew that we needed it.	We didn't know that we needed it.

2. never를 사용한 부정

never은 not보다 강한 부정의 의미를 나타내는 부사입니다. 빈도 부사인 never의 위치는 be동사와 조동사 뒤, 일반 동사 앞입니다.

There was never any movement.   ≒ There was not any movement.

She never helps me.   ≒ She doesn't help me.

I never went late.   ≒ I did not go late.

I have never been abroad yet.   = I have not ever been abroad yet.

He can never get what she says. = He can't ever get what she says.

* NOTE: 부정의 의미를 더욱 강조하기 위해서 never이 문두에 위치할 수 있으며, 이때 주어와 동사의 위치가 바뀌는 도치가 일어납니다. 부정어구가 문장 제일 앞에 오면 부정어구와 관련된 주어와 동사의 도치가 일어나는 것이 원칙입니다. 참고로, 동사로 have p.p나 had p.p.가 쓰인 문장은 have와 had만 주어와 도치됩니다.

Never have I seen him so upset. = I have never seen him so upset.

'나는 그가 그렇게 화난 것을 본 적이 없다.'라고 해석되며, never를 문두에 위치시킴으로써 전에 그가 그 정도로 화가 난 것을 전혀 본 적을 없다는 점을 부각시켜 그가 굉장히 화가 난 것을 강조해 줍니다.

3. no를 이용한 부정

not과 never은 부사이고, no는 부정의 의미를 만드는 형용사입니다. <u>형용사이므로 명사 앞에 위치합니다.</u> no가 쓰이더라도 주어와 동사의 수의 일치를 지켜야 합니다.

There are no chairs to sit on.

She gave no particular reason for her decision.

No pets are allowed in this coffee shop.

No man is happy without music.

* NOTE 1: no = not any와 같습니다.

- no more = not ~ any more: 더 이상 ~하지 않는
- nobody = not ~ anybody: 아무도 ~하지 않는
- no one = not ~ anyone: 아무도 ~하지 않는
- nothing = not ~ anything: 아무것도 ~아닌
- no longer = not ~ any longer: 더 이상 ~이 아닌

I will ask no more questions.
= I won't ask any more questions.
나는 더 이상 질문하지 않을 것이다.

Nobody remembered the title of the book they had read.
= Anybody did not remember the title of the book they had read.
= The title of the book they'd read was not remembered by anybody. (수동태)
아무도 그들이 읽었던 책 제목을 기억하지 못했다.

Nothing can stop her.
= Anything cannot stop her.
= She cannot be stopped by anything. (수동태)
어떤 것도 그녀를 막을 수는 없다.

I no longer buy or read newspapers.
= I do not buy or read newspapers any longer.
나는 더 이상 신문을 사거나 읽지 않는다.

154

* NOTE 2: no one, nobody, nothing 세 가지 모두 단수 취급합니다.

No one knows about it.

아무도 그것에 대해 알지 못한다.

Nobody is permitted to use the machine.

어느 누구도 그 기계를 사용하도록 허락되지 않는다.

Nothing good comes easy.

좋은 것은 쉽게 오지 않는다.

* NOTE 3: 주어부에 no, nothing등과 같은 부정어가 쓰이면, 주어를 부정하는 것이 아니라 동사를 부정하는 것으로 해석해야 자연스럽습니다.

No one ate it. = Anyone did not eat it.

아무도 그것을 먹지 않았다.

Nobody tells me anything. = Anybody does not tell me anything.

아무도 나에게 어떤 것도 말해주지 않는다.

4. none을 사용한 부정

none은 부정의 의미를 갖고 있는 대명사입니다. none은 'no + 명사'와 같습니다. one이 어떤 명사를 긍정으로 받는 대명사라면 대조적으로 none은 부정의 대명사입니다. 따라서 none 바로 뒤에 명사는 올 수 없으며 none 자체로만 쓰이거나, 'none of 명사'의 형태로 쓰입니다. 「none of 복수 명사」의 경우 단수 동사나 복수 동사 모두 올 수 있습니다.

I looked for some cherries but there were none.

나는 체리를 찾았지만 없었다.

If there is none left, we'll prepare Plan B.

만약 남아 있는 것이 없다면 우리는 차선책을 준비할 것이다.

None of the presents were (or was) given to us.

어떤 선물도 우리에게 주어지지 않았다.

It is none of your business.

너가 상관할 일이 아니다.

5. neither를 사용한 부정

either은 '둘 중 어느 하나', '양쪽 각각'을 뜻하며, neither은 '둘 중에 어떤 것도 아니다.' 라는 부정을 나타냅니다. not ~ either은 neither과 같습니다. 「neither + 단수 명사」의 형태로 쓰일 경우는 단수 동사를 써야 하고, 「neither of + 복수 명사」의 형태로 쓰일 경우는 단수 동사와 복수 동사 둘 다 가능합니다.

Neither hat fitted her head.
둘 중 어느 모자도 그녀의 머리에 맞지 않았다.

Neither of the children wants (or want) to go to school.
그 아이들 둘 다 학교에 가기를 원하지 않는다.

either A or B는 'A나 B 둘 중의 하나'라는 뜻이고, neither A nor B는 'A나 B 둘 다 아닌'이라는 뜻입니다.

He might be either Japanese or Chinese.
그는 일본인이거나 중국인일 수 있다.

I want neither syrup nor whipped cream.
= I do not want either syrup or whipped cream.
= I do not want syrup and whipped cream.
나는 시럽도 휘핑크림도 원하지 않는다.

* NOTE: "나도 그래"라는 공감의 표현으로 Me, too.나 혹은 동사의 종류에 따라 So do I. So am I. 등을 쓸 수 있습니다. 상대방의 부정문 진술에 대한 공감 표현인 "나도 그렇지 않아."는 Me, neither.이나 Neither do I. Neither am I. 등으로 나타낼 수 있습니다. 「Neither + 앞 문장의 동사에 맞춰 be동사나 조동사, do동사(앞 문장에 일반 동사가 쓰인 경우) + 주어」

A: I didn't pass the test.   나 시험 통과 못했어.
B: Neither did I.   나도 떨어졌어.
A: I will not try it again.   다시 시험 치지 않을 거야.
B: Neither will I.   나도.

6. 부분 부정   not + all, always, every, both ...

 말 그대로 전체를 부정하는 것이 아니라 부분만 부정하는 것입니다. '모두가/모든 것이 ~한 것은 아니다.' 또는 '항상 ~한 것은 아니다.'라고 해석됩니다.

Not everyone likes to eat meat.
모든 사람이 고기 먹는 것을 좋아하는 것은 아니다.

The rich are not always happy.
부자라고 항상 행복한 것은 아니다.

Both Tom and I did not understand what he said.
그가 말한 것을 톰과 나 둘 다 이해한 것은 아니다.

7. 이중 부정 = 강한 긍정

 한 문장에 부정의 표현이 두 번 쓰여 부정을 또 부정하면 강한 긍정이 됩니다.

No man is without a dream.
= Everyone has a dream.
꿈이 없는 사람은 없다.

I love nobody but you.
= I only love you.
나는 너 말고는 아무도 사랑하지 않아.
 ◦ but = except   ◦ nothing but = nobody but = only

We have no choice but to take this route.
= We have to take this route.
이 길로 가는 것을 제외하고는 선택의 여지가 없다.

♣ 괄호 안에 제시된 부정어를 사용하여 부정문으로 만들어 주세요. (1 ~ 6)

1. We were in the office.   (not)

   _____

2. You should give up on your dream.   (not)

   _____

3. Tom gets to work early.   (not)

   _____

4. This song fails to put me in a great mood.   (never)

   _____

5. They have respect for him.   (no)

   _____

6. Both the countries are in Europe.   (neither)

   _____

♣ 다음 빈칸에 알맞은 단어를 고르세요. (7 ~ 9)

7. _____ of the shops were open.
   ① None   ② No   ③ Never   ④ Not

8. The exam was extremely difficult. _____ passed it.
   ① No   ② Nobody   ③ Never   ④ Not

9. He does not live here anymore. = He _____ lives here.
   ① not   ② no   ③ no longer   ④ none

10. 다음 중 <u>어색한</u> 문장을 고르세요.

① I'm not interested in reading a book.

② I have not time to go on a trip.

③ My dad never drinks coffee.

④ Tom does not have either a car or a motorcycle.

11. 다음 중 올바른 문장을 고르세요.

① Tom don't like to go to the gym.

② We don't are able to meet the deadline.

③ There's special nothing in the movie.

④ Nobody knows but you.

12. 의미상 성격이 다른 문장 하나를 고르세요.

① Everyone loves music.

② Slow does not necessarily mean stupid.

③ Not all people are nice.

④ She is not always rigid and serious.

♣ 두 문장의 의미가 같도록 빈칸을 완성해 주세요. (13 ~ 14)

13. Tom doesn't like either of the candidates.

　 = Tom likes _____ of the candidates.

14. Every rule has its exception.

　 = There is ____ _____ without an exception.

의문문

not을 이용한 부정문처럼 의문문을 만들 때도 동사를 3가지로 분류하여 접근해야 합니다. 동사를 be동사, 조동사, 일반 동사로 나누어 보면, be동사와 조동사의 의문문은 평서문의 주어와 동사의 어순이 바뀌어 '동사 주어'순이 됩니다. 일반 동사의 의문문은 부정문과 마찬가지로 do동사(do, does, did)의 도움을 받아 만들어집니다.

1. 의문사가 없는 의문문

평서문	의문문
주어 + **be동사** + 보어 ….	**be동사** + 주어 + 보어 … ?
주어 + **조동사** + 본동사 ….	**조동사** + 주어 + 본동사 … ?
주어 + **일반 동사** ….	Do/Does/Did + 주어 + **일반 동사**의 동사원형 … ?

<table>
<tr><th>평서문</th><th>의문문</th></tr>
</table>

평서문   **의문문**

 be동사   She is all right.   Is she all right?

These dishes are not new.   Aren't these dishes new?

The outing was exciting and fun.   Was the outing exciting and fun?

The actor is loved by fans worldwide.   Is the actor loved by fans worldwide?

조동사   You can swim.   Can you swim?

They will make a movie.   Will they make a movie?

일반 동사   She cooks supper.   Does she cook supper?

He did not come home.   Didn't he come home?

The kids like to play with blocks.   Do the kids like to play with blocks?

* NOTE: not이 포함된 의문문의 not의 위치

not은 주어 앞에 위치한 동사나 조동사와 결합됩니다.

Are**n't** you ~?   Would**n't** you ~?   Do**n't** you ~?   Have**n't** you p.p ~?

또한, not은 동사나 보어의 부정 강조를 위해서 이들 앞에 쓰이기도 합니다.

Are you **not** ready?   Does he **not** know it?   Have you **not** been to Vietnam?

2. 의문사가 있는 의문문: 의문사가 있는 의문문에서는 의문사가 일 순위입니다. 의문사가 의문문 제일 앞에 위치해야 합니다.

의문사 + **be동사** + 주어 + 보어 ?
의문사 + **조동사** + 주어 + 본동사 … ?
의문사 + do/does/did + 주어 + **일반 동사**의 동사원형 … ?

(be동사)
You are going to take the exam.　　　너는 시험을 볼 것이다.
Are you going to take the exam?　　너는 시험을 보니?
When are you going to take the exam?　너는 언제 시험 봐?

He was quite late for work.　　그는 직장에 꽤 늦었다.
Was he quite late for work?　　그는 직장에 많이 늦었어?
Why was he quite late for work?　그는 왜 직장에 지각했어?

(조동사)
It will be done soon.　　곧 일이 끝날 것이다.
Will it be done soon?　　일이 곧 끝나?
When will it be done?　　언제 일이 끝나?

She can make a cake.　　그녀는 케익을 만들 수 있다.
Can she make a cake?　　그녀는 케익을 만들 수 있어?
What kind of cake can she make?　그녀는 어떤 종류의 케익을 만들 수 있어?

◦ 「what kind of 명사」, 「what sort of 명사」는 '어떤 종류의'라고 해석되는 하나의 의문사구입니다.

You think about it.　　너는 그것에 대해서 생각한다.
Do you think about it?　　너는 그것에 대해서 생각하니?
What do you think about it?　그것에 대해서 어떻게 생각해?

You last saw him.　　너는 그를 마지막으로 봤다.
Did you see him last then?　　너는 그때 그를 마지막으로 봤니?
When did you last see him?　너는 언제 그를 마지막으로 봤니?

3. 의문문에 대한 대답

a. 의문사가 없는 경우: '예'나 '아니요'로 답변합니다. be동사, 조동사, 일반 동사 세 가지로 구분하여 의문문의 동사에 맞추어 대답하며, 어느 동사가 쓰이더라도 답변의 주어의 수와 동사의 시제를 고려해야 합니다. be동사나 조동사가 쓰인 의문문은 각각 같은 동사로 답합니다. 일반 동사의 의문문은 do동사로 답하며, 답변의 주어의 수와 동사의 시제에 따라 do, does, did를 씁니다.

Is she going swimming?	Yes, she is.
	No, she isn't.
Would you like to go bowling?	Yes, I would.
	No, I would not.
Have you done your homework?	Yes, I have.
	No, I haven't.
Do you know that bananas are good for reducing depression?	Yes, I do.
	No, I don't.

b. 의문사가 있는 경우: 의문사가 포함된 의문문에서는 의문사와 관련된 구체적인 내용으로 대답해야 합니다. No나 Yes로 대답할 수 없습니다.

Q: Why were she so upset?   A: It was because she failed in history again.

Q: What could he do that for?   A: Maybe, he acted on instinct.

Q: How did you find out about this?   A: Don't underestimate me.

Q: Where do you usually buy clothes?   A: I purchase them online.

Q: When is the best time to visit Korea?   A: In spring and fall.

Q: Which food delivery app is available in this area?   A: Let me check.

Q: By whom was the window broken?   A: It seems like Tom did it.

c. 부정 의문문 (부정문으로 물어보는 경우): 부정 의문문은 동의를 구하거나, 약간의 놀라움을 표현하기 위해서 쓰입니다. 부정 의문문의 답변에 유의해야 합니다. 우리말에서는 부정문으로 물어보는 문장에 대한 응답에 집중하지만, 영어에서는 대답하는 이의 답변이 긍정문이면 Yes로, 답변이 부정문이면 No로 답해야 합니다.

Aren't you going hiking?	Yes, I am.
너 등산하러 안 갈 거야?	아니, 갈 건데.
cf) Are you going hiking?	Yes, I am.
너 등산하러 갈 거야?	어, 갈 거야.

Don't you want to see a horror movie?	No, I don't
공포 영화를 보지 않을래?	어, 안 봐.

Haven't you met him yet?	No, I haven't. He's so busy.
아직도 그를 안 만났어?	어, 못 만났어. 그는 너무 바빠.

d. Do you mind~? Would you mind~? 로 물어보는 경우: 이 표현은 '제가 ~한다면 언짢으세요?' 또는 '꺼리세요?'라는 뜻을 갖습니다. 그렇기 때문에 대답할 때 '꺼리거나 싫지 않아요.'라고 대답해야 긍정의 표현이 됩니다. 이런 질문에 Yes라고 대답하면 부정적인 답변이 됩니다.

► 긍정의 대답: No, I don't mind.   Not at all.   No, it's OK.

　　　　　　　No problem.   Go ahead.

► 부정의 대답: Yes.라고 말하고 이유를 설명합니다.

　　　　　　　Sorry!라고 말하고 이유를 설명합니다.

Do you mind if I lean my seat back?	No problem.
의자 좀 뒤로 젖혀도 될까요?	네, 괜찮습니다.

Would you mind telling me what went wrong?	No, I wouldn't.
뭐가 잘못됐는지 말씀해 주시겠어요?	물론이죠.

4. 부가 의문문: 부가 의문문은 '그렇지 않나요?'라고 문장 끝에 부가적으로 묻는 의문문입니다. 부가 의문문은 동의를 구하거나, 사실을 확인하고 싶을 때 쓰입니다. 영어에서 의문문과 부정문을 만들 때 항상 be동사, 조동사, 일반 동사 3가지로 분류해서 생각해야 합니다. 우선, 문장에 be동사가 쓰였다면 부가 의문문도 같은 be동사가 쓰입니다. 조동사도 마찬가지입니다. 하지만 일반 동사가 쓰였다면 부가 의문문에 do (do/does/did)동사가 와야 합니다. 일반 동사는 의문문과 부정문을 만들 때 do의 도움을 받는 것과 같이, 부가 의문문에서도 do가 쓰입니다. 부정문과 의문문을 만들 때 항상 시제 일치와 수의 일치에 주의해야 합니다. 또한, 진술이 긍정문이면 부가 의문문은 부정문이 되고, 부정문이면 부가 의문문은 긍정문이 됩니다.

부가 의문문에 대한 답변은 긍정의 답이면 무조건 긍정, 부정의 답이면 무조건 부정으로 대답합니다. 질문자의 생각에 대한 답을 주는 우리말과는 달리, 영어에서는 대답하는 사람 자신의 답변이 긍정문이면 Yes, 답변이 부정문이면 No로 답해야 합니다. 예를 들어, She does not look happy, does she? "걔 기분 좋아 보이지 않더라, 그렇지?"라는 질문에 그녀의 기분이 안 좋아 보인다는 답을 하려면 우리말로는 "맞아, 기분 안 좋아 보여."라고 질문자의 의견에 맞장구치는 답변을 하지만, 영어에서는 답변자의 대답이 부정문이면 무조건 부정어로 답해야 합니다. No, she doesn't look happy. "어, 기분 안 좋아 보이더라."

a. 긍정문과 함께 쓰이는 부정의 부가 의문문

He is smart and handsome, isn't he?	Yes, he is.
You like coffee, don't you?	No, I don't.
They will be able to win the prize, won't they?	Yes, they will.
Sue has applied for the job, hasn't she?	Yes, she has.

b. 부정문과 함께 쓰이는 긍정의 부가 의문문

You were not happy about that, were you?	No, I was not.
We won't arrive on time, will we?	No, we won't.
The phone did not ring, did it?	Yes, it did.
You haven't seen her today, have you?	No, I haven't.

c. 명령문일 경우: will you? (해 줄 거지?)로 물어봅니다.

Open the window, will you?   Don't be late, will you?

164

★5.간접 의문문: 간접 의문문은 한 문장 안에서 의문문이 다른 문장과 합쳐져 간접적으로 물어보는 문장이며, 간접 의문문의 어순은 '의문사＋주어＋동사'입니다. 의문문에 의문사가 없는 경우에는 의문사 자리에 if나 whether를 써야 합니다. 간접 의문문은 명사절이므로, 주어, 목적어, 보어 역할을 합니다.

  a. 의문사가 있는 경우

  Do you know? + What is his phone number?
  Do you know **what his phone number is**?
  너 그 남자 전화 번호 알아?

  Could you tell me? + When does the bus leave?
  Could you tell me **when the bus leaves**?
  버스가 언제 출발하는지 말씀해 주시겠어요?

  b. 의문사가 없는 경우: if나 whether(~인지 아닌지)이 있어야 간접 의문문이 완성됨.

  I wonder. + Can you make it on time?
  I wonder **if you can make it on time**.
  너가 제시간에 도착할 수 있을지 궁금하다.

  I am not sure. + Did she do it or not?
  I'm not sure **whether she did it or not**.
  그녀가 했는지 안 했는지 나는 잘 몰라.

＊NOTE: 간접 의문문을 만들 때 어순이 조금 달라지는 경우가 있습니다. 주절의 동사가 '생각하다'라는 의미를 가질 때, 예를 들어 think, guess, believe, suppose, imagine, expect 등이 오면 종속절의 간접 의문문의 의문사가 문장 맨 앞에 위치해야 합니다.

  Do you think? + How many people are coming?
  How many people do you think **are coming**?
  몇 명이 올 거라고 생각해?

  Do you guess? + Where did he find his wallet?
  Where do you guess **he found his wallet**?
  그가 어디서 지갑을 찾았다고 짐작하나요?

165

♣ 다음을 의문문으로 만들어 주세요. (1 ~ 4)

1. Sue was able to make spaghetti.

   _____

2. Tom came to the party.

   _____

3. He seems to be comfortable.

   _____

4. You don't care about what they are saying.

   _____

♣ 답변에 어울리는 질문을 완성해 주세요. (5 ~ 7)

5. A: _____ _____ _____ last night?

   B: They were at the library.

6. A: _____ _____ _____ _____ the project?

   B: He started it a month ago.

7. A: _____ _____ _____ _____ last Sunday?   (do)

   B: I went on a picnic with my family.

♣ 다음 질문에 올바른 답변을 찾아주세요. (8 ~ 10)

8. Why didn't you answer the phone last night?

   ① I went to bed earlier than usual.   ② No, I didn't.

9. Are you satisfied with the outcome?

   ① Because it's not over.   ② Yes, I am.

10. Do you mind if I ask you to speak French?

    ① No problem.   ② Yes, you do.

11. You are not listening, _____?

12. She won't mind if I use her phone, _____?

13. He had already known the fact, _____?

14. You like him, _____?

♣ 간접 의문문을 완성해 주세요. (15 ~ 19)

15. (Where has Sue gone?)

Do you know _____?

16. (Is there a flower shop near here?)

Can you tell me _____?

17. (Why did she leave early?)

I wonder _____.

18. (Do you have a driver's license?)

She asked me _____.

19. Do you think? + What will be a good present for her?

_____?

20. 다음 중 어색한 문장 두 개를 고르세요.

① I wonder where does he live.

② Why doesn't she want to go skiing?

③ Do you think what it means?

④ Are you feeling better?

Unit 5. 조동사

조동사는 서술부의 주인공이기보다는 동사를 보조해 주는 역할을 합니다. <u>조동사 다음에는 동사 원형만</u> 올 수 있습니다. 조동사가 시제나 수의 일치, 부정문, 의문문을 표현하기 때문에 동사가 중복해서 나타낼 필요가 없습니다.

A. 조동사의 종류

◎ will 《과거형: would》

(미래) ~일(할) 것이다.   (≒ be going to V ≒ be ~ing)

We **will have** lunch together after class.
우리는 수업 끝나고 함께 점심을 먹을 것이다.

He told me that he **would be** free in a few minutes.
그는 몇 분 후에 끝날 것이라고 나에게 말했다.

* will / be going to / be ~ing 의 차이는 이 책의 미래 시제에 서술되어 있습니다.

◎ can 《과거형: could》

1. (능력) ~할 수 있다. (=be able to V) ↔ cannot, can't 할 수 없다.

2. (가능) ~일 수 있다.

3. (허락) ~해도 좋다.

It was good that I **could taste** many kinds of food at the local festival.
지역 축제에서 많은 종류의 음식을 맛볼 수 있어서 좋았다.

It is doubtful if we **can be** always optimistic in reality.
우리가 현실에서 항상 긍정적일 수 있는지 의구심이 든다.

You **can go** home when everything is done.
모든 것이 끝나면 집에 가도 좋다.

◎ may, might 《과거형: might》

    1. (약한 추측) ~일지도 모른다.   2. (허락) ~해도 좋다.   3. (기원문) ~하소서!

   ▶ might가 may의 과거형이 아니라, '현재 또는 과거의 가능성'을 나타내기도 합니다.

    I **might be** wrong.
    내가 틀릴 수도 있습니다.

    You **may turn off** the air conditioner if it is too cold.
    추우면 에어컨을 꺼도 좋다.

    May you **live** long and **prosper**!
    장수하고 번성하기를 바랍니다.

◎ must 《과거형: had to》

    1. (강한 추측) ~임에 틀림없다. ↔ cannot(=can't) ~일 리 없다.

    2. (의무) ~해야만 한다. (= have to V)   cf. don't have to V: ~할 필요가 없다.

    She **must be** a liar to say such a thing that is not true.
    사실이 아닌 것을 말하다니 그녀는 거짓말을 하고 있는 것이 틀림없다.

    We **must eliminate** gender discrimination.
    우리는 성차별을 없애야 합니다.

    I **had to leave** the next day.
    나는 그 다음날 떠나야 했다.

◎ should 《shall의 과거형》

    1. (의무) ~해야만 한다.   2. (예상, 추측) 아마 ~일 것이다.

    You **should write** it **down**, otherwise you will forget it.
    너는 그것을 적어야 한다. 그렇지 않으면 잊어버릴 것이다.

    He **should be** home by now.
    그는 지금쯤 집에 있을 것이다.

* NOTE: 의미별로 정리한 조동사

1. 충고, 의무:

need to	should/ought to	have to	had better	must

(advice) ━━━━━▶ stronger ━━━━━▶ (obligation)

need not	don't have to	should not	must not

2. 제안, 요청: may, can, will

　□ 제안: 제가 ~해도 될까요?　May I ~?　　Can I~?

　　　　　　　　　　　　　　May I come in?　　What **can I** do for you?

　□ 요청: ~해 주시겠어요?　　Can you~?　Could you?

　　　　　　　　　　　　　　Will you~?　Would you?

　　　　　　　　　　　　　　Could you call me later?　**Would you** do me a favor?

3. 추측: may (약한 추측): ~일지도 모른다.

　　　　　must (강한 추측): ~임에 틀림없다. ↔ cannot = can't (강한 부정): ~일 리 없다.

　　　　　I **may** be losing money.　　He **must** know the truth.　　It **can't** be true.

B. 기타 조동사 형태

- had better: (~하지 않으면 불이익이 있으니) 하는 게 좋다.
  You **had better take part in the activity** unless you are busy.
  너는 바쁘지 않으면 그 활동에 참여하는 것이 좋다.

- would rather: (나쁘지 않은 선택 중에서) ~하는 편이 낫다.
  We **would rather not take a taxi** at this time of day.
  우리는 이 시간에 택시를 타지 않는 것이 낫다.

- might as well (= may as well): (나쁜 두 선택 중) 차라리 ~하는 것이 낫다.
  You **might as well go home** before my parents arrive.
  우리 부모님이 오시기 전에 너희는 집에 가는 것이 낫겠어.

- might well (= may well): ~하는 것이 당연하다.
  She **might well cry** for pain.
  그녀가 아파서 우는 것은 당연하다.

170

★C. 조동사 + have p.p

과거에 대한 후회나 추측, 가능성 등을 나타내는 형태입니다. 조동사 바로 다음에 have p.p가 오면 <u>과거와 관련된 가정</u>을 보여주는 것입니다. (참고로, to have p.p나 having p.p는 주절보다 한 시제 먼저 일어났다는 것을 나타냅니다.)

- should have p.p: 과거에 ~했어야만 했다. (하지 않은 일에 대한 후회)

You **should have done** the laundry last weekend. You have nothing to wear now.
너는 지난주에 세탁을 했어야만 했어. 네가 지금 입을 게 하나도 없잖아.

⇕

- should not have p.p: 과거에 ~하지 말았어야 했다. (한 일이 대한 후회)

I **should not have told** him about it. He seemed disappointed.
나는 그에게 그것에 대해서 말하지 말았어야 했어. 그는 실망한 거 같았어.

- must have p.p: 과거에 ~했음이 틀림없다. (과거 사실에 대한 강한 추측)

He didn't answer his phone all day. He **must have been** terribly angry.
그는 하루 종일 핸드폰을 받지 않았다. 그는 굉장히 화났던 게 틀림없다.

⇕

- cannot(can't) have p.p: 과거에 ~했을 리가 없다. (과거 사실에 대한 강한 부정 추측)

She **cannot have told** a lie because she's always been honest with us.
그녀는 항상 우리에게 솔직했기 때문에 거짓말했을 리가 없다.

- may(might) have p.p: 과거에 ~했을지도 모른다. (과거 사실에 대한 약한 추측)

It **might have rained** last night. All the road is a little wet.
어젯밤에 비가 왔을지도 모른다. 도로가 좀 젖어있다.

- could have p.p: 과거에 ~했을 수도 있었다. (하지 않은 일에 대한 가능성)

I **could have met** you if the forum had been over on schedule.
만약 포럼이 스케줄대로 끝났다면 나는 너를 만날 수도 있었다.

- would have p.p: 과거에 ~했었을 텐데. (하지 않은 일에 대한 의지)

He **would have made** a great teacher but for the illness.
그는 병만 아니었어도 훌륭한 선생님이 됐을 것이다.

♣ 문맥상 적절한 것을 고르세요. (1 ~ 7)

1. I need some exercise. I (go / will go) for a walk this evening.

2. I don't have time to go shopping now. I (do / will do) it later.

3. What are you doing this weekend?

   I'm not sure. I (might go / should go) to the beach for sunbathing.

4. I'm sorry, but I (can't come / can come) to your birthday party.

5. This game is important for us. We (must win / may win).

6. Why were you so late?   I (could wait / had to wait) 20 minutes for the bus.

7. When you play tennis, you (should watch / may watch) the ball.

♣ 다음 문장을 괄호 안의 표현으로 바꾸어 주세요. (8 ~ 11)

8. Where will you meet your friends tonight?   (be going to)

= Where _____ your friends tonight?

9. I couldn't hear him because he was speaking very quietly.   (be able to)

= I _____ him because he was speaking very quietly.

10. You don't need to go there. You can stay here if you want.   (don't have to)

= You _____. You can stay here if you want.

11. We must not cancel our plans.   (had better)

= We _____ our plans.

♣ 조동사 + have p.p 형태를 활용해 우리말에 맞게 문장을 완성해 주세요. (12 ~ 14)

12. 나는 너무 많은 초콜릿을 먹지 말았어야 했다. (eat)

   I _____ _____ _____ _____ so much chocolate.

13. 첫날이어서 분명히 모든 것이 너에게 매우 새로웠을 것이다. (feel)

   Everything _____ _____ _____ very new to you since it was your first day.

14. 그가 그런 짓을 했을 리가 없다. (do)

   He _____ _____ _____ such a thing.

Chapter4   부사

부사(구)는 동사, 형용사, 다른 부사, 문장 전체 등을 꾸며주는 역할을 하는 품사입니다. 명사만 꾸며주는 형용사와 달리, 명사를 제외한 나머지 성분들을 수식해 줍니다. 부사는 수식해 주는 성분 바로 앞이나 바로 뒤에 위치합니다.

He walked.   그는 걸었다.

He walked fast.   그는 빠르게 걸었다.

∘ fast는 동사 walked를 수식하므로 부사입니다.

He walked very fast.   그는 매우 빠르게 걸었다.

∘ very는 부사 fast를 수식하므로 부사입니다.

Suddenly, he walked very fast.   갑자기, 그는 매우 빠르게 걸었다.

∘ Suddenly는 문장 전체를 꾸며주므로 부사입니다.

A. 부사

very, now, here, ever과 같이 원래 단어 자체가 부사인 경우가 있고, 또는 「형용사+ly」의 형태가 있습니다. '~하게', '~히'라고 해석되며, 시간, 장소, 방식/태도, 정도, 빈도 등을 나타냅니다.

- slow + ly: slowly

  Could you speak more slowly, please?

  더 천천히 말씀해 주시겠어요?

- safe + ly: safely

  The polar bears went back to their natural habitat safely.

  북극곰들은 그들의 자연 서식지로 안전하게 돌아갔습니다.

1) 형용사와 부사의 형태가 같은 경우

형용사		부사 (물리적)		부사 (추상적)	
early	이른	early	일찍		
fast	빠른	fast	빨리		
high	높은	high	높게	highly	매우
low	낮은	low	낮게		
long	긴	long	길게		
hard	어려운, 딱딱한	hard	열심히	hardly	거의 ~하지 않는
enough	충분한	enough	충분히		
close	가까운, 친밀한	close	가깝게	closely	면밀하게, 꽉
near	가까운	near	가깝게	nearly	거의
late	늦은	late	늦게	lately	최근에
just	올바른, 정당한	just	딱(꼭), 단지, 방금	justly	공정하게
much	많은	much	많이		

*NOTE: ly로 끝나는 단어들이 모두 부사는 아닙니다. 명사+ly는 형용사입니다.

예를 들어, What a lovely baby! love+ly = lovely는 '사랑스러운'이라는 형용사입니다.

She is friendly. friend+ly = friendly는 '다정한'이라는 뜻의 형용사입니다.

2) 빈도 부사

말 그대로 어떤 일이 얼마나 빈번하게 일어나는지를 나타내는 부사입니다.

항상	보통	자주	때때로	거의 ~하지 않는	안함

always 〉 **usually** 〉 **often** 〉 **sometimes** 〉 **seldom/scarcely/hardly/rarely/barely** 〉 **never**

100%-----90%-----70%------50%----------------------10%---------------------0%

빈도 부사의 위치가 중요합니다. 빈도 부사의 위치는 조동사와 be동사 뒤, 일반동사 앞 입니다. ('조비뒤일앞'으로 알아두면 기억하기 쉽습니다.)

Toby was **always** calm and **never** rash.
토비는 항상 차분했고, 결코 성급하지 않았다.

She is still headstrong and she is **often** in trouble with her neighbors.
그녀는 여전히 고집불통이고 종종 이웃들과 마찰이 있다.

I can't **sometimes** focus on my work.
나는 가끔 일에 집중을 못 하겠어.

He **usually** drinks coffee in the morning, but she **rarely** drinks it.
그는 보통 아침에 커피를 마시지만, 그녀는 거의 마시지 않는다.

Tom has **scarcely** met coworkers face to face as he works from home.
톰은 재택근무를 하기 때문에 동료들을 직접 만난 적이 거의 없다.

Jane used to **frequently** encounter wild animals.
제인은 야생 동물을 자주 마주치곤 했다.

* NOTE: sometimes와 같은 의미를 갖고 있는 표현들

occasionally	at times
on occasion	from time to time
once in a while	(every) now and then
every so often	ever and again

B. 부사구

단어 2개 이상으로 구성되어, 명사 이외의 성분을 수식해 주는 구문입니다. 부사구에는 대표적으로 시간, 장소, 방식/태도, 정도, 이유/목적 등을 나타내는 전치사구와 목적, 원인, 결과, 조건을 나타내는 to 부정사가 있습니다.

1) 전치사구 (전치사 + 명사 = 부사구)

I'm planning to go <u>to the gym</u> <u>before long</u> <u>in order to get back in shape.</u>
　　　　　　　　　　장소부사구　　　**시간부사구**　　　　　　**목적부사구**　← 이 순서대로

나는 예전 몸매를 되찾기 위해서 머지않아 헬스장에 가는 것을 계획하고 있다.

Let's meet <u>at the restaurant</u> <u>at 6</u> <u>for dinner.</u>
　　　　　　　장소부사구　　　**시간부사구 목적부사구**

6시에 식당에서 만나서 저녁 먹자.

---

* NOTE 1 자주 등장하는 부사구

- according to 명사: ~에 따르면
- regardless of 명사: ~에 상관없이

- in spite of 명사: ~에도 불구하고
- apart from 명사: ~을 제외하고, 외에도

- because of N = due to N = owing to N = on account of N : ~ 때문에

- with + 목적어 + 목적격 보어: 목적어가 목적격 보어 한 채로, 하면서
  ex) with him watching her 그가 그녀를 보면서
  　　with his legs crossed 그의 다리를 꼰 채로
  　　with her shoes on 그녀가 신발을 신은 채로
  　　with the door open 문을 연 채로

- with 명사: 태도, 방식 등을 나타내는 부사
  ex) with respect 정중하게 / with caution 조심해서 / with pleasure 기꺼이
  　　with concern 우려하면서 / with satisfaction 만족스럽게 / with ease 쉽게

- in (a) 형용사 way: ~한 방식으로

  ex) in a different way: 다른 방식으로 / in the traditional way: 전통적인 방식으로

- on a 형용사 basis: ~에 근거하여, ~의 방식으로

  ex) on a daily basis: 매일 매일 / on a regular basis: 규칙적으로

- as a result of 명사: ~의 결과로

* NOTE 2

a. 장소와 시간의 전치사 at, on, in

아래 피라미드 구조와 같이 at은 구체적이고 정확한 내용을 가리키고, in은 가장 포괄적인 범위를 나타냅니다. at ⟨ on ⟨ in 순으로 갈수록 가리키는 범위가 커집니다.

	장소	시간
AT	구체적인 한 장소 at my desk, at the party	정확한 시간 at 7 o'clock, at noon
ON	위에 on a train, on the island	하루나 며칠 on Friday, on your birthday
IN	안에, ~에서 in this room, in class	일주일 이상 in July, in the spring

- 시간을 나타내는 전치사 in

ⅰ) (특정 기간)에

   in the morning/afternoon/evening, in the 21st century, in 1999

ⅱ) ~ 후에, ~이 지나서

   We will be back in a few days.   Sue got her degree in only 3 years.

ⅲ) ~ 만에, ~ 동안

   It's the first coffee I've had in a week.   I haven't felt this good in years.

- 시간의 전치사 at, on, in은 last, next, this, every 앞에서 쓰일 수 없습니다.
   We will go there next Monday.   I drove to work this morning.

b. 위치를 나타내는 전치사

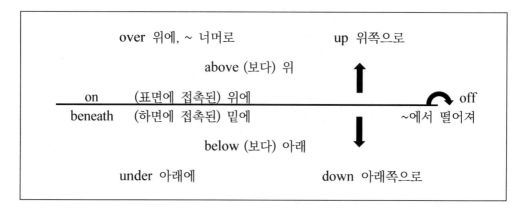

Each meal was served **on** the table.

식사가 테이블 **위에** 차려졌다.

She put a pillow **beneath** her head.

그녀는 자기 머리 **밑에** 베개를 놓았다.

My dog and I looked at the stars **above** the fields.

강아지와 나는 들판 **위에** 별들을 바라보았다.

The underwater tunnel was built 40 meters **below** the surface.

수중터널은 수면 40미터 **아래에** 지어졌다.

Some kids are jumping **over** the puddles for fun.

몇몇 아이들이 재미로 웅덩이 **위로** 뛰어넘고 있다.

Look at the dog sleeping **under** the big tree.

큰 나무 **아래서** 자고 있는 개 좀 봐.

I woke **up** at the crack of dawn.

나는 새벽에 일어났다.

Please sit **down**.

앉으세요.

Be careful not to fall **off** your bicycle.

자전거에 떨어지지 않게 조심해.

178

c. '동안'이라는 뜻을 가진 전치사 for, during과 접속사 while

for와 during은 전치사이기 때문에 바로 뒤에 명사만 올 수 있고, while은 접속사이 므로 절이 옵니다. for는 'how long'에 대한 답이 될 수 있는 상황에 쓰이고, during은 'when'에 대한 대답에 쓰이며 지속적인 특정 시기를 나타내기도 합니다.

- for + 명사 (얼마 동안의 기간)

  for a whole week   **for** a couple of days   **for** seven months

  ex) My stay was for 4 days.   I haven't seen her for a long time.

- during + 명사 (어떤 일이 일어난 특정 시기)

  during the winter   **during** the performance   **during** the 1990s

  ex) I binge-watched the entire season during my 4 day stay.

  I sleep during lunch.

- while + 절 (주어 동사 ...)

  while the stew's boiling   **while** I was at home   **while** she's on the phone

d. '~까지'라는 같은 뜻을 가졌지만 의미가 다른 두 단어

- until(= till): 어떤 행위를 (언제까지) 계속하는 것을 나타냅니다.

  He works from dawn **till** dusk.
  그는 새벽부터 저녁까지 일한다.

  The bookstore is open **until** 11 pm.
  그 서점은 오후 11시까지 영업합니다.

  You can't leave **until** 6 pm.
  너는 6시까지 있어야만 한다.

- by: 어떤 행위를 (언제까지는) 완료해야 한다는 기한을 나타냅니다.

  She will come here **by** five.
  그녀가 5시까지 여기에 올 것이다.

  They need to submit an essay **by** next week.
  그들은 다음 주까지 에세이를 제출해야만 한다.

  You have to leave **by** 6 pm.
  너는 6시까지는 출발해야 한다.

★2) to 부정사의 부사적 용법

to 부정사는 명사와 형용사에 다루어져 있습니다. 이번에는 to 부정사의 부사적 용법에 대해 알아보겠습니다. 주로 "주어 동사 ... to 동사원형"의 형태를 갖고 있는 부사적 용법의 to 부정사는 문장의 동사, 형용사, 문장 전체 등을 부연 설명하는 역할을 합니다. 의미에 따라 목직, 원인, 형용사 수식, 결과, 조건으로 나누어 살펴보겠습니다.

a. 목적 (~하기 위해서)

많이 쓰이는 to 부정사의 부사적 용법으로, '하기 위해서'라고 해석되며 목적을 나타냅니다. 목적을 나타내는 「to + 동사원형」과 같은 뜻을 갖고 있는 형태는 in order to + V, so as to + V, in order that S + V, so that S + V 가 있습니다. '하지 않기 위해서'라는 to 부정사의 부정은 「not to 동사원형」 (= in order not to + V, so as not to + V) 입니다.

He is saving money **to buy what he wants**.
그는 그가 원하는 것을 사기 위해서 돈을 모으고 있다.

They read a lot **to learn new things**.
그들은 새로운 것을 배우기 위해서 독서를 많이 한다.

I try to stay energized **in order not to be lazy**.
나는 게을러지지 않기 위해 활기차게 지내려고 한다.

b. 형용사나 명사에 대한 원인, 근거 (~해서, ~하다니)

형용사나 명사 바로 다음에 'to + 동사원형'이 오는 형태로 형용사나 명사에 대한 원인이나 상태에 대해 설명해 줍니다. to 부정사가 형용사에 대한 원인을 설명해 주는 대표적인 예가 Nice **to meet you**. 입니다. '만나서 반갑습니다.' 감정을 나타내는 형용사 nice에 대한 이유가 to 부정사인 to meet you '당신을 만나서' 입니다.

I am sorry **to disturb you**.
방해해서 죄송합니다.

She was so startled **to spot a prominent musician** in the crowd.
그녀는 사람들 속에서 저명한 음악가를 목격해서 매우 놀랐다.

You are such a fool **to do that**.
그런 짓을 하다니 너는 정말 바보 같아.

c. 형용사/부사 수식: (to 부정사)하기에 (형/부)한

The river is dangerous **to swim**.

그 강은 <u>수영하기에</u> 위험하다.

Tom is tall **enough to be a model**.

= Tom is **so** tall **that** he **can** be a model.

Tom은 <u>모델이 되기에</u> 충분히 키가 크다.

This math problem is **too** difficult for us **to solve**.

= This math problem is **so** difficult **that** we **can't** solve.

이 수학 문제는 우리가 <u>풀기에</u> 너무 어렵다.

= 이 수학 문제는 너무 어려워서 우리가 풀 수 없다.

It was **too** freezing for me **to take a walk**.

= It was **so** freezing **that** I **couldn't** take a walk.

내가 <u>산책하기에</u> 너무 추웠다.

= 너무 추워서 나는 산책할 수 없었다.

★*NOTE: too ~ to = so ~ that ... can't

> ▪ 주어 동사 too 형용사/부사 to V
> 주어가 V하기에 너무 형/부 하다.
>
> = 주어 동사 so 형용사/부사 that 주어 can't V
> 주어가 너무 형/부 해서 V 할 수 없다.

   보통 too~to 용법이라고 불리고, 「주어 동사 too 형용사/부사 to V(동사원형)」의 형태로 쓰입니다. 우선 too의 뜻을 살펴보면 '매우, 너무'로 쓰이며 부정적인 느낌을 줍니다. (so는 '매우'라는 뜻이며 형용사나 부사를 강조해 줍니다.) 위의 구문을 직역하면 'V하기에 너무 형용사/부사 하다.'는 뜻이고, 부정적인 형용사/부사의 느낌이기에 V하기가 좀 껄끄럽다는 의미입니다. 의역하면 '너무 형용사/부사해서 V 할 수 없다.'입니다. 주어 동사 so 형용사 that 주어 can't 동사원형으로 바꾸어 쓰일 수 있습니다.

d. 결과적 용법 (결국 ~하다.)

부사적 용법의 to 부정사의 결과적 용법은 해석하는 순서가 중요합니다. 순차적으로 앞 덩어리를 먼저 해석하고, 그다음에 to 부정사 덩어리를 결과로 해석합니다. S V **only to** V 구문은 결과적 용법이 될 수 있습니다. 이 경우 only to는 '결국 ~이 되다.' 라고 해석됩니다.

He grew up / **to be a famous singer.**
　　①　　　　　②
그는 자라서 / 유명한 가수가 되었다.
☞ 결과적 용법은 ①번 해석 후 ②번 to 부정사 해석

Lisa worked hard, **only to fail.**
리사는 열심히 했지만, 결국 실패했다.

She tried to be friendly to him, **only to get the cold shoulder again.**
그녀는 그에게 친근하게 대하려고 노력했지만, 또다시 냉대를 받게 됐다.

e. If 대용 (~라면)

to 부정사가 가정법 if절을 대신해서 쓰이는 경우입니다. 이런 문장의 주절에는 가정법을 나타내는 조동사 would, could, might 등이 쓰입니다.

It would be good for you **to come with us there.**
= It would be good if you could come with us there.
너도 거기에 우리와 함께 가면 좋을 텐데.

You could hardly have helped laughing **to have seen the scene in the movie.**
= You could hardly have helped laughing if you had seen the scene in the movie.
만약 너가 그 영화의 그 장면을 봤다면 웃지 않을 수 없었을 것이다.

C. 부사절 = <u>주어 동사</u>(,) <mark>접속사 주어 동사</mark>   or   <mark>접속사 주어 동사</mark>(,) <u>주어 동사</u>

          주절   종속절 = 부사절   종속절 = 부사절   주절

부사절이란 주절을 부연 설명해 주는 절입니다. 「종속접속사 + 주어 + 동사」의 형태를 띱니다. 부사절은 내용에 따라 동시 동작, 양보, 이유, 조건, 시간 등을 나타냅니다. 부사절은 다음 챕터의 종속 접속사에서 더 공부해 봅시다.

I sent text messages **while I was listening to the radio**.
라디오를 들으면서 문자를 보냈다.

I would appreciate it **if you could help me with it**.
당신이 저를 도와주신다면 감사하겠습니다.

Because my mom told me to do it, I did it.
엄마가 하라고 하셔서, 나는 그것을 했다.

【to 부정사 정리】

이 책에 to 부정사의 모든 용법이 한곳에 다루어진 부분이 없어 to 부정사를 간단히 총정리해 보았습니다.

♠ 명사적 용법

ⅰ) 주어 (것은)

It is wise to look on the bright side.

긍정적으로 생각하는 것이 현명하다.

ⅱ) 목적어 (것을)

I like to look on the bright side.

나는 긍정적으로 생각하는 것을 좋아한다.

ⅲ) 보어 (것이다)

What we can do is (to) look on the bright side.

우리가 할 수 있는 것은 긍정적으로 생각하는 것이다.

* 자세한 설명은 명사 부분을 참고해 주세요.

♠ 형용사적 용법 (명사 수식)

I will tell you a few ways to look on the bright side.

긍정적으로 바라보는 몇 가지 방법을 알려 줄게.

* 자세한 설명은 형용사 부분을 참고해 주세요.

♠ 부사적 용법

ⅰ) 목적 (~하기 위해서)

I try to train my body and mind to look on the bright side.

나는 긍정적으로 생각하기 위해서 육체와 정신을 단련시키려고 합니다.

ⅱ) 형용사, 명사 수식 (~해서, ~하다니)

You are so positive to look on the bright side of the situation.

너는 상황의 밝은 면을 보려고 하다니 매우 긍정적이구나.

iii) 형용사, 부사 수식 (~하기에 ~한)

I'm too desperate to look on the bright side.

나는 너무 절망적이어서 긍정적으로 바라보기 어렵다.

iv) 결과적 용법 (결국 ~하다.)

I've meditated each morning for several years to find myself looking on the bright side.

나는 몇 년 동안 매일 아침 명상을 하였더니 긍정적으로 사고하게 됐다.

v) if 대용 (~라면)

You would find the answer to look on the bright side of it.

그것의 긍정적인 면을 본다면 답을 찾을 수 있을지 몰라.

♠ 가주어 it, 가목적어 it

to 부정사가 주어 자리에 긴 구문으로 위치할 경우 결론이 들어간 동사를 먼저 언급하려는 영어의 특성상 가주어 it이 주어 자리에 위치하고 진주어인 to 부정사 구문은 뒤로 갑니다. 또한, to 부정사가 목적어 자리에 위치하는 경우에는 가목적어 it을 목적어 자리에 두고 진목적어는 목적격 보어 뒤에 위치합니다. 주어의 가치 판단이 들어간 목적격 보어가 먼저 언급되고 그 뒤에 진목적어가 오게 됩니다.

To look on the bright side is wise.

가주어 it   It is wise to look on the bright side.

가목적어 it   I found it helpful to look on the bright side when I was in trouble.

♠ to 부정사의 부정

to 부정사 바로 앞에 not이나 never를 붙입니다.

It was my mistake not to look on the bright side of the thing at the time.

그 당시에 긍정적인 면을 보지 못한 것은 나의 실수였다.

♠ to 부정사의 의미상의 주어

　to 부정사의 의미상의 주어, 즉 to 부정사의 주체는 to 바로 앞에 'for + 목적격'으로 나타냅니다. 단, to 부정사가 사람의 성격이나 태도를 나타내는 형용사(kind, brave, clever, polite, nice, careful, careless, foolish, cruel 등)와 함께 쓰이면 의미상의 주어로 'of + 복적격'을 씁니다.

- 의미상의 주어 「for + 목적격」

It would be beneficial for you to look on the bright side.
너가 긍정적으로 생각하는 것이 득이 될 것이다.

It would be helpful for us to look on the bright side.
우리가 긍정적으로 생각하는 것이 도움이 될 것이다.

- 의미상의 주어 「of + 목적격」

It is wise of you to look on the bright side.
너가 긍정적으로 생각하는 것은 현명하다.

It is silly of her not to look on the bright side.
그녀가 긍정적으로 생각하지 않는 것은 어리석다.

부사 문제

1. 다음 중 형용사와 부사의 관계가 <u>잘못된</u> 것을 고르세요.

① gentle – gently   ② long – longly

③ happy – happily   ④ certain – certainly

2. 다음 중 <u>어색한</u> 문장을 고르세요.

① Wrap the dishes up carefully.

② Your order may arrive late due to tropical storms.

③ I think high of my teacher, Mr. Kim.

④ She hardly practices playing the piano.

3. 밑줄 친 단어 중 품사가 다른 하나를 고르세요.

① Have you seen her <u>lately</u>?

② We live <u>nearby</u>.

③ I got up <u>early</u> today.

④ I found this book <u>easy</u>.

4. 빈도 부사 often이 들어갈 수 있는 위치를 고르세요.

    She ① would ② go grocery shopping ③ in the evening ④.

5. 다음 중 <u>어색한</u> 문장을 고르세요.

① My family usually eats breakfast together in Saturday mornings.

② A dog ran out from under the table.

③ I stayed at my grandma's house during the summer vacation.

④ I will have to wait until the next payday for a new phone.

♣ 다음 문장의 밑줄 친 부분을 해석해 주세요. (6 ~ 10)

6. We are organizing a surprise party <u>to celebrate Sue's thirtieth birthday</u>.

7. I am <u>pleased to see you in person</u>.

8. A good pearl is <u>hard to find</u>.

9. The singer <u>woke up one morning to find himself famous</u>.

10. It would be so good <u>for him to help me</u>.

11. 다음 to 부정사 중 용법이 다른 하나를 찾아주세요.
① I was surprised to hear the news.
② He came to see me yesterday.
③ She is old enough to go to school.
④ It is wrong to deprive people of their freedom.

♣ 다음을 의미에 맞게 연결시켜 주세요. (12 ~ 14)

12. He works out regularly at the gym   A. to ban swearing.

13. I was happy   B. to stay fit.

14. Just imagine how it would be   C. to pass the test.

15. 두 문장의 의미가 같도록 빈칸을 완성해 주세요.

   It is so crowded that people can't move their body.

= It is _____ _____ for people ___ _____ their body.

단문, 복문, 중문

1. 단문

  명사, 형용사, 동사, 부사를 통해 문장의 구성 요소를 상세하고 미시적인 관점에서 살펴보았다면, 이제 거시적인 관점에서 문장의 구조를 알아보도록 하겠습니다.

  영어 문장 구조의 기본적이고 중요한 원칙은 한 문장 안에 주어 하나, 동사 하나가 있어야 한다는 것입니다. 단문의 정의는 한 문장에 주어와 동사가 각각 하나인 문장으로 다른 문장과 접속하지 않고 자기 안에 내포된 문장을 갖지 않아야 합니다.

> I went to the park after school.
> 나는 방과 후에 공원에 갔다.

> He often uses his phone while eating dinner.
> 그는 종종 저녁을 먹으면서 핸드폰을 한다.

  위의 두 문장에서 주어는 각각 I(나는)와 He(그는)이고 동사는 went(갔다)와 uses(사용하다)입니다. 한 문장 안에 주어와 동사가 하나씩 쓰인 단문이라고 할 수 있습니다.

  위의 예문에서 알 수 있듯이 동사가 마지막에 위치하는 우리말과 달리 영어의 어순은 주어 다음에 바로 동사가 옵니다. 첫 문장의 주어와 동사만 해석하면 '나는 (어디로) 갔다.'이고, 두 번째 문장의 주어와 동사를 해석하면 '그가 (무엇을) 사용한다.'입니다. 첫 번째 문장에서 the park after school 대신 the archeological site 같은 다소 어려운 단어가 왔다고 가정해 봅시다. I went to the archeological site. 비록 '고고학적 유적지'라는 단어를 모른다 하더라도 주어인 내가 어디로 갔다는 내용이라는 것은 인지할 수 있습니다. 그리고 이 문장 전후의 문맥을 파악해서 the archeological site가 유적지인 것을 유추할 수 있겠지요. 영어 독해에서 주어 동사만 제대로 파악해도 글 내용의 대략 50% 정도는 이해 가능합니다. 그렇기 때문에 영어 독해에 자신이 없거나, 영어 지문을 해석할 때 기초가 부족하다고 생각되면, 우선 주어와 동사를 찾는 의식적인 노력이 필요합니다. 문장의 주어와 동사를 파악하는 것은 문법과 독해에서 기본 중의 기본입니다.

2. 복문

복문은 <u>주절과 종속절로 구성된 한 문장</u>입니다. 주절은 말 그대로 문장의 주인이 되는 주된 문장이며, 종속절은 주절을 부연 설명해 주는 조연 문장입니다. 주절과 종속절은 모두 주어와 동사를 각각 하나씩 갖습니다. 종속절의 종류에는 명사절, 형용사절, 부사절이 있습니다. 명사절이 있는 복문에서는 주어와 동사가 포함된 명사절이 주절의 주어, 목적어, 보어 자리에 위치합니다. 형용사절이 있는 복문은 주로 관계대명사절이나 관계부사절이 명사를 꾸며주는 형태입니다. 부사절이 있는 복문은 주절과 '종속접속사 + 주어 + 동사'인 종속절이 결합된 형태입니다.

종속절의 종류	명사절	that, whether(또는 if), what, 간접 의문문
	형용사절	관계대명사, 관계부사
	부사절	동시 동작, 양보, 이유, 조건, 시간 등의 접속사

♠ 명사절을 이끄는 종속접속사가 있는 복문

☞ 명사절(That절 / Whether절 / 의+주+동) 동사
　　　　주어 역할을 하는 종속절

☞ 주어 동사 명사설(that설 / if설이나 whether설 / 의+주+동)
　　주절　　　　목적어나 보어 역할을 하는 종속절

What you read is more important than how much you read.
명사(주어) 종속절
얼마나 많이 읽는지 보다 네가 무엇을 읽는지가 더 중요하다.

I think that you should help around the house.
　　　　　　명사(목적어) 종속절
나는 너가 집안일을 도와야 한다고 생각해.

The question is where we go from here.

명사(보어) 종속절

문제는 우리가 여기서 어디로 나아가느냐이다.

♠ 형용사절을 이끄는 종속접속사가 있는 복문

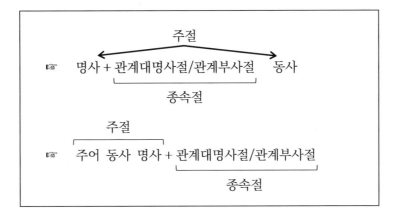

Miranda who got a mysterious note wonders who had sent it.

Miranda를 꾸며주는 형용사적 종속절

미스터리한 쪽지를 받은 미란다는 누가 그것을 보냈는지 궁금해하고 있다.

This is all the money that he has.

money를 꾸며주는 형용사적 종속절

이것이 그가 가진 돈 전부이다.

Can you name the country where the Seine River can be found?

the country를 꾸며주는 형용사적 종속절

센느강을 볼 수 있는 나라의 이름을 말할 수 있나요?

★♠ 부사절을 이끄는 종속접속사가 있는 복문

☞ 주어 + 동사 ... 종속접속사 + 주어 + 동사 ... .
　　주절　　　　　　　　종속절

☞ 종속접속사 + 주어 + 동사 ... , 주어 + 동사 ... .
　　　종속절　　　　　　　　주절

He usually uses his phone while he is having dinner.
　　　주절　　　　　　　부사적 종속절

그는 저녁을 먹으면서 보통 핸드폰을 한다.

Although his lectures are hard to understand, I really enjoyed them.
　　　부사적 종속절　　　　　　　　주절

그의 강의는 이해하기 어렵지만, 나는 그 강의들을 정말 좋아한다.

If I had your number, I would call your number.
　부사적 종속절　　　　　主절

너의 전화번호를 알았다면 너에게 전화했을 텐데.

Wherever you go, I'm going, too.
　부사적 종속절　　주절

너가 어디를 가든지, 나도 갈 것이다.

192

3. 중문

중문은 두 개의 단문이 병렬로 대등하게 등위접속사로 연결된 하나의 문장입니다.
등위접속사에는 for, and, nor, but, or, yet, so가 있습니다. 순차적으로 해석됩니다.

☞ 주어 + 동사 … 등위접속사 + 주어 + 동사 ….
　　　절1　　　　　　　　　　　절2

I met some of my friends and we had a nice dinner.
　　　　절1　　　　　　　　절2
나는 몇 명의 친구를 만났고 우리는 맛있는 저녁을 먹었다.

She was supposed to be on time, yet she was late.
　　　　　　절1　　　　　　　　절2
그녀는 시간 맞춰 오기로 되어 있었지만 늦었다.

I don't want to do it nor will I do it.
　　　절1　　　　　절2
나는 그것을 하길 원하지 않고, 또한 하지도 않을 것이다.

He must be sick, for he looks pale.
　　절1　　　　　절2
그는 아픈 게 틀림없는데, 왜냐하면 창백해 보이기 때문이다.

♣ 다음 문장이 단문, 복문, 중문 중 어디에 속하는지 표시해 주세요.

1. I think that Seoul is a beautiful city. (단문 / 복문 / 중문)

2. She works at a department store from 10 to 8. (단문 / 복문 / 중문)

3. Tom studied hard, so he passed the test. (단문 / 복문 / 중문)

4. When I feel drowsy, I drink cold water. (단문 / 복문 / 중문)

5. That's the watch which I want to buy. (단문 / 복문 / 중문)

6. The boss gave Betty a chance, for she always does her best. (단문 / 복문 / 중문)

Chapter5 접속사

1. 등위 접속사

  단어와 단어, 구와 구, 또는 절과 절 등 같은 성분들을 병렬로 대등하게 연결해 주는 접속사입니다. 등위 접속사의 예로 and, but, or, so, yet, for, nor이 있습니다. 각 단어의 앞 글자를 조합한 FANBOYS (for, and, nor, but, or, yet, so)를 기억해 두세요. 등위 접속사 for는 '왜냐하면'의 뜻을 가지며 주로 절과 절을 연결시켜줍니다. 격식 있는 문장에 쓰이며 구어체에서는 잘 쓰이지 않습니다. yet은 접속사로 '하지만'의 뜻으로 쓰입니다. 참고로, 절과 절이 등위 접속사로 연결된 문장은 중문이라 합니다.

단어와 단어	I like <u>coffee</u> **and** <u>bagels</u>.
	나는 커피와 베이글을 좋아한다.
구와 구	Should we go <u>by bus</u> **or** <u>by taxi</u>?
	우리 버스 타고 가야하는 거야, 아니면 택시 타고 가야하는 거야?
절과 절	<u>She worked hard</u>, **for** <u>she had a high aim in life</u>.
	그녀는 인생에서 이루고자 하는 바가 컸기 때문에 열심히 일했다.

* NOTE: and가 명령문과 함께 쓰일 때는 '그리고'의 뜻이 아니라 '그러면'으로 쓰이고, or이 명령문과 함께 쓰이면 '또는'이 아니라 '그렇지 않으면'의 뜻으로 쓰입니다.

『명령문 + and』 ~해라, **그러면** ~할 것이다.
  Exercise regularly, and you'll feel good about yourself.
  규칙적으로 운동해라, 그러면 자부심이 생길 것이다.

『명령문 + or』 ~해라, **그렇지 않으면** ~할 것이다.
  Respect yourself, or no one else will.
  너 자신을 존중해라, 그렇지 않으면 다른 사람도 너를 존중하지 않을 것이다.

2. 상관 접속사

상관 접속사는 상관이 있는 단어 두 개(또는 두 개 이상)가 짝을 이루어 쓰이는 접속사입니다. 대응이 되는 A와 B는 반드시 같은 형태로 쓰여야 합니다.

both A and B	either A or B	neither A nor B
O O	O X X O	X X
A와 B 둘 다	A와 B 둘 중의 하나	A와 B 둘 다 아닌
not <u>only</u> A but (also) B = just, merely O **O**	B as well as A **O** O	not A but B X O
A뿐만 아니라 B도 (A와 B 둘 다 인정하지만, B를 더 강조)	A뿐만 아니라 B도 (not only A but also B와 같은 의미지만, A와 B의 위치 반대)	A가 아니라 B

I will order **both** <u>pizza</u> **and** <u>pasta</u>.
나는 피자와 파스타 둘 다 주문할 것이다.

You need to **either** <u>get some rest</u> **or** just <u>take a nap</u>.
너는 휴식을 좀 취하든지 아니면 낮잠을 잘 필요가 있다.

He was **neither** <u>at home</u> **nor** <u>at school</u>.
그는 집에 있지도 학교에 있지도 않았다.

She is **not only** <u>beautiful</u> **but also** <u>wise</u>. = She is <u>wise</u> **as well as** <u>beautiful</u>.
그녀는 아름다울 뿐만 아니라 현명하기까지 하다.

What you have to do is **not** (to) <u>make excuses</u> **but** (to) <u>take responsibility</u>.
너가 해야 할 것은 변명하지 말고 책임지는 것이다.

◆ 상관 접속사가 주어 자리에 위치할 때 수의 일치 ◆

- both A and B: A와 B 양쪽을 다 인정하므로 복수 취급합니다.

- either A or B

- neither A nor B

- not only A but also B

A, B중 동사와 가까운 것에 수를 일치시킵니다.

따라서 이 상관 접속사들이 주어 자리에 오는 경우

B에 수를 일치시켜야 합니다.

- B as well as A: 해석상 B를 강조하는 것이므로 B에 수의 일치를 시킵니다.

- not A but B: 내용상 B만 인정하는 것이므로 B에 수를 일치시킵니다.

Both my mother and my sister **don't like** seafood.
우리 엄마와 동생은 해산물을 좋아하지 않아.

Either you or Tom **is going to be in charge** of the position.
너나 톰 둘 중에 한 명이 그 자리를 맡게 될 것이다.

Neither he nor his friends **know** how to use the gadget.
그와 그의 친구들 모두 그 기기를 사용하는 방법을 모른다.

Not only Anne but also her coworkers **are thinking** of taking dance lessons.
= Anne's coworkers as well as she **are thinking** of taking dance lessons.
앤 뿐만 아니라 그녀의 동료들도 댄스 레슨 받는 것을 생각 중입니다.

Not Paul but you **are** the one I trust.
내가 믿는 사람은 폴이 아니라 너이다.

3. 종속 접속사

종속 접속사란 명사절, 형용사절, 부사절을 주절에 종속적으로 연결해 주는 접속사입니다. 종속 접속사 다음에는 절, 즉 주어와 동사를 포함한 문장이 와야 합니다.

1) 부사절을 이끄는 종속 접속사

복문 『주어 동사, 종속 접속사 주어 동사』 또는 『종속 접속사 주어 동사, 주어 동사』 즉, 주절과 종속절이 있는 문장에서 종속절을 이끄는 접속사입니다. 주절만으로도 하나의 완벽한 문장이 될 수 있습니다. 주절에 대한 부연 설명을 위해 또 다른 주어와 동사를 갖춘 절이 필요한 경우, 한 문장에는 주어와 동사 하나씩만 와야 한다는 문장의 원칙에 따라 접속사로 종속절을 주절에 연결시킵니다. 의미에 따른 부사절을 이끄는 종속 접속사를 알아보겠습니다.

시간	when, as (~할 때)
	while, as (~하면서)
	by the time (~할 때쯤), next time (다음에 ~할 때)
	whenever = every time = each time (~할 때마다)
	after (~한 후에), before (~하기 전에), until (~할 때까지)
	as soon as (~하자마자) = the moment S V
이유	because, as, since (왜냐하면), now that (~이니까)
조건	if = provided, providing, assuming, supposing, on condition, given, considering
	in case (~인 경우를 대비해서) once (일단 ~하면)
	as long as (~하는 한) unless (~하지 않다면) = if not
양보	though, although, even though, even if (비록 ~일지라도)
	while, whereas (반면에)

197

양태	as, like (~처럼, 대로) just as (~이듯이, 꼭 ~처럼)
	as if, as though (마치 ~인 것처럼)

목적	so that S V, in order that S V: ~하기 위해서
	cf) ,(comma) so that S V: ,그래서 주어가 동사하다.

결과	so 형용사/부사 that 주어 동사: 너무 형/부 해서 주어가 동사하다.
	such 명사 that 주어 동사: 너무 명사 해서 주어가 동사하다.

While the children were singing, they danced to the song.
아이들이 노래를 부르면서, 노래에 맞춰 율동을 했다.

As Tom studies, he usually listens to music.
톰은 공부하면서, 보통 음악을 듣는다.

Every time I meet her, we go to the movies.
내가 그녀를 만날 때마다, 우리는 영화 보러 간다.

We had to wait **until** it was over.
끝날 때까지 우리는 기다려야만 했다.

Since he put a lot of effort and time into it, he could make it in the end.
그는 그것에 많은 노력과 시간을 투자했기 때문에, 결국 해낼 수 있었다.

I don't want to eat out **as** it is raining outside.
밖에 비가 오고 있어서 나는 외식하기를 원하지 않는다.

In case you get lost, take my phone number.
길을 잃어버릴 경우를 대비해서, 제 전화번호를 알아두세요.

You will miss the bus **unless** you hurry up.
서두르지 않으면, 버스를 놓칠 것이다.

Although I have travelled to many places, I am anxious to do more.
나는 많은 곳을 여행했지만, 더 많을 곳을 여행하고 싶다.

He did his best **even if** he wasn't feeling very well.
그는 컨디션이 안 좋았지만, 최선을 다했다.

When in Rome, do **as** the Romans do.
로마에서는 로마인들이 하는 대로 하라.

No one can do it **like** the predecessor did.
아무도 그 전임자가 했던 것처럼 할 수 없다.

Jane acted **as if** nobody were there.
제인은 거기에 아무도 없는 것처럼 행동했다.

He enjoys going to the mountains, **whereas** I prefer to go to the beach.
그는 산에 가는 것을 즐기지만, 나는 바다에 가는 것을 선호한다.

We have been using SNS **so that** we can communicate with our customers.
우리는 고객들과 소통하기 위해서 SNS를 이용하고 있습니다.

I was tied up with many things, **so that** I had no time to eat.
너무 바빠서 밥 먹을 시간이 없었다.

Those tangerines were **so** sour **that** I could not swallow them.
귤이 너무 시어서 삼킬 수가 없었어.

It is **such** an amazing sight **that** I will never forget it.
너무 놀라운 광경이라 절대 잊지 못할 것이다.

* NOTE: <u>조건과 시간을 나타내는 부사절(종속절)은 미래를 나타낼 때 현재 시제를 씁니다.</u> 다음의 예문을 살펴봅시다. **When you get** home from work this evening, we'll be ready to go out together. '너가 오늘 저녁에 퇴근하고 집에 오면, 우리는 다 같이 외출할 준비를 할 것이다.'라는 뜻입니다. 종속절의 동사 get이 미래를 나타내지만 현재형이 쓰였습니다. 주절에 will이 쓰여 미래와 관련된 것임을 알 수 있고, 그에 따라 부사절의 when이 '미래에 ~할 때'라고 간주되어 when이 쓰인 부사절의 동사로 미래 시제가 아닌 현재 시제가 쓰인 것입니다. 미래와 관련된 내용의 문장이고 부사절에 시간이나 조건의 접속사가 쓰이면, 시간이나 조건의 접속사가 미래에 대한 뉘앙스를 나타내기 때문에 부사절의 동사는 미래 시제가 아니라 현재 시제가 됩니다. Your English skills will definitely improve **if you read** this book to the end.

2) 명사절을 이끄는 접속사: that, whether(또는 if), what, when, where 등

 명사절은 주어와 동사를 품고 있는 절이 <u>주어, 목적어, 보어 역할</u>을 하는 것입니다. 이때 명사절은 접속사의 도움을 받아 주어, 목적어, 보어 자리에 위치할 수 있습니다. 접속사 that은 그 자체의 뜻은 없으며, that 이하의 절을 명사 자리에 이끄는 역할을 합니다. whether (+ or not), if: ~인지 아닌지 / 관계대명사 what: 것 / what: 무엇인지 / when: ~할 때, 언제 ~할지 / where: ~할 장소, 어디서 ~할지 / who: 누가 ~하는지 / why: 왜 ~하는지 / how (형/부): 얼마나, 어떻게 ~한지 / who(m)ever: 누구든 / whatever: 무엇이든 / whichever: 어느 것이든

주어

It is obvious **that** he didn't do it.
그가 하지 않은 것이 명백하다.

What the wisdom behind education is needs to be learned.
교육 이면의 지혜가 무엇인지 배울 필요가 있다.

It doesn't matter **whether** it is true or not.
그것이 사실인지 아닌지는 중요하지 않다.

목적어

People say **that** an apple a day keeps the doctor away.
사람들은 하루에 사과 하나가 병원 갈 일을 없게 만든다고 말한다.

I would like to know **how much** a ticket is.
저는 티켓이 얼마인지 알고 싶습니다.

Let's decide **when** we will go camping.
우리 언제 캠핑 갈지 정하자. ◦ when이 명사절을 이끌 때는 미래 시제가 쓰일 수 있습니다.

보어

What they want to know is **why** she left the team.
그들이 알고 싶어 하는 것은 그녀가 왜 팀을 떠났는지이다.

What's important in life is not **where** you are at the moment but **where** you are heading.
삶에서 중요한 것은 지금 어디에 있는지가 아니라 어디로 향하고 있는 지이다.

One of the key questions is **if** the solution could be a cure for poverty.
중요한 의문 중의 하나는 그 해결책이 가난에 대한 치유가 될 수 있는 지이다.

3) 형용사절을 이끄는 접속사: 관계대명사와 관계부사

형용사가 명사를 꾸며주듯이, 관계대명사와 관계부사는 형용사절(종속절)이 명사(주절의 선행사)를 꾸밀 수 있게 연결시켜주는 역할을 합니다. 관계대명사절과 관계부사절은 우리말의 안긴 문장과 비슷합니다.

관계대명사

- 사람 명사를 꾸며줄 때

> who, that (주격) / whose (소유격) / who, whom, that (목적격)

She is the girl **whom** Tom likes.

On my way home I met a man **who** asked me to show him the way to the station.

- 사물 명사를 꾸며줄 때

> which, that (주격, 목적격) / whose 또는 of which (소유격)

That movie **which** has a happy ending is good to watch.

Are these the keys **which** you were looking for?

- 사람, 사물, 동물을 수식해 줄 때

> that (주격, 목적격)

I saw the boy and his dog **that** were running around the playground.

She gave the kid her muffler **that** she was wearing.

관계부사

- 시간 명사를 꾸밀 때: when
- 이유에 관한 명사를 꾸밀 때: why
- 장소 명사를 꾸밀 때: where
- how: 명사를 수식하는 경우가 거의 없음.

This is the room **where** we will study together.

I want to know the reason **why** she said that.

There comes a time **when** you have to choose to turn the page.

201

접속사 문제

등위 접속사

♣ 다음 중 의미상 적절한 표현을 찾아주세요.

1. I have no money, (so / but) I can't buy the T-shirt.

2. It looks like it's going to rain, (or / for) it began thundering.

3. It's a small car, (yet / and) it's so spacious.

4. Turn the heat down, (and / or) it all will burn.

상관 접속사

♣ 의미상 적절한 것을 고르세요. (1 ~ 4)

1. Both plants (and / or) animals need nitrogen for their growth.

2. Either Bob (and / or) Amy must go there.

3. Neither his father (or / nor) his mother is at home.

4. Some snacks are not healthy (and / but) tasty.

♣ 다음 두 문장의 의미가 같도록 빈칸을 완성해 주세요. (5 ~ 6)

5. Tom not only plays remarkably but also writes songs.

 = Tom writes songs ___ _____ ___ plays remarkably.

6. She can speak neither English nor Korean.

 = She _____ speak _____ English or Korean.

종속 접속사

♣ 의미상 적절한 것을 고르세요. (1 ~ 10)

1. I used to go to the playground with my sister (whenever / when) I was little.

2. I'm not sure (if / that) she can solve the problem.

3. I know (if / that) he can drive a car.

4. We took a taxi (until / since) we were late.

5. (What / That) he expected was good service.

6. (Even if / If) Tom is young, he can do the delicate tasks.

7. (Unless / If) you get up right now, you will be late for school.

8. (As / That) I initially believed, it is demanding to work and study at the same time.

9. Some have obesity problems, (wherever/whereas) others suffer from malnutrition.

10. (Since / While) Tom is particularly good at science, his sister is poor at it.

♣ 문맥에 맞게 빈칸을 채워주세요. (11 ~ 12)

11. Drink two liters of water a day ____ that you can stay healthy.

12. It was so hot _____ the ice cream melted.

♣ 괄호 안의 접속사를 사용한 문장으로 바꾸어 주세요. (13 ~ 16)

13. She had dinner, and then went to bed.　(after)

　　_____.

14. We often got into arguments, but I miss them very much.　(though)

　　_____.

15. As grandmother was incredibly happy, she danced.　(so ~ that ...)

　　_____.

16. This book is so difficult that I can't read it.　(such ~ that ...)

　　_____.

Chapter 6

가정법

가정법

가정법을 알아보기에 앞서 앞부분에서 학습한 내용 중 한 가지를 복습해 보겠습니다. 부사절을 이끄는 종속 접속사가 쓰인 경우, 복문의 문장 구조는 『종속 접속사 + 주어 + 동사, 주어 + 동사』 또는 『주어 + 동사, 종속 접속사 + 주어 + 동사』라고 했습니다. 이것을 인지하고, 종속 접속사의 뜻을 알면 이해하기 수월합니다. 종속 접속사가 있는 복문 중에서 눈여겨봐야 할 것이 있습니다. 바로 **if**가 쓰인 문장입니다. **if**는 조건이나 가정을 나타내며, 조건이나 가정의 의미 또는 문장에서 나타내고자 하는 시제에 따라 동사의 형태가 달라집니다. 이번 챕터에서는 가정법을 자세히 살펴보겠습니다.

1. 직설법 조건문

 if가 쓰이면 조건문이나 가정법일 수 있습니다. 조건문과 가정법의 구별은 현재나 미래에 실제 일어날 수 있는 예상인지, 아니면 사실과 반대되는 상황을 가정하는 것인지 문맥상 의미를 통해서 이루어집니다.

 직설법 조건문은 '현재나 미래에 어떠하다면'이라는 조건을 나타내고, 그 조건이 주어졌을 때, 실제로 발생할 수 있는 일에 대해 말하는 것입니다.

- If 주어 동사의 현재, 주어 + 동사의 현재형
  (현재) ~하면, ~하다.

- If 주어 동사의 현재, 주어 will, can, shall, may + 동사원형
  (미래) ~하면, ~할 것이다.

If I **am** late for class, my teacher **gets** angry.
내가 지각하면, 선생님은 화를 내신다.

If you **are** tired, you **can get** some rest.
피곤하면 쉬어도 됩니다.

If you **keep** the promise, I **will trust** you.
너가 약속을 지키면, 내가 너를 믿어 줄게.

If the weather **is** not nice tomorrow, we **will call off** our busking in the park.
= Unless the weather is nice tomorrow, we will call off our busking in the park.
만약 내일 날씨가 좋지 않으면, 우리는 공원에서 할 길거리 공연을 취소할 것이다.

*NOTE: 조건을 나타내는 if 부사절의 동사가 미래를 나타낼 때 반드시 현재 시제를 써야 합니다. 주절이 미래 시제를 나타내기 때문에 문맥상 if절은 미래를 나타내는 것으로 간주됩니다.

If you **call** me this evening, I will help you with your homework. (O)
If you <u>will call</u> me this evening, I will help you with your homework. (X)

205

2. 가정법 과거 (현재와 관련)

현재 사실에 반대되는 상황을 가정하는 것입니다. 가정법 과거라는 말 그대로 **가정은 if**로 표현되며, **if절 안에 동사는 과거형**이 쓰입니다. 이때, 현재에 대해 가정하는 내용이 if절의 가정법 과거형 동사로 나타납니다. <u>가정법에서의 과거는 과거 사실을 나타내는 것이 아니라 현재 사실과 반대되는 상황을 나타냅니다.</u> 영어에서는 가정법 과거형과 직설법 과거형의 형태가 같습니다. 가정의 의미를 갖는 문장에서의 과거는 과거 시제가 아니라 현재에 반대되는 사실을 나타낸다는 것을 꼭 기억해두세요. 또한, be동사의 가정법 과거형은 were입니다. be동사가 가정법 과거에 쓰일 때, 주어가 1인칭 단수나 3인칭 단수인 경우에도 was가 아니라 were이 쓰입니다.

> If 주어 동사의 과거, 주어 would, could, should, might + 동사원형
> (현재 사실에 반대되는 상황)이면, 지금 ~할 텐데.

If I **had** enough money to buy the car, I **would buy** it.
= I don't have enough money to buy the car, so I can't buy it.
그 차를 살 충분한 돈이 있다면 나는 그것을 살 텐데.

She **would go** to the exhibition **if** she **didn't work** overtime.
= She can't go to the exhibition because she works overtime.
그녀는 야근하지 않으면 그 전시회에 갈 텐데.

If he **were** honest, the matter **could be settled**.
= He is not honest, so the matter is not settled.
그가 솔직해지면, 문제가 해결될 텐데.

If there **were** a restaurant nearby, we **could eat** something.
= As there is no restaurant nearby, we can't eat anything.
근처에 식당이 있다면, 우리는 식사할 수 있을 텐데.

3. 가정법 과거 완료 (과거와 관련)

 과거 사실과 반대되는 상황을 가정하는 가정법입니다. 가정법 과거 완료라는 용어 그대로 **가정의 if**가 쓰이고, **if절의 동사 자리에는 과거 완료**가 쓰입니다. <u>가정법에서 과거 완료는</u> 과거보다 먼저 일어난 사건을 가리키기보다는 <u>과거에 관한 가정을 나타냅니다.</u> 주어가 과거에 겪은 일과 반대되는 상황을 상상해 보는 것입니다. 가정법 과거 완료는 과거의 일과 관련되어 있기 때문에, 주절의 동사는 조동사 과거 다음에 have p.p가 와야 합니다. '조동사 과거 + have p.p'는 과거 상황에 대한 가정을 나타냅니다.

> If 주어 had p.p (동사의 과거완료), 주어 would, could, should, might + have p.p
> (과거 사실에 반대되는 상황)이었다면, ~했을 텐데.

 If he **had studied** hard, he **would have passed** the test.
= He didn't study hard, so he failed the test.
 그가 공부를 열심히 했다면, 합격했을 텐데.

 I **could have talked** more with you **unless** I **had been** busy then.
= I could not talk more with you as I was busy then.
 만약에 내가 그때 바쁘지 않았다면 너와 이야기를 더 할 수 있었을 텐데.

 If I **had known** that you were sick, I **would have bought** you some medicine.
= I did not know that you were sick, so I couldn't buy you some medicine.
 너가 아프다는 것을 알았다면, 내가 약 좀 사다 줬을 텐데.

 The singer **could have held** concerts **if it had not been for** the pandemic.
= The singer could not hold concerts due to the pandemic.
 전염병만 없었다면 그 가수는 콘서트를 열 수 있었을 텐데.

4. 혼합 가정법 (과거 가정이 현재에 영향 or 현재 가정이 과거에 영향)

혼합 가정법은 가정법 과거와 가정법 과거 완료가 혼합적으로 쓰이는 가정법입니다. 우선 과거 사실의 반대 상황을 가정하고, 그것이 현재 어떤 영향을 미칠지 상상해 보는 구문이 있습니다. 이 경우 **종속절**에 과거와 반대되는 상황을 가정하는 <u>가정법 과거 완료</u>가 쓰이고, **주절**에는 그 결과 현재 어떠할 것이라고 상상하는 <u>가정법 과거</u>가 쓰이는 형태가 됩니다. 또한, 현재 사실과 반대되는 상황을 가정하고, 그것이 과거에 어떤 영향을 주었을지 상상해 보는 구문이 있습니다. 이런 가정은 **종속절**에 현재 사실의 반대 상황을 가정하는 <u>가정법 과거</u>가 쓰이고, **주절**에는 그 영향으로 과거에 어떠했을 것이라고 상상하는 <u>가정법 과거 완료</u>가 쓰입니다.

If 주어 had p.p. , 주어 would, could, should, might + 동사원형
(과거) ~했다면, (현재) ~할 텐데.

If I **had taken** your advice, the current result **would be better**.
= I didn't take your advice so the current result is not that good.
만약 내가 너의 충고를 받아들였다면, 현재 결과가 더 좋을 텐데.

She **could join** this party **if** she **had not gone** to Paris on business.
= She can't join this party as she went to Paris on business.
만약에 그녀가 사업차 파리에 가지 않았다면, 이 파티에 함께 있을 텐데.

If 주어 동사의 과거형, 주어 would, could, should, might + have p.p
(현재) ~한다면, (과거) ~했을 텐데.

If I **were** a good cook, I **would have invited** you to dinner.
= I am not good at cooking, so I did not invite you to dinner.
만약 내가 요리를 잘하면, 너희를 저녁 식사에 초대했을 텐데.

If Sam **drank** coffee, he **would have ordered** a cup of coffee.
= Sam does not drink coffee, so he did not order it.
만약 샘이 커피를 마신다면 커피 한 잔을 주문했을 것이다.

<< 직설법 조건문 / 가정법 과거 / 가정법 과거 완료 / 혼합 가정법 문제 >>

☺ 다음 공식을 완성해 주세요.

A. 직설법 조건문

   If 주어 + 동사의 현재, 주어 + 동사현재형 or _____ 동사원형

B. 가정법 과거

   If 주어 + _____, 주어 + would/could/should/might _____

C. 가정법 과거완료

   If 주어 + _____, 주어 + would/could/should/might _____

D. 혼합 가정법

   If 주어 + _____, 주어 + would/could/should/might 동사원형

   If 주어 + 동사의 과거 ... , 주어 + would/could/should/might _____

♣ 적절한 것을 고르세요.

1. (If / When) you do not want to eat out tonight, we can have dinner at home.

2. I get out of breath easily (if / when) I walk up the stairs.

3. If I (will be / am) late tonight, don't worry.

4. If the meeting is cancelled, I (will hold / hold) a video conference later.

5. I would help you if I (can / could). I'm sorry I can't help you right now.

6. If we had taken the 9:30 train, we (would arrive / would have arrived) in time.

7. What would you do if you (will / won) the lottery?

8. If we (had / had had) much time, we could look around a nearby market.

9. If I (saw / had seen) you, I would have said hello.

10. If I had had a camera, I (would take / would have taken) some photos.

11. If I had eaten breakfast, I (would not be / would not have been) hungry now.

12. If Tom (planted / had planted) seeds in spring, he would have tomatoes now.

209

♣ 두 문장이 같은 뜻이 되도록 빈칸을 완성해 주세요.

13. If I were rich, I could buy a fancy car.

    = As I _____ _____ rich, I _____ buy a fancy car.

14. If I had not met you, it never would have happened.

    = As I _____ you, it could happen.

15. As I don't know her name, I can't tell you.

    = If I _____ her name, I would _____ you.

16. As the weather was not fine, we didn't go on a picnic.

    = If the weather _____ _____ fine, we would _____ _____ on a picnic.

17. If I had set off earlier, I would be there now.

    = I _____ _____ set off earlier, so I _____ _____ there now.

18. Because I do not have a garden, I can't grow my favorite flowers.

    = If I _____ a garden, I _____ grow my favorite flowers.

19. As you were not feeling better, we did not visit my aunt.

    = If you _____ _____ feeling better, we _____ _____ _____ my aunt.

20. My son would be an actor now if I had supported him financially.

    = My son _____ _____ an actor now as I _____ _____ _____ him financially.

5. were to 가정법, should 가정법 (실현 가능성 없는 가정)

If절 안에 were to나 should가 쓰이면 현재나 미래에 대해 강한 의심이 드는 상황이나 있을 수 없는 일에 대한 가정을 나타냅니다. '가정법 미래'라고 불립니다. 가정법 종속절에 should가 쓰이면 미래에 대한 강한 의심을 나타내며, were to는 미래나 현재에 실현 불가능한 일을 상상할 때 쓰입니다.

> If 주어 were to 동사원형, 주어 would(will), should(shall) + 동사원형
>
> If 주어 should 동사원형, 주어 would(will), should(shall) + 동사원형

If I **were to meet** aliens, I **would ask** why they visited our planet.
만약에 외계인을 만난다면, 나는 그들이 왜 지구에 왔는지 물어볼 거야.

If the sun **were to rise** in the west, I **would never change** my mind.
해가 서쪽에서 뜬다면, 내 마음이 바뀌지 않을 것이다.

If I **should win** lottery, I **would leave** my job right away.
만약에 내가 복권에 당첨된다면, 당장 일을 그만둘 거야.

If you **should happen to meet** Tom by chance, **can** you **tell** him to contact me?
혹시나 우연히 톰을 마주친다면, 나에게 연락하라고 말해줄 수 있어?

6. I wish 가정법 & as if (=as though) 가정법

If절이 없더라도 가정의 의미를 나타내는 문장에 과거 동사가 쓰이면 가정법 과거로 간주되며, 과거 완료가 쓰이면 가정법 과거 완료로 간주됩니다. 가정법 과거는 현재 사실과 반대되는 상황을 가정하며, 가정법 과거 완료는 과거 사실에 반대되는 상황을 가정합니다.

1) 주어 wish S V(과거, 과거완료): 바람을 나타내는 가정법

주어 wish (that) 주어 **과거**	(현재와 관련) ~하면 좋을 텐데.
주어 wish (that) 주어 **과거 완료**	(과거에) ~했으면 좋았을 텐데.

I wish that I **had** lots of money.
= I don't have lots of money.
　내가 돈이 많으면 좋겠어.

I wish my mom **saw** this show with us.
= My mom can't see this show with us.
　우리 엄마가 이 공연을 우리와 함께 보면 좋을 텐데.

Jenny wishes she **had woken** up on time.
= Jenny didn't wake up on time.
　제니는 그녀가 제시간에 일어나기를 바랐다.

I wish that the Korean soccer team **had gotten** into the finals.
= The Korean soccer team did not get into the finals.
　나는 한국 축구팀이 결승에 진출하기를 바랐는데.

A year from now, you will wish you **had started** today.
= A year later, you will regret that you did not start one year ago.
　지금으로부터 일 년 후, 당신은 일 년 전 오늘 시작했어야 했다고 후회할 것이다.

2) as if S V(과거, 과거완료) = as though S V

'마치 ~인 것처럼'의 뜻을 가진 as if (= as though)를 사용해 사실이 아닌 내용을 언급하는 가정법입니다.

주절	종속절	해석 종속절	주절
주어 동사	as if 주어 동사		
현재	과거 (현재와 관련)	마치 ~인 것처럼	~한다.
현재	과거 완료 (과거와 관련)	마치 ~였던 것처럼	~한다.
과거	과거 (과거와 관련)	마치 ~인 것처럼	~했다.
과거	과거 완료 (대과거와 관련)	마치 ~였던 것처럼	~했다.

He acts **as if** he **were** a movie star.   그는 영화배우인 것처럼 행동한다.
= He is not a movie star. But he pretends to be a movie star.

He acts **as if** he **had been** a movie star.   그는 전에 영화배우였던 것처럼 행동한다.
= He was not a movie star in the past. But he pretends to have been an actor.

He acted **as if** he **were** a movie star.   그는 영화배우인 것처럼 행동했다.
= He was not a movie star. But he pretended to be a movie star.

He acted **as if** he **had been** a movie star. 그는 전에 영화배우였던 것처럼 행동했다.
= He had not been a movie star before he acted like that. But he pretended to have been a movie star.

It was **as if** he **had cast** a spell on us.
마치 그가 우리에게 마법을 건 것 같았다.

The player pitched the ball **as though** it **were** his last game.
그 선수는 마치 마지막 경기인 것처럼 공을 던졌다.

Let's act **as if** nothing **happened**.
마치 아무 일도 없는 것처럼 행동하자.

 What if ~? 구문은 '주어가 동사하면 어떡하지? 어떨까? 어쩌지?'라고 해석되며, 직설법과 가정법 모두에 사용될 수 있습니다.

What if she doesn't like the present that I'll give her?
내가 그녀에게 줄 선물을 그녀가 좋아하지 않으면 어쩌지?

What if we miss the bus?
우리 버스 놓치면 어떡하지?

What if she were late for the meeting?
혹시나 그녀가 회의에 늦으면 어쩌지?

What if those two companies joined forces and worked as one?
만약 그 두 회사가 힘을 합쳐 하나로 일한다면 어떨까?

What if I he had not been assassinated?
만약 그가 암살당하지 않았다면 어땠을까?

7. if 대용어구

1) if 대신 쓰일 수 있는 어구

- supposing (that) S V, assuming (that) S V: that 이하라고 가정한다면

- provided (that) S V, providing (that) S V: that 이하라는 상황이 주어진다면

- given N / (that) S V, granted N / (that) S V: that 이하라는 상황이 주어진다면
  ▫ grant: 주다(= give), 승인하다, 보조금

- on condition (that) S V, under ... condition(s) (that) S V: that 이하의 조건하에서

You may hang out with your friends, **provided that** you're home by 10:00.
10시까지 집에 들어온다면 친구들과 어울려도 좋다.

Given this situation, we have to do all we can to find a solution.
이 상황을 감안해서, 해결책을 찾기 위해 우리가 할 수 있는 모든 것을 해야 한다.

2) as long as: ~하는 한

As long as you like to do it, you can keep doing it.
너가 좋아하는 한, 계속해서 할 수 있다.

3) in case: 만약 ~인 경우에, ~한 경우를 대비해서

In case it is freezing there, you need to bundle up.
그곳이 추울 수도 있으니, 옷을 두껍게 껴입어라.

4) otherwise: (앞 문장의 상황이) 아니면, (만약) 그렇지 않다면

Please shut the window, **otherwise** some mosquitoes will come in here.
창문 닫아. 그렇지 않으면 모기가 들어올 거야.

5) unless: 만약 ~이 아니면 = if ... not

Unless you do it now, you'll never make it.
만약에 그것을 지금 하지 않으면, 너는 결코 그것을 해내지 못할 것이다.

6) ▪ 만약 ~이 없다면 (가정법 과거)

If it were not for N = Were it not for N = But for N = Without N

If it were not for air and water, no one could live.

Were it not for air and water, no one could live.

But for air and water, no one could live.

Without air and water, no one could live.

공기와 물이 없다면 아무도 살 수 없을 것이다.

If it were not for your help, it would be hard for me to get over it.

Were it not for your help, it would be hard for me to get over it.

But for your help, it would be hard for me to get over it.

Without your help, it would be hard for me to get over it.

너의 도움이 없었다면, 내가 극복하기 어려웠을 거야.

▪ 만약 ~이 없었다면 (가정법 과거 완료)

If it had not been for N = Had it not been for N = But for N = Without N

If it had not been for such a devoted mother, he would never have been a doctor.

Had it not been for such a devoted mother, he would never have been a doctor.

But for such a devoted mother, he would never have been a doctor.

Without such a devoted mother, he would never have been a doctor.

헌신적인 어머니가 계시지 않았더라면 그는 의사가 될 수 없었을 것이다.

If it had not been for failure, there could be no success.

Had it not been for failure, there could be no success.

But for failure, there could be no success.

Without failure, there could be no success.

(과거의) 실패가 없었다면, (현재의) 성공은 없을 것이다.

8. if가 없는 가정법들

1) if 생략

if가 쓰인 가정법에서 if가 생략되면 if절의 주어와 동사가 도치됩니다. 따라서 if 없이 '동사 + 주어'의 순이 됩니다. 예를 들어, If we had worked harder, the outcome could have been better.이라는 문장에서 if가 생략된다면 if의 주어와 동사가 도치되어 Had we worked harder, the outcome could have been better.라는 문장이 됩니다. if절의 동사가 were, should + V, had p.p인 경우에 if가 생략되고 도치가 일어날 수 있습니다. 의문문이 아닌 문장에서 Were, Should, Had가 문두에 위치해 있고, 주절에 would나 could 등과 같은 조동사 과거가 있다면 가정법일 확률이 높습니다.

> **Were I** as tall as you, I would buy this coat.
> = **If I were** as tall as you, I would buy this coat.
> 내가 너만큼 키가 크다면 이 코트를 샀을 텐데.

> **Had we taken** the subway, we would not have been late for the seminar.
> = **If we had taken** the subway, we would not have been late for the seminar.
> 우리가 지하철을 탔더라면, 세미나에 늦지 않았을 텐데.

> **Should I take** one more bite, my stomach shall burst.
> = **If I should take** one more bite, my stomach shall burst.
> 한 입만 더 먹으면, 배가 터질 것 같아.

2) It is time that 주어 + 동사의 과거: '~해야 할 때이다.'

「It is time that S 과거 동사」는 현재 할 필요가 있는 행동을 과거형으로 표현한 가정법 과거입니다. 이 구문에서의 과거형 동사는 과거 시제의 사실을 나타내는 것이 아니라, '~을 했어야 할 시간이다.'라는 현재 실행되지 않았지만 해야 할 일을 충고하는 내용을 담고 있는 가정법 과거입니다. 과거형이 현재 사실과 반대되는 상황을 나타내면 가정법 과거로 쓰입니다.

> **It is time that** you **had** your hair cut.   너 머리 좀 잘라야 할 것 같아.
> = You haven't got a haircut yet, and you need to do it.

> **It is time that** you **went** to bed.   잠자리에 들 시간이다.
> = You are not asleep yet, and you need to go to bed.

★3) 앞으로 할 일을 제안하는 가정법 현재: 제안, 권유의 동사나 형용사 & <u>동사 원형</u>

　제안, 충고, 요구, 주장, 명령을 나타내는 동사나 형용사와 함께 가정법 현재형인 동사 원형이 쓰이는 가정법입니다. 상대방에게 제안이나 충고할 때 상대방이 실행에 옮기지 않은 일을 했으면 좋겠다고 말하는 것이고, 하라고 권유하는 내용이 사실에 반대되므로 가정법이라 할 수 있습니다. 앞으로 할 것을 권유하는 내용은 가정법 현재형인 동사 원형으로 표현됩니다.

주어　suggest / insist / propose / demand / require / ask / request / recommend
제안이나 권유의 동사
(that) 주어 동사원형

I suggested that <u>he sleep more.</u>
= he should sleep more

Her parents have demanded <u>she see a doctor.</u>
= she should see a doctor

주어　important / crucial / advisable / imperative / vital / necessary (that) S 동사원형
제안이나 권유의 형용사

It is necessary that <u>the nation provide a suitable education for all its citizens.</u>
= the nation should provide a suitable education for all its citizens

It was crucial that <u>the work be done in time.</u>
= the work should be done in time

4) 명사 주어 + 조동사 과거 + 동사 원형 또는 have p.p

명사가 가정하는 내용을 함축하고 있는 경우입니다. '명사의 상황이라면(이었다면) 동사할텐데(했을텐데)'라고 해석됩니다.

A true friend would help you.

= If she were a true friend, she would help you.

진정한 친구라면 너를 도와줄 텐데.

An honest man would not have done that.

= If he had been honest, he would not have done that.

= As he was not honest, he did that.

정직한 사람이었다면 그렇게 하진 않았을 것이다.

5) if 절을 대신하는 to 부정사

to 부정사가 if 절처럼 가정의 의미로 쓰이는 부사적 용법입니다. 따라서 to 부정사가 '~한다면, 했다면'으로 해석됩니다.

It would be better for you **to speak** without mumbling.

= It would be better if you spoke without mumbling.

너가 중얼거리지 않고 말하면 더 나을 것 같다.

To have one more chance, I would get it.

= If I had one more chance, I would get it.

한 번의 기회가 더 있다면, 나는 그것을 받아들일 것이다.

*NOTE: to 부정사 복습

to부정사 용법은 크게 명/형/부가 있습니다. 명사적 용법, 형용사적 용법, 부사적 용법을 말합니다. to 부정사의 명사적 용법은 to 부정사가 주어, 목적어, 보어 역할을 하는 것이고, 형용사적 용법은 to 부정사가 명사를 꾸며주는 역할을 하는 것입니다. 부사적 용법은 '~하기 위해서'라는 목적을 나타내거나, 형용사에 대해 부연 설명을 하거나, '결국 ~하다'라는 결과를 나타낼 때 쓰입니다. 여기에 하나 더! to 부정사가 if 를 대신해 가정의 의미로 쓰이는 경우도 to 부정사의 부사적 용법 중 하나입니다.

<<실현 가능성 없는 가정 / I wish & as if 가정법 / If 대용어구 / If 없는 가정법>>

♣ 둘 중 적절한 것을 고르세요. (1 ~ 10)

1. If I (am / were to be) young again, I would climb Everest.

2. It's very crowded here. I wish there (are / were) not so many people.

3. I feel like I am going to throw up. I wish I (did not eat / had not eaten) so much.

4. Tom seemed to be uninformed, but he spoke (if / as if) he knew everything.

5. I feel as if I (am / were) flying in the air.

6. If you were to get one million dollars, what (will / would) you do?

7. If it (was / were) not for her, we would be bored.

8. (He were / Were he) a wise boy, he would not say so.

9. It's essential that they (should / might) be here on time.

10. The doctor recommended that my son (see / saw) a specialist.

♣ 두 문장이 같은 뜻이 되도록 빈칸을 완성해 주세요. (11 ~ 20)

11. I wish I could sing well.

  = I am sorry I _____ sing well.

12. I wish the skater had won the match.

  = I am sorry that the skater _____ _____ _____ the match.

13. He acted as if he did not know me.

  = In fact, he _____ me.

14. The woman treats me as if I were her student.

  = In fact, I ____ _____ her student.

15. Without the Internet, our lives would be inconvenient.

= __ __ ____ ____ ____ the Internet, our lives would be inconvenient.

= _____ __ ____ ____ the Internet, our lives would be inconvenient.

= _____ _____ the Internet, our lives would be inconvenient.

16. If it hadn't been for the tall man who rescued me, I'd probably have drowned.

= _____ the tall man who rescued me, I'd probably have drowned.

17. Had I seen the job ad in time, I would have applied for the job.

= ___ __ ____ seen the job ad in time, I would have applied for the job.

18. It's important that everyone should listen carefully and follow instructions.

= It's important that everyone _____ carefully and _____ instructions.

19. We should make a difference for the environment.

= It's high time that we _____ a difference for the environment.

20. I would be happy to invite you for coffee.

= I would be happy ___ __ _____ you to have coffee with me.

♣ 문맥에 어울리는 것을 골라주세요. (21 ~ 25)

providing	as long as	in case	otherwise	unless

21. Tom wears two watches _____ one of them stops.

22. You will be late _____ you hurry.

23. Travelling by car is convenient _____ you have somewhere to park.

24. _____ the earth remains, day and night will never cease.

25. Put your coat on, _____ you will catch a cold.

Chapter 7

분사 구문

1. 분사 구문의 정의와 형태 ('접 + 주 + 동' ➡ Ving / Ved 구문으로)

분사 구문은 문장의 효율성을 위해 복문이나 중문의 '접속사 + 주어 + 동사' 형태의 절을 분사를 사용하여 간략한 구문으로 만드는 것입니다. '접속사 + 주어 + 동사'가 「~ing」나 「~ed」로 시작하는 분사 구문이 되며, 주로 '~하면서', '~해서'로 해석되지만 문맥상 의미를 통해 파악해야 합니다.

분사 구문을 이해하기 위해서는 우선 문장의 구조를 파악할 수 있어야 합니다. 하나의 단문으로는 분사 구문을 만들 수 없습니다. '접속사 + 주어 + 동사'가 존재하는 복문과 중문에 쓰입니다. 복문 『주어 동사, **종속 접속사 주어 동사**』 또는 『**종속 접속사 주어 동사**, 주어 동사』와 중문 『주어 동사, **등위 접속사 주어 동사**』에서 '접속사 + 주어 + 동사'를 분사 구문을 사용하여 효율적으로 줄이는 것입니다. 『주어 동사, **분사 구문**』 또는 『**분사 구문**, 주어 동사』의 형태가 됩니다. 분사 구문으로 바뀌더라도 원래 종속절의 뜻은 유지됩니다.

분사 구문이라는 명칭은 '접속사 + 주어 + 동사'가 분사를 사용하여 간결하게 줄어든 구문이기 때문에 붙여진 이름입니다. 분사가 단독으로 쓰이면 형용사이므로 명사를 꾸며주는 형용사 편에 다루어져 있습니다. 분사의 종류에는 두 가지가 있습니다. 현재 분사와 과거 분사! 꾸밈을 받는 명사와 분사의 관계가 능동이거나 진행의 의미이면 현재 분사(Ving)를 쓰고, 수동이나 완료의 의미이면 과거 분사(Ved)를 씁니다. 예를 들어 surprising news (놀라운 뉴스)는 어떤 뉴스가 사람들을 놀라게 만드는 능동의 의미를 가지므로 현재 분사가 쓰입니다. surprised people (놀란 사람들)은 무언가에 의해서 사람들이 놀라게 된 수동의 상태이므로 과거 분사가 쓰입니다. 또 다른 예로 waiting people / the stolen money / the swimming kids / some parked cars / an interesting story / an injured player 등이 있습니다.

그러면 '접속사 + 주어 + 동사'가 간략하게 분사 구문이 되는 과정을 살펴보겠습니다.

다음 문장을 예로 들어 설명해 드리겠습니다.

Because he had plenty of money, he was able to collect artwork.

(그는 돈이 많아서 예술 작품을 모을 수 있었다.)

우선 문장 구조를 파악해야 합니다. 어느 부분을 분사 구문으로 바꿔야 하는지 찾으셨나요? '접속사＋주어＋동사'인 because he had plenty of money를 분사 구문으로 바꾸어야 합니다. 그 과정을 접속사 → 주어 → 동사의 생략 순으로 알아봅시다.

① 접속사

~~Because~~ he had plenty of money, he was able to collect artwork.

제일 먼저 접속사 생략에 관한 것입니다. '접속사＋주어＋동사' 자체만으로 하나의 완벽한 문장이 될 수 없으므로, 종속절 앞이나 뒤에 주된 주어와 동사를 가진 주절이 존재해야 합니다. 주절의 '주어＋동사'와 '접속사＋주어＋동사'구문을 유기적으로 해석하면 접속사가 생략된다 하더라도 두 절의 의미 관계로 접속사를 유추할 수 있으므로 생략할 수 있습니다. 의미를 명확히 하기 위해서 접속사를 생략하지 않고 그대로 쓰기도 합니다.

② 주어

~~Because~~ ~~he~~ had plenty of money, he was able to collect artwork.

그다음은 '접속사＋주어＋동사'의 주어가 한 문장 안의 주절의 주어와 같다면 생략합니다. 문장의 효율성을 위해서 분사 구문의 주어가 주절의 주어와 같으면 생략하며, 분사 구문의 주어가 생략되면 주절의 주어와 같다고 간주됩니다. '접속사＋주어＋동사'의 주어가 주절의 주어와 다른 경우에는 그 문장 안에서 유추할 수 없기 때문에 생략될 수 없습니다.

③ 동사

~~Because~~ ~~he~~ ~~had~~(→having) plenty of money, he was able to collect artwork.

마지막으로 분사 구문의 핵심인 '접속사＋주어＋동사'의 동사를 분사로 바꾸는 것입니다. 동사를 현재분사인 Ving나 과거분사인 Ved로 바꾸는 기준은 '접속사＋주어＋동사'의 주어와 동사의 관계입니다. 주어와 동사의 관계가 능동이면 현재 분사를 쓰며, 주어와 동사의 관계가 수동이면 과거 분사를 씁니다. 이 예문에서는 그가 돈이 많은 것이므로 능동을 나타내는 현재 분사가 적합합니다.

| Having plenty of money, he was able to collect artwork. | 로 바꿀 수 있습니다.

223

2. 복문을 단문(분사구문)으로

　복문을 단문(분사구문)으로 바꾸어 봅시다. 문장의 효율성을 위해서 종속절에서 주절과 겹치거나 유추할 수 있는 부분은 없애고, 분사를 사용해 단문으로 만들 수 있습니다. 주절과 종속절이 존재하는 복문의 구조 『주어 동사, **종속 접속사 주어 동사**』 또는 『**종속 접속사 주어 동사**, 주어 동사』를 분사 구문을 이용하여 『주어 동사, **분사구문(동사ing/동사ed)**』 또는 『**분사구문(동사ing/동사ed)**, 주어 동사』인 단문으로 바꾸는 것입니다.

　주절은 문장의 주축이 되므로 변형시킬 수 없고, 종속절을 변형시킵니다. 종속절의 접속사는 두 절의 문맥상 내용으로 관계를 파악하여 유추 가능하기 때문에 생략 가능합니다. 의미를 명확하게 하기 위해서 생략하지 않는 경우도 있습니다. 종속절의 주어는 주절의 주어와 같으면 생략하고, 다르면 생략할 수 없습니다. 제일 중요한 것이 종속절의 동사입니다. 이 동사를 현재 분사(능동, 진행)나 과거 분사(수동, 완료)로 바꾸어야 합니다. 종속절의 동사를 분사로 바꾸어 분사 구문인 것을 나타내고, 종속절의 접속사와 주어는 생략되더라도 주절에서 유추할 수 있습니다. 종속절의 주어가 동사를 능동적으로 하면 현재 분사로 바꾸고, 종속절의 주어가 수동적으로 동사하게 되면 과거 분사를 씁니다.

　분사 구문의 해석 시 종속절의 접속사나 주어가 생략되어 있기 때문에 주절과 종속절의 의미적 관계를 파악해 주절을 통해 종속절의 뜻을 완성해 주어야 합니다.

　다음의 복문을 분사 구문을 이용해서 단문으로 바꾸어 봅시다.^^

　　While I eat dinner, I watch TV.　　나는 저녁을 먹으면서, 텔레비전을 본다.
　　　　종속절　　　　주절

　주절은 변형할 수 없고, 종속절을 변형시킵니다.

① 종속절의 접속사 (생략)

　분사 구문에서 접속사는 생략 가능한데 그 이유는 종속절과 주절의 의미적 관계를 파악하여 유추할 수 있기 때문입니다. 의미를 명확하게 하기 위해서 접속사를 그대로 쓰기도 합니다. 특히 시간을 나타내는 접속사는 생략되지 않고 그대로 쓰이는 경향이 있습니다.

While 그대로 쓰거나 생략 가능

224

② 종속절의 주어 생략

주절의 주어와 종속절의 주어가 같으면 종속절의 주어를 생략합니다. 다르면 생략할 수 없고, 분사 바로 앞에 종속절의 주어를 그대로 써줍니다.　I 생략

③ 동사를 현재분사(Vng)나 과거분사(Ved)로

종속절의 동사를 분사(Ving, Ved)로 변형해야 분사 구문이 될 수 있습니다. 이 문장에서는 주어가 능동적이고, 자발적으로 먹는 것이기 때문에 현재분사(Ving)로 고칩니다.

eat → eating으로 고치기

*NOTE: 현재 분사로 고칠지 과거 분사로 고칠지의 기준은 종속절의 주어와 동사의 관계에 달려있습니다. 주어와 동사의 관계가 능동이면 현재 분사로 고치고, 주어와 동사의 관계가 수동이면 과거 분사가 됩니다.

따라서 분사 구문으로 바꾸면　While eating dinner, I watch TV.　가 됩니다.

He likes to hum a tune as he drives his car.
= He likes to hum a tune, driving a car.
　그는 운전하면서 노래를 흥얼거리는 것을 좋아한다.

While he was playing soccer, he hurt his leg.
= While playing soccer, he hurt his leg.
　그는 축구하다가, 다리를 다쳤다.

Although he is not book smart, he is street smart.
= Not being book smart, he is street smart.
　그는 책으로 배운 지식이 많지 않지만, 풍부한 경험으로 세상 물정에 밝다.

Though I think highly of him, I do not approve of his proposal.
= Thinking highly of him, I do not approve of his proposal.
　나는 그를 높이 평가하지만, 그의 제안에는 찬성하지 않습니다.

Because I felt under the weather, I skipped the class.

= Feeling under the weather, I skipped the class.

몸이 좋지 않아서, 나는 수업에 빠졌다.

My coworkers and I must work overtime today as we have a lot to do.

= My coworkers and I must work overtime today, having a lot to do.

나와 내 동료들은 할 일이 많아서 오늘 야근해야만 한다.

Because it was raining too heavily, we had to stay indoors.

= It being raining too heavily, we had to stay indoors.

비가 너무 많이 내려서 우리는 실내에 머물러야만 했다.

◦ 종속절의 주어 it이 주절의 주어 we와 다르기 때문에 it은 생략이 불가능합니다.

If you grab a book instead of your phone during your commute, you can develop a good reading habit.

= Grabbing a book instead of your phone during your commute, you can develop a good reading habit.

통근 시간 동안에 핸드폰 대신 책을 잡으면, 좋은 독서 습관을 기를 수 있다.

If you turn left at the next corner, you will find the place you're looking for.

= Turning left at the next corner, you will find the place you're looking for.

다음 코너에서 좌회전하면, 당신이 찾고 있는 장소를 발견할 것입니다.

Be careful when you are crossing the street.

= Be careful when crossing the street.

길 건널 때 조심해.

◦ 의미 전달을 분명하게 하기 위해서 분사 구문의 접속사를 생략하지 않고 그대로 쓰기도 합니다. 특히, 시간을 나타내는 접속사 when, while, after, before는 생략되지 않고 현재분사 ~ing와 함께 쓰이는 경향이 있습니다.

After she took the key out of her bag, she opened the door.

= (After) taking the key out of her bag, she opened the door.

그녀는 가방에서 열쇠를 꺼낸 다음, 문을 열었다.

3. 단문(분사구문)을 복문으로

이번에는 거꾸로 분사 구문이 쓰인 단문을 복문으로 바꾸어 봅시다.

분사 구문을 부사절로 바꾸기 위해서는 주절과 종속절의 의미적 관계를 이해해 종속절의 접속사, 주어, 동사를 파악할 수 있어야 합니다. 단문인 『주어 동사, **분사구문(동사ing/동사 ed)**』 또는 『**분사구문(동사ing/동사ed)**, 주어 동사』를 복문의 구조인 『주어 동사, **종속 접속사 주어 동사**』 또는 『**종속 접속사 주어 동사**, 주어 동사』로 바뀌는 과정을 알아보겠습니다.

분사 구문을 복문으로 바꾸기 전에 알아보아야 할 사항이 있습니다. 바로 종속 접속사의 종류입니다.

★종속 접속사의 종류

분사 구문을 명확하게 해석하기 위해서 우선 종속 접속사의 종류에 대해 알아야 합니다. 대표적인 종속 접속사는 **동**시동작 / **양**보 / **이**유 / **조**건 / **시**간에 관한 것입니다. 종속 접속사의 종류를 이들의 맨 앞 자만 따서 동양의 이조시계로 알아두면 기억하기 쉽습니다. 실제로 분사 구문은 주로 '~하면서'로 쓰이거나, 이유를 나타내는 '~해서'로 쓰입니다. 양보나 조건의 뜻으로 쓰이는 경우는 드뭅니다.

동시동작 (~하면서) while, as, when

양보 (~에도 불구하고) though, although, even if, even though

이유 (왜냐하면) because, as, since

조건 (~한다면) if, unless(=if not)

시간 when, after, before, until, as …

다음의 단문을 종속절이 있는 복문으로 바꾸어 봅시다.

Singing loudly, the boy entered the room.

① 분사 구문의 종속 접속사 알아내기

분사 구문과 주절의 의미상 관계를 파악하여 접속사를 유추합니다. 위의 예문에서 주절은 '그 소년은 방에 들어왔다.', 분사 구문의 내용은 '노래를 크게 불렀다.'입니다. 흐름상 '노래를 부르면서'가 어울려 '~하면서'라는 동시동작의 접속사가 쓰여야 합니다.

동시동작의 접속사 as나 while 쓰기

② 종속절 주어 찾기

분사 구문의 주어가 생략되는 이유는 주절의 주어와 같기 때문입니다. 주절의 주어가 the boy이므로, 종속절의 주어는 the boy가 됩니다. 참고로, 하나의 고유 명사를 연속적으로 쓰기보다는 대명사로 달리 표현하는 것이 자연스럽기 때문에 종속절 뒤에 위치한 주절의 주어는 he가 됩니다.

종속절의 주어 the boy 쓰기

③ 분사(Ving, Ved)를 종속절의 동사로 만들기

분사의 동사 원형을 생각해 내고, 시제는 주절의 시제에 맞춰줍니다. Singing 의 동사 원형은 sing 이고, 시제는 주절의 동사 entered 가 과거이기 때문에 sang 이 됩니다. 참고로, 분사 구문의 현재 분사나 과거 분사의 형태는 주어와 분사로 쓰인 동사와의 관계(능동, 진행 VS 수동, 완료)에 의해서 결정되는 것이지 동사 시제에 의해서 결정되는 것이 아닙니다.

singing → sang으로 고치기

As the boy sang loudly, he entered the room. 이라는 복문이 됩니다.

동시동작 (~하면서)

She wrote in her diary, drinking a cup of coffee.

= She wrote in her diary, as she drank a cup of coffee.

그녀는 커피 한 잔을 마시면서, 다이어리를 썼다.

228

Waiting for John, I prepared dinner.

= While I was waiting for John, I prepared dinner.

나는 John을 기다리면서, 저녁을 준비했다.

(양보)

The traffic being bad, I arrived on time.

= Although the traffic was bad, I arrived on time.

교통 상황이 나빴지만, 나는 시간 맞춰 도착했다.

Not talented in painting, she loved painting and practiced it every day.

= Even though she was not talented in painting, she loved painting and practiced it every day.

그녀는 그림에 소질은 없었지만, 그리는 것을 좋아하고 매일 그것을 연습했다.

(이유)

Burned on each side, the toast was inedible.

= Because the toast was burned on each side, it was inedible.

토스트 양쪽이 다 타서 먹을 수 없었다.

Being between jobs, she hasn't got enough money.

= As she is between jobs, she hasn't got enough money.

그녀는 실직 상태이기 때문에, 충분한 돈을 가지고 있지 않다.

(조건)

It being fine tomorrow, we will go on a picnic.

= If it is fine tomorrow, we will go on a picnic.

내일 날씨가 좋으면 우리는 소풍 갈 것이다.

The dog will not attack you, not provoked by you.

= The dog will not attack you, if it is not provoked by you.

그 개를 자극하지 않는다면 너를 공격하지 않을 것이다.

 시간

You can view an e-mail while writing a draft on your phone.

= You can view an e-mail while you write a draft on your phone.

핸드폰으로 이메일을 쓰면서 이메일을 볼 수도 있다.

Life is a tragedy when seen in close-up, but comedy in long-shot.

= Life is a tragedy when it is seen in close-up, but life is comedy when it is seen in long-shot.

인생은 가까이서 보면 비극이지만, 멀리서 보면 희극이다. – Charlie Chaplin

　∘ 현재 분사구문에서 시간을 나타내는 접속사 while과 when은 생략되지 않고, 주로 while ~ing, when ~ing의 형태로 쓰입니다. 말하고자 하는 시간적 의미를 더 명확하게 표현하기 위해서입니다.

4. 중문을 단문(분사구문)으로

　이번에는 두 절이 등위 접속사로 연결되어 순차적으로 해석되는 중문을 분사 구문을 써서 단문으로 만들어 봅시다. 주(주절)와 종(종속절)의 관계가 있는 복문과는 달리 중문은 절과 절이 등위 접속사로 대등하게 연결되어 있습니다. 중문 중에서 보통 and를 사용한 연속 동작 문장에 분사 구문이 쓰입니다.

　분사 구문이란 문장의 효율성을 위해서 '접속사 + 주어 + 동사'를 간결하게 분사로 표현하는 것이므로, 중문의 구조인 『주어 동사 **등위 접속사 주어 동사**』에서 접속사 이후의 부분을 고쳐서 『주어 동사, **분사구문(동사ing/동사ed)**』으로 바꾸면 단문이 됩니다. 접속사는 두 절의 의미 관계로 유추 가능하기 때문에 생략 가능하고, 의미를 명확히 하기 위해서 쓰기도 합니다. 주어는 주절의 주어와 같으면 생략합니다. 동사는 현재 분사(Ving)나 과거 분사(Ved)로 바꾸어야 합니다. 주어와 동사의 관계가 능동이면 현재 분사로 바꾸고, 수동이면 과거 분사로 바꿉니다.

Tom got out of the house and he wandered the streets.

① 등위 접속사를 생략합니다. '톰이 집에서 나와 거리를 배회했다.'라고 해석되며 순접으로 볼 수 있으므로 접속사를 생략하더라도 and를 유추할 수 있기 때문입니다. and 생략

② 등위 접속사 다음의 주어가 앞의 주어와 같으면 생략합니다. Tom과 he가 같은 인물이기 때문에 문장의 효율성을 위해서 he를 뺍니다. he 생략

③ 등위 접속사 다음의 주어와 동사의 관계가 능동인지 수동인지를 살펴 현재 분사나 과거 분사로 고칩니다. 이 문장에서는 톰 자신이 배회한 것이므로 능동을 나타내는 현재 분사가 쓰여야 합니다. wandered → wandering이 됩니다. (분사 형태는 시제를 나타내기보다는 분사와 분사의 주체와의 관계가 능동인지 수동인지를 보여줍니다.)

위의 문장을 분사 구문으로 바꾸면

Tom got out of the house, wandering the streets. 가 됩니다.

We were so busy that we could not have lunch break, and we ended up skipping lunch.
= We were so busy we couldn't have lunch break, ending up skipping lunch.
우리는 너무 바빠서 점심시간이 없었고, 결국 점심을 걸러야만 했다.

The children sang with all their hearts together, and they got long applause.
= The children sang with all their hearts together, getting long applause.
어린이들이 함께 성심껏 노래를 부르고 긴 박수갈채를 받았다.

5. 단문(분사구문)을 중문으로

이번에는 반대로 단문인 분사 구문을 중문으로 바꾸어 보겠습니다. 단문인 『주어 동사 **분사구문(동사ing/동사ed)**』가 중문의 구조인 『주어 동사, **등위 접속사(and) 주어 동사**』로 변형됩니다. 등위 접속사의 종류에는 for(왜냐하면), and, nor(또한 ...아닌), but, or, yet(하지만), so가 있지만 주로 연속 동작의 의미를 갖고 있는 and가 분사 구문으로 쓰입니다.

다음의 단문을 종속절이 있는 중문으로 바꾸어 봅시다.

Michelle opened the car window, getting some fresh air.

① 분사 구문의 등위 접속사 알아내기

분사 구문과 주절의 의미상 관계를 파악하여 접속사를 유추합니다. 위의 예문에서 주절의 해석은 '그는 차 창문을 열었다.'이고 분사 구문은 '신선한 공기를 마셨다.'입니다. 내용상 시간의 선후가 있고 순접이므로 접속사로 and가 어울립니다.

등위 접속사 and 쓰기

② 종속절 주어 찾기

분사 구문의 주어가 생략되는 이유는 주절의 주어와 같기 때문입니다. 종속절에 주절의 주어가 Michelle이므로, 종속절의 주어로 she를 씁니다. 중문에서는 두 주어가 같으면 접속사 다음의 주어가 생략될 수 있습니다.

종속절의 주어 she 쓰기 (생략 가능)

③ 분사(Ving, Ved)를 동사로 만들기

분사의 동사 원형을 생각해 내고, 시제는 동사의 시제에 맞춰줍니다. getting 의 동사 원형은 get 이고, 주절의 동사 opened 의 시제가 과거이기 때문에 got 이 됩니다.

getting → got으로 고치기

Michelle opened the car window and (she) got some fresh air. 이라는 중문이 됩니다.

The boy read a book, writing a report on the book.

= The boy read a book and he wrote a report on the book.

소년은 책을 읽고, 그 책에 대한 감상문을 썼다.

My friend dived in, rescuing a man from drowning.

= My friend dived in and rescued a man from drowning.

내 친구는 다이빙해서 물에 빠진 어떤 남자를 구해줬다.

6. 분사 구문 being, having been 생략

분사 구문 중에서 being ~ing과 having been ~ing (**진행형**) 또는 being p.p나 having been p.p (**수동태**)로 시작하는 경우 being이나 having been이 생략 가능합니다. 이들을 생략하더라도 ~ing나 p.p 형태의 분사는 남아있어 분사 구문의 형태가 유지되기 때문입니다. being이나 having been이 생략되어 ~ing나 p.p로 시작되는 분사 구문을 해석할 때 (분사 구문의 주어가 주절의 주어와 같다면) 분사인 ~ing나 p.p가 주절의 주어에 대해 설명한다고 이해하면 해석하는데 도움이 될 것입니다. 분사는 형용사적 성격이 있기 때문에 주절의 주어(명사)를 설명할 수 있습니다.

또한, being + **보어**(명사/형용사)나 having been + **보어**(명사/형용사)의 경우에도 being과 having been이 생략 가능합니다. 보어 바로 앞에 be 동사류가 와야 하기 때문에 생략하더라도 이들이 생략된 것을 유추할 수 있기 때문입니다.

진행형

라디오를 들으면서, 톰은 밀크티를 만들었다.

Listening to the radio, Tom made milk tea.

(Being) listening to the radio, Tom made milk tea.

While he was listening to the radio, Tom made milk tea.

내 방을 청소하고 있었을 때 나는 그녀로부터 온 전화를 받았다.

Cleaning up my room, I got a call from her.

(Having been) cleaning up my room, I got a call from her.

When I had been cleaning up my room, I got a call from her.

수동태

콘서트에 가는 것을 허락받아서, 샘은 거기에 갈 수 있었다.

Allowed to go to the concert, Sam was able to go there.

(Being) allowed to go to the concert, Sam was able to go there.

As Sam was allowed to go the concert, he was able to go there.

그녀는 나쁜 소식을 듣고 나서 슬픔에 잠겼다.

Told the bad news, she was lost in sorrow.

(Having been) told the bad news, she was lost in sorrow.

After she had been told the bad news, she was lost in sorrow.

보어

그 노래는 단조롭고 길어서 이번 앨범에 실리지 않았습니다.

Monotonous and lengthy, the song had to be abandoned in this album.

(Being) Monotonous and lengthy, the song had to be abandoned in this album.

Because the song was monotonous and lengthy, it had to be abandoned in this album.

나는 그 로봇을 제어하는 방법이 궁금해서, 전문가에게 문의했다.

Curious about how to control the robot, I asked an expert.

(Being) curious about how to control the robot, I asked an expert.

As I was curious about how to control the robot, I asked an expert.

*NOTE: 분사 구문에서 being, having been이 생략되지 않는 경우

① There be 구문이거나, 비인칭 주어 it + be 동사 구문일 때

► There <u>being</u> no bus to the shopping mall, we took a taxi.

     being 생략 불가

종속절의 원래 문장은 Because there was no bus to the shopping mall '쇼핑몰로 가는 버스가 없어서'이며, there be 구문 (~이 있다.)이 쓰였습니다. there과 be는 같이 쓰여 하나의 의미를 만들어 내므로 being은 생략될 수 없습니다.

► It <u>being</u> Saturday, we're having a family gathering.

    being 생략 불가

As it is Saturday, we're having a family gathering. '토요일이어서 우리는 가족 모임을 가질 것이다.'의 문장이며, 요일을 나타내는 비인칭 주어 it이 쓰였습니다. 실질적인 뜻이 없는 비인칭 주어 it은 be 동사와 함께 쓰여야 자신의 역할을 할 수 있어 being은 생략 불가합니다.

② being, having been 바로 뒤에 분사(~ing, p.p)나 보어(형용사나 명사) 이외의 성분이 오는 경우

► As she is as kind and warm-hearted a girl as I've ever met, she is loved by many people.

= <u>Being</u> as kind and warm-hearted a girl as I've ever met, she is loved by many people. (being 생략 불가)

위문장의 being 바로 다음에 분사, 형용사(구), 명사(구)가 아닌 as가 왔기 때문에 being은 생략될 수 없습니다.

  다음 문장의 being은 생략 가능합니다.

► As she is kind and warm-hearted, she is loved by many people.

= (Being) kind and warm-hearted, she is loved by many people.

7. 분사 구문의 시제

1) 단순 분사 구문 ~ing ... / ~ed ..., S V

단순 분사 구문 ~ing...나 ~ed...는 주절의 동사의 시제와 같습니다. 주절의 동사의 시제에 맞추어 분사 구문을 해석해야 합니다. 분사의 형태(~ing / ~ed)는 분사 구문의 원형절의 주어와 동사의 관계가 능동인지 수동인지에 의해서 결정되는 것이지, 시제에 의해서 결정되는 것이 아닙니다.

S V	~ ing ... / ~ ed ... 단순 분사 구문
주절의 시제	분사 구문의 시제
현재	현재
과거	과거

2) 완료 분사 구문 Having p.p ..., S V

완료 분사 구문은 분사 구문이 완료 시제와 결합된 having p.p와 having been p.p이며, 주절의 동사의 시제보다 한 시제 먼저 일어난 것을 나타냅니다. to 부정사나 동명사(~ing)나 분사 구문(~ing)의 경우 주절보다 한 시제 먼저 일어난 것을 나타내기 위해서 have p.p를 이용하여, to have p.p 또는 having p.p로 표현합니다.

S V	having p.p / having been p.p 완료 분사 구문
주절의 시제	분사 구문의 시제
현재	과거
과거	대과거

Having washed her hair, she reached for the hair dryer.
 = After she had washed her hair, she reached for the hair dryer.
그녀는 머리를 감은 후에 드라이기에 손을 뻗었다.

Washing her car, she sang to the songs on the radio.

= As she washed her car, she sang to the songs on the radio.

그녀는 세차를 하면서, 라디오에서 나오는 노래에 맞춰 노래 불렀다.

I have no time to read a book, having spent so long doing my homework.

= I have no time to read a book because I spent so long doing my homework.

나는 숙제하는데 시간을 많이 써버려서 책 읽을 시간이 없다.

I have no time to read a book, being busy doing my homework.

= I have no time to read a book because I am busy doing my homework.

나는 숙제하느라 바빠서 책 읽을 시간이 없다.

Having finished dinner, I went for a walk.

= After I had finished dinner, I went for a walk.

나는 저녁을 먹은 후에 산책하러 갔다.

★*NOTE: 준동사의 단순 시제와 완료 시제

준동사	to 부정사	동명사	분사
단순 시제	to V / to be p.p	Ving / being p.p	Ving / (being) p.p
완료 시제	to have p.p to have been p.p	having p.p having been p.p	having p.p (having been) p.p

준동사에는 to부정사, 동명사, 분사가 있고, 준동사가 생긴 이유는 문장의 기본 원칙을 지키기 위해서입니다. 문장의 기본 원칙은 한 문장 안에 주어와 동사가 각각 하나만 존재해야 한다는 것입니다. 문장의 메인 동사 이외에 동작이나 상태를 보여주는 동사가 더 필요한 경우, 동사에 to나 ing를 붙여 to부정사, 동명사, 분사의 형태로 만들어 메인 동사와 한 문장에 공존하게 만듭니다.

준동사의 단순 시제는 본동사의 시제와 일치하며, 준동사의 완료 시제는 주절의 동사보다 한 시제 먼저 일어났다는 것을 나타냅니다.

8. 분사 구문의 부정문

분사 구문의 부정은 분사 바로 앞에 not이나 never을 붙인 것입니다. not / never이 분사 바로 앞에 위치해 분사의 부정의 의미를 명확히 나타냅니다.

능동/단순 분사구문 부정	수동/단순 분사구문 부정
not ~ing	not being p.p

능동/완료 분사구문 부정	수동/완료 분사구문 부정
not having p.p	not having been p.p

Not knowing what to say, I just kept smiling.
뭐라고 말해야 할지 몰라서, 나는 계속 미소만 짓고 있었다.

He felt relieved, not being left alone.
그는 홀로 남겨지지 않아서 안심했다.

Not having been invited, they were extremely disappointed.
그들은 초대받지 못해서 굉장히 실망했다.

I have worked hard to make a living all my life, not having been born with a silver spoon in my mouth.
나는 금수저로 태어나지 않았기 때문에 생계를 위해서 평생 열심히 일해왔다.

* NOTE 1: having **not** p.p의 형태가 쓰이기도 합니다.
Having not made himself ready for the interview, he looked nervous and stammered.
그는 인터뷰 준비를 하지 못해서, 긴장돼 보이고 말을 더듬었다.

* NOTE 2: 준동사의 부정문
 to 부정사와 동명사의 부정 또한 분사와 같이 to 부정사나 동명사 바로 앞에 not을 붙이는 것입니다. 부정하는 것 바로 앞에 not을 붙이는 것이 부정의 내용 전달 시 가장 효율적이기 때문입니다.

┌ to 부정사의 부정문 – not to V
└ 동명사의 부정문 – not Ving

238

준동사	to 부정사	동명사	분사
단순 시제	not to V / not to be p.p	not Ving / not being p.p	not Ving / not being p.p
완료 시제	not to have p.p not to have been p.p	not having p.p not having been p.p	not having p.p not having been p.p

Not wanting to bother you, can I talk to you for a minute?

Wanting **not** to bother you, I'm going to leave soon.

위의 두 문장의 분사 구문의 차이점을 살펴봅시다. 비슷해 보이지만 not의 위치가 다릅니다. not의 위치에 따라서 뜻도 달라집니다. 첫 번째 문장의 분사 구문은 wanting을 부정하므로 '원하지 않아서'이고 주절과 유기적으로 해석하면 '원하지 않지만'이 됩니다. 두 번째 문장의 분사 구문은 to bother you를 부정하므로 '너를 괴롭히지 않기를'로 해석됩니다. 두 문장의 완전한 해석은 다음과 같습니다.

'너를 귀찮게 하길 원하지 않지만, 잠깐 이야기할 수 있을까?'

'너를 귀찮게 하고 싶지 않아서, 곧 갈 거야.'

【 분사 구문 정리 】

	주어와 동사의 관계: **능동**		주어와 동사의 관계: **수동**	
주절의 시제와 **일치**	긍정	부정	긍정	부정
	Ving	not Ving	being p.p	not being p.p
주절의 시제보다 **한 시제 앞섬**	긍정	부정	긍정	부정
	having p.p	not having p.p	having been p.p	not having been p.p

9. 정형화된 분사 구문

1) with + 목적어 + 목적격 보어 (분사 Ving / Ved or 형용사, 형용사구)
: 목적어가 목적격 보어 <u>한 채로</u> or 목적어가 목적격 보어 <u>하면서</u>

목적격 보어 자리에 분사가 올 경우 목적어와 분사의 관계 파악이 중요합니다. 목적어와 분사의 의미상 관계가 능동이나 분사가 진행의 의미이면 ~ing, 수동이나 완료이면 ~ed가 쓰입니다.

She was sitting **with her legs crossed**.
그녀는 다리를 꼰 채로 앉아있었다.

It is dangerous to sleep in your car **with the windows closed**.
창문을 닫은 채로 차에서 자는 것은 위험하다.

He was running along the park **with his dog following him**.
그는 공원을 쭉 달렸고, 그의 강아지도 그를 따랐다.

A gentle breeze is blowing **with her hair flying**.
산들바람이 그녀의 머리카락을 흩날리며 불고 있다.

It's considered rude to eat **with your elbows on the dining table**.
식탁에 팔꿈치를 올려놓고 식사하는 것은 무례하다고 여겨진다.

Tom lay back on the grass **with his arms behind his head**.
톰은 팔을 베고 잔디에 누워있었다.

With those concerns in mind, we should come up with a good solution.
그 우려 사항들을 염두에 두면서, 우리는 좋은 해결책을 생각해 내야 한다.

Don't talk **with your mouth full**.
입에 음식을 가득 문 채로 말하지 마라.

Sam had dinner **with the TV on**. = Sam had dinner and the TV was on.
Sam은 TV를 켜 놓고 저녁을 먹었다.

2) 비인칭 독립분사구문 관용표현

구어체나 문어체에서 문장의 효율성을 위해 자주 사용되어 왔던 분사 구문이 이제는 하나의 굳어진 표현이 된 것입니다. 이들의 주어는 주로 일반적인 막연한 대상(people, they, you, we 등)이기 때문에 주절의 주어와 다르더라도 생략됩니다.

strictly speaking: 엄격히 말해서

technically speaking: 엄밀히 말해서, 전문적으로 말해서

generally speaking: 일반적으로 말해서

roughly speaking: 대략적으로 말해서

honestly speaking / frankly speaking: 솔직히 말해서

judging from (by) N: ~로부터 판단해보건대

considering that S V / granted that S V: that 이하를 고려해보면

speaking of N: ~에 대해 말하자면

putting it simply = simply put: 간단히 말해서

compared with N / compared to N: ~와 비교하면

all things considered: 모든 것을 고려해 볼 때

I can speak five languages. However, **technically speaking**, I have never studied them.
나는 5개 국어를 할 수 있다. 하지만, 엄밀히 말해서 나는 그것들을 공부한 적은 없다.

Speaking of hobbies, do you still play golf every Sunday?
취미 이야기가 나왔으니까 하는 말인데, 요즘도 일요일마다 골프 쳐?

All things considered, that is a good bargain.
모든 것을 고려해 봤을 때, 그건 싸고 좋은 물건이다.

He looks much healthier **compared to** this time last year.
그는 작년 이맘때에 비해서 훨씬 더 건강해 보인다.

분사 문제

♣ 다음 문장에 대한 질문에 답해주세요. (1 ~ 3)

1. The girl living in that house is from England.

   (1) living in that house가 꾸며주는 명사는?

   (2) 주어부 찾기:

   (3) The British girl has been (living / lived) in that house.

2. Tom has several used lamps.

   (1) used가 꾸며주는 명사는?

   (2) 목적어 찾기:

   (3) Several lamps are (using / used).

3. Some kids are scared of the sound of a balloon popping.

   (1) scared가 꾸며주는 명사는?

   (2) 보어 찾기:

   (3) some kids (scaring / scared) of ghosts

♣ 둘 중 옳은 것을 고르세요. (4 ~ 11)

4. The window was (breaking / broken) by the man.

5. Look at the singer (surrounding / surrounded) by many fans.

6. The cops were chasing the guy (running / run) extremely fast.

7. I feel (tiring / tired) today.

8. The movie was easily predictable, so it was (boring / bored).

9. Who is the man (wearing / worn) a baseball cap there?

10. The glass (filling / filled) with water is on the table.

11. The cars were moving slowly on the roads (clogging / clogged) with traffic.

♣ 밑줄 친 부분을 현재 분사 또는 과거 분사로 바꾸어 주세요. (12 ~ 19)

12. A <u>laugh</u> man is stronger than a suffering man.

13. I had crispy <u>fry</u> chicken for a late-night snack.

14. It was quiet and I could hear some birds <u>sing</u>.

15. Roads and bridges were <u>destroy</u>, and about 1,000 homes were badly damaged.

16. Leave the door <u>close</u>, please.

17. The water <u>boil</u> on the stove is hot.

18. There have been <u>heat</u> debates about freedom of religion.

19. I saw people <u>sit</u> in a circle around the campfire.

♣ 다음 문장에서 어색한 부분을 찾아 고쳐주세요. (20 ~ 25)

20. Tom had his watch repairing.

21. I could smell some bread in the oven burnt.

22. I noticed Tom and Sally to have a meal in a restaurant.

23. He was reading a novel, stand by the window.

24. That is Sue's house building by a famous architect.

25. She was surprising to hear the news about him.

분사 구문 문제

♣ 다음 중 적절한 것을 고르세요. (1 ~ 5)

1. _____ hard, we reached the injured man.

① Running   ② Run

③ To run   ④ For running

2. _____ for their skin care products, the cosmetic company has launched a new product.

① Know   ② To know

③ Knowing   ④ Known

3. When _____ home, he found that his son had brought his friends over.

① arrive   ② to arrive

③ arriving   ④ arrived

4. The machine _____, I had to call a mechanic.

① being out of order   ② to be out of order

③ be out of order   ④ was out of order

5. _____ about that, she couldn't say anything.

① Having no heard

② Never having heard

③ Not to have heard

④ Had not heard

♣ 다음 문장을 분사 구문으로 만들어 주세요. (6 ~ 10)

6. As the K-pop group was recognized as the best in the world, they won the award.

= _____, the K-pop group won the award.

244

7. After they had bought their tickets in advance, they went to the art exhibit.

= _____ in advance, they went to the art exhibit.

8. As it was late at night, I wanted to go to bed.

= _____, I wanted to go to bed.

9. I fell asleep while I was watching television.

= I fell asleep _____.

10. The man only went into the shallow water because he was not able to swim.

= The man only went into the shallow water, _____.

♣ 다음의 분사 구문 문장을 종속 접속사가 있는 복문으로 만들어 주세요. (11 ~ 16)

11. I don't know her, living next door to her.

= I don't know her, _____.

12. Everyone was sent home, there being nothing suspicious.

= Everyone was sent home, _____.

13. Walking down the street, my sister ran into an old friend of hers.

= _____, she ran into an old friend of hers.

14. Not having a car, he finds it difficult to get around.

= _____, he finds it difficult to get around.

15. Coming into the house, Sally found an adorable cat.

= _____, she found an adorable cat.

16. Having lost all money, I came home with no money in my pocket.

= _____, I came home with no money in my pocket.

Chapter 8   관계대명사

관계대명사 (= 접속사 + 대명사)

관계대명사는 명칭 그대로 명사를 매개로 종속절을 주절에 연결해 주는 역할을 합니다. 관계대명사가 쓰인 문장에는 문장의 중심이 되는 주절이 있고, 관계대명사가 있는 종속절이 있습니다. 관계대명사가 있는 절은 주절의 한 명사인 선행사를 꾸며주는 형용사절이고 우리말의 안긴 문장과 비슷합니다. 단, 관계대명사 what은 명사절로 쓰입니다. what 자체에 선행사가 포함되어 있기 때문입니다.

선행사의 종류(사람, 사물)와 형용사절에서 선행사와 겹치는 명사의 자리(주격, 목적격, 소유격)에 따라서 관계대명사가 결정됩니다.

선행사＼격	주격	소유격	목적격
사람	who	whose	who(m)
사물	which	whose, of which	which
사람, 사물, 동물	that	-	that
선행사 없음	what	-	what
	바로 뒤에 동사	바로 뒤에 명사	바로 뒤 주어 + 동사
	be동사와 함께 생략가능	생략 불가	생략 가능

1. 주격 관계대명사

　관계대명사가 있는 문장에는 <u>주절</u>과 주절을 꾸며주는 관계대명사절 즉 <u>형용사절</u>이 있습니다. 형용사절의 주어가 주절의 꾸밈을 받는 명사(선행사)와 같을 때, 형용사절에 주격 관계대명사를 사용하여 주절에 연결시킵니다. 형용사절의 주어 자리에 주격 관계대명사를 넣고, 주절에서 꾸밈을 받는 명사 바로 뒤에 관계대명사절을 붙여 두 문장을 연결시킨 문장입니다. 주격 관계대명사는 형용사절의 주어 자리를 대신하므로 주격 관계대명사 다음에는 동사가 옵니다. '주격 관계대명사 + be동사'는 생략 가능합니다.

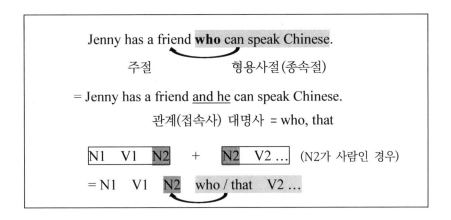

Jenny has <u>a friend</u>.　+　<u>He</u> (Jenny's friend) can speak Chinese.

① 두 문장에서 같은 대상을 가리키는 공통된 명사를 찾습니다: 사람/사물 구분
　　a friend & He "사람"

② 앞 문장은 그대로 둡니다.

③ 뒤 문장에서 겹치는 명사의 자리를 확인합니다.
　　He　"주어"

　사람이고 주어 자리이므로 주격 관계대명사 who나 that이 적합합니다. 관계대명사가 쓰이면 선행사와 겹치는 명사(he)는 제거됩니다.

　　사람 + 주어 = "who", "that"

④ 관계대명사절은 형용사절이므로 앞 문장의 겹치는 명사 바로 뒤에 연결됩니다.
　　"선행사 a friend 뒤에 (he 빼고) who/that can ... 연결"

　Jenny has a friend who can speak Chinese.

The book, **which** is next to the vase, is hers.
형용사절

= The book is hers, <u>and it</u> is next to the vase.
관계(접속사) 대명사 = which

| N | V1 ... | + | N | V2 ... | (N이 사물인 경우) |

= N, which V2..., V1...

The book is hers.   It is next to the vase.

① 두 문장에서 같은 대상을 가리키는 공통된 명사를 찾습니다: 사람/사물 구분

The book & It "사물"

② 앞 문장은 그대로 둡니다.

③ 뒤 문장에서 겹치는 명사의 자리를 확인합니다.

It "주어"

사물이고 주어 자리이므로 주격 관계대명사 which가 적합합니다. that은 콤마 다음에 쓰일 수 없습니다. 관계대명사가 쓰이면 선행사와 겹치는 명사(it)는 제거됩니다.

사물 + 주어 = "which"

④ 관계대명사절은 형용사절이므로 앞 문장의 겹치는 명사 바로 뒤에 연결됩니다.

"선행사 The book 뒤에 (it 빼고) which is ... 연결"

The book, which is next to the vase, is hers.

I know a boy **who** has composed songs since he was six.
나는 여섯 살 때부터 작곡을 한 소년을 안다.

Sally's father **who** has lots of grit and patience is admired by many people.
투지와 참을성이 강하신 샐리의 아버지는 많은 사람에 의해 존경받는다.

248

I have some books **which** are too big for my bag.
내 가방에 비해 너무 큰 책 몇 권을 가지고 있다.

He wore a mask **which** made him look like Shrek.
그는 그를 슈렉처럼 보이게 하는 가면을 썼다.

Have you ever stayed at the ABC hotel **which** offers the spa facilities?
스파 시설을 제공하는 ABC 호텔에 머물어 본 적이 있습니까?

I know the girl and her dog **that** are walking side by side.
나는 나란히 산책 중인 소녀와 그녀의 강아지를 안다.

Do you have the same kind of thing **that** belongs to Sam?
샘이 갖고 있는 같은 종류의 것을 너도 갖고 있어?

Come up with a plan **that** fixes these problems.
이 문제들을 해결할 방안을 생각해 보자.

I am talking about people **who** are like us.
나는 우리와 비슷한 사람들에 대해서 말하는 것이다.

* NOTE 1: 주격 관계대명사의 수의 일치

주격 관계대명사절의 주체는 주격 관계대명사 앞에 위치하는 선행사와 같습니다. 따라서 주격 관계대명사절의 동사의 단수와 복수는 선행사의 수에 의해서 결정됩니다.

The teacher who **lives** next door is nice.
우리 옆집에 사는 선생님은 상냥하시다.
◦ 옆집에 사는 사람이 (선행사인) 선생님이므로 3인칭 단수형인 lives가 됩니다.

The apples which **are lying** on the table are sweet.
식탁에 놓여있는 사과들이 달다.
◦ 식탁에 놓인 것이 (선행사인) 사과들이므로 복수인 are이 됩니다.

249

The department is experiencing **problems** which **have delayed** production.

그 부서는 생산을 지연시키는 문제들을 겪고 있다.

◦ 생산을 늦추는 것이 (선행사인) 문제들이므로 복수 동사 have가 와야 합니다.

* NOTE 2: 주격 관계대명사 + be 동사 생략

주격 관계대명사 who / which / that 다음에 be동사가 오는 경우에 주격 관계대명사와 be동사가 함께 생략 가능합니다.

I spoke to a man who was sitting under a tree.

= I spoke to **a man** sitting under a tree.

나는 나무 아래 앉아 있는 어떤 남자에게 말을 건넸다.

We read the emails which were sent by the manager.

= We read **the emails** sent by the manager.

우리는 그 매니저가 보낸 이메일을 읽었다.

Do you know the girl that is in a yellow dress?

= Do you know **the girl** in a yellow dress?

너는 노란 드레스를 입은 소녀를 알아?

* NOTE 3: 예외적으로 주격 관계대명사만 단독으로 생략 가능한 경우

 i) 관계대명사가 주격 보어로 쓰이는 경우: 주격 보어가 생략된 관계대명사절

   He is not the man (that) he was.

 ii) 주절이나 관계대명사절에 there be동사 구문이 있는 경우

   This is one of the oldest buildings (that) **there are** in the world.

 iii) 관계대명사절 안에 삽입절이 쓰인 경우

   That is the boy (who) **she thinks** will be a great actor.

   There are many things (that) **I guess** have not been revealed.

2. 목적격 관계대명사

관계대명사절(형용사절)의 목적어가 주절의 한 명사(선행사)와 같을 때, 형용사절의 목적어를 제거하고, 대신 목적격 관계대명사를 사용하여 주절에 연결시킵니다. 이때 형용사절은 목적어가 제거되어 '목적격 관계대명사 + 주어 + 동사'순이므로, 목적격 관계대명사 바로 다음에는 형용사절의 주어와 동사가 옵니다. 목적격 관계대명사는 생략 가능합니다.

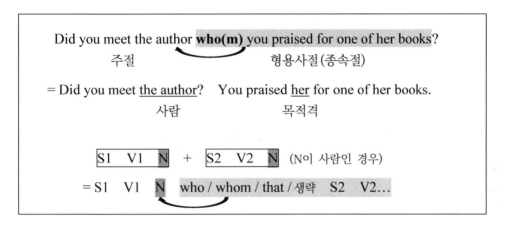

Did you meet <u>the author</u>?   +   You praised <u>her</u> for one of her books.

① 두 문장에서 같은 대상을 가리키는 공통된 명사를 찾습니다: 사람/사물 구분
   The author & her   "사람"

② 앞 문장은 그대로 둡니다.

③ 뒤 문장에서 겹치는 명사의 자리를 확인합니다.
   her   "목적어"

사람이고 목적어 자리이므로 목적격 관계대명사 who, whom, that이 적합합니다.
관계대명사가 쓰이면 선행사와 겹치는 명사(her)는 제거됩니다.

   사람 + 목적어 = "who", "whom", "that", 생략 가능

④ 관계대명사절은 형용사절이므로 앞 문장의 겹치는 명사 바로 뒤에 연결됩니다.
   "선행사 the author 뒤에 (her 빼고) who/whom/that praised ... 연결"
   목적격은 생략 가능하기 때문에 Did you meet the author you praised for one of her books? 라고도 표현될 수 있습니다.

251

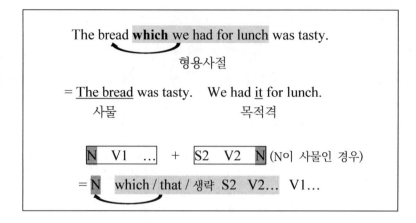

The bread was tasty.   +   We had it for lunch.

① 두 문장에서 같은 대상을 가리키는 공통된 명사를 찾습니다: 사람/사물 구분

　　The bread & it "사물"

② 앞 문장은 그대로 둡니다.

③ 뒤 문장에서 겹치는 명사의 자리를 확인합니다.

　　it "목적어"

　사물이고 목적어 자리이므로 목적격 관계대명사 which나 that이 적합합니다.

　관계대명사가 쓰이면 선행사와 겹치는 명사(it)는 제거됩니다.

　　사물 + 목적어 = "which", "that", 생략 가능

④ 관계대명사절은 형용사절이므로 앞 문장의 겹치는 명사 바로 뒤에 연결됩니다.

　　"선행사 the bread 뒤에 (it 빼고) which/that(생략가능) can … 연결"

　　The bread (that) we had for lunch was tasty.

I know a boy **who(m)** you invited to the party.

나는 너가 파티에 초대한 소년을 안다.

After **whom** do I get on the stage?　　◦전치사 뒤 목적격 관계대명사 생략 불가

누가 다음에 제가 무대에 나가면 될까요?

I have the book you should prepare for the class. (목적격 관계대명사 생략)

나는 그 수업을 위해서 너가 준비해야만 하는 책을 가지고 있다.

The data **which** we are looking for are missing.

우리가 찾고 있는 자료가 누락됐다.　　　　∘ data: datum의 복수형

Here is the first thing **that** you need to know about the early days of mass media.

대중 매체 초창기에 관해서 첫 번째로 알아야 할 것이 있습니다.

Everyone I know thinks highly of the public campaign. (목적격 관계대명사 생략)

내가 아는 모든 사람들은 그 공공 캠페인을 높이 평가합니다.

What's the name of the movie you're going to see? (목적격 관계대명사 생략)

너가 보려고 하는 영화 이름이 뭐야?

The woman **who** he had fallen in love with left him a few weeks later.

그가 사랑했던 여자는 몇 주 후에 그를 떠났다.

*NOTE: 전치사를 수반한 관계대명사

관계대명사절에 동사구가 쓰일 때, 동사구의 전치사는 동사 다음에 오거나 관계대명사 바로 앞에 위치합니다. 전치사가 동사 다음에 오는 경우에는 목적격 관계대명사가 쓰인 다른 문장들처럼 목적격 관계대명사가 생략 가능하고, that도 올 수 있습니다. 하지만 관계대명사절의 <u>동사구의 전치사가 관계대명사 앞에 위치하면 관계대명사는 생략될 수 없습니다.</u> 또한, 전치사나 콤마 다음에는 관계대명사 that을 쓸 수 없는 게 원칙이므로 전치사가 관계대명사 앞에 위치할 할 경우에는 관계대명사 that은 쓰일 수 없습니다.

I ran into *a man*. + I work with *him*.

I ran into a man **whom** I work **with**.

I ran into a man **that** I work **with**.

I ran into a man I work **with**. (목적격 관계대명사 생략)

I ran into a man **with whom** I work. (전치사 다음에 who는 쓰일 수 없음.)

나는 우연히 마주쳤다. 한 남자를 / 같이 일하는

∘ 『전치사 + 목적격 관계대명사』에서 전치사 다음의 목적격 관계대명사는 생략될 수 없습니다.

　　I ran into a man <u>with I work</u>. (X) → I ran into a man **with whom I work**. (O)

　　또한, 관계대명사 that 앞에 전치사가 쓰일 수 없으므로 with that (X)은 틀린 표현입니다.

　　I ran into a man <u>with that I work</u>. (X)

Grapes are the <u>raw materials</u>.   +   Wine is made from <u>grapes</u>.

Grapes are the raw materials **which** wine is made **from**.

Grapes are the raw materials **that** wine is made **from**.

Grapes are the raw materials wine is made **from**.

Grapes are the raw materials **from which** wine is made.

포도는 와인이 만들어지는 원재료이다.

◦ grapes가 선행사가 되면 Grapes from which wine is made are raw materials. '와인이 만들어지는 포도는 원재료다.'라고 해석되며, 문법적으로 틀린 곳은 없지만 뜻이 어색하기 때문에 문맥상 raw materials가 선행사가 되는 것이 자연스럽습니다.

Let's listen to <u>her song</u>.   +   The singer is most proud of <u>the song</u>.

Let's listen to her song **which** the singer is most proud **of**.

Let's listen to her song **that** the singer is most proud **of**.

Let's listen to her song the singer is most proud **of**.

Let's listen to her song **of which** the singer is most proud.

그녀의 노래를 들어봅시다. / 그 가수가 가장 자랑스러워하는

I want to travel to <u>the U.K</u> someday.   +   Tom lives in <u>the U.K.</u>

I want to travel to the U.K **which** Tom lives **in** someday.

I want to travel to the U.K **that** Tom lives **in** someday.

I want to travel to the U.K Tom lives **in** someday.

I want to travel to the U.K **in which** Tom lives someday.

I want to travel to the U.K **where** Tom lives someday.

나는 여행을 가고 싶다. 영국으로 / Tom이 살고 있는 / 언젠가

◦ 전치사 + 관계대명사 = 관계부사: in which는 '영국에서'라는 장소를 가리키는 부사이기도 하고, 두 문장을 한 문장으로 합쳐주는 접속사 기능도 하므로 관계부사 where이 대신 쓰일 수 있습니다.

3. 소유격 관계대명사

 형용사절의 소유격의 주체, 즉 소유격 관계대명사의 주체가 주절의 한 명사일 때, 형용사절의 소유격을 제거하고 소유격 관계대명사를 사용하여 그 주체 명사(선행사) 바로 다음에 소유격 관계대명사절을 붙여 관계되는 문장입니다. 소유격 관계대명사 다음에는 명사가 오게 됩니다.

♠ 선행사가 사람일 경우 whose

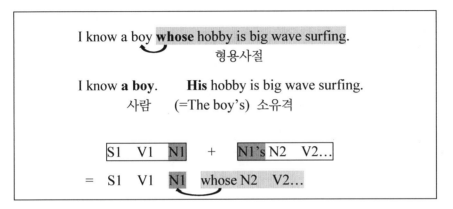

♠ 선행사가 사물일 경우 whose, of which

i) The book **whose** cover is light yellow is what James is looking for.
　　　　　　　　　　형용사절

　The book is what James is looking for.　**Its** cover is light yellow.
　사물　　　　　　　　　　　　　　　　(=The book's) 소유격

ii) The book **of which** the cover is light yellow is what James is looking for.

　소유격 대명사의 선행사가 사물일 때 whose 대신 of which를 쓸 수 있습니다. 그러므로 i)번 문장에 whose 대신 of which를 써도 같은 의미가 됩니다.

iii) The book the cover **of which** is light yellow is what James is looking for.

　ii)번 문장에서 'of which + 명사'의 형태가 '명사 + of which'의 형태로도 쓰일 수 있습니다. 따라서 of which the cover를 the cover of which로 바꾸어 써도 같은 의미가 됩니다.

255

$$\boxed{\begin{array}{l}
\text{N1}\ \ \text{V1...}\ \ \ +\ \ \ \text{N1's N2}\ \ \text{V2...} \\[4pt]
=\ \text{N1}\ \ \mathbf{whose}\ \text{N2}\ \ \text{V2...}\ \ \text{V1...}\ . \\[4pt]
=\ \text{N1}\ \ \mathbf{of\ which}\ \text{N2}\ \ \text{V2...}\ \ \text{V1...}\ . \\[4pt]
=\ \text{N1}\ \ \text{N2}\ \mathbf{of\ which}\ \text{V2...}\ \ \text{V1...}\ .
\end{array}}$$

▶ 선행사가 사람일 때

It was a great honor for me to meet Mr. Bong **whose** movie won the Academy Award.

아카데미상을 받은 영화의 봉감독을 만난 것은 나에게 큰 영광이었다.

The customer **whose** name is Bill just called you.

빌이라는 이름의 고객으로부터 당신을 찾는 전화가 방금 왔었습니다.

▶ 선행사가 사물일 때

This is the word **which** I don't know the meaning **of**.

This is the word **of which** I don't know the meaning.

This is the word the meaning **of which** I don't know.

This is the word **whose** meaning I don't know.

이것은 내가 알지 못하는 뜻의 단어이다.

The car, **whose** owner is a young man, was made in Germany.

The car, **of which** the owner is a young man, was made in Germany.

The car, the owner **of which** is a young man, was made in Germany.

어느 젊은 사람이 몰고 다니는 그 차는 독일에서 만들어진 것이다.

4. 관계대명사 what

 실질적인 뜻이 없는 who, which, that과 달리 what은 '~한 것'[=the thing(s) that/which]
이라는 뜻을 갖습니다. what 자체에 선행사가 포함되어 있어 관계대명사 what의 선행사는
존재하지 않습니다. what 절의 형태에는 「what + 동사 …」와 「what + 주어 + 타동사 …」 두
가지가 있습니다. 「what + 동사 …」인 경우 what이 주어 역할까지 하므로 what은 주격 관
계대명사입니다. 「what + 주어 + 타동사 …」의 경우 what이 타동사의 목적어 역할을 하기
때문에 what은 목적격 관계대명사입니다. 관계대명사 what이 쓰인 절은 명사절로 주어,
목적어, 보어의 역할을 하며. 단수 취급합니다.

♠ 주어 자리의 what절

What matters is doing our best in our daily lives.　　　　　　　(주격)

중요한 것은 일상 생활에서 우리가 최선을 다하는 것입니다.

　◦ what matters가 하나의 명사절이며, what이 matters의 주어 역할을 하므로 what은 주격입니다.
참고로, matter와 count는 동사로 '중요하다.'라는 뜻이 있습니다.

What I told you before was true.　　　　　　　　　　　　　　(목적격)

내가 전에 너에게 말한 것은 사실이었다.

　◦ tell이라는 동사는 tell + N1 (누구에게) + N2 (무엇을)의 어순으로 두 개의 목적어를 갖습니다.
따라서 위의 문장에서 what은 tell의 N2 목적어를 대신하므로 목적격 관계대명사입니다.

What we could do was minimize the risk of infection.　　　　(목적격)

우리가 할 수 있었던 것은 감염의 위험을 최소화하는 것이었다.

　◦ 주어부에 「What + 주어 + do」의 형태가 쓰인 경우 서술어 자리에 「be동사 + to V」 대신 「be동
사 + 동사 원형」이 주로 쓰입니다. what이 we could do의 목적어 역할을 하므로 목적격입니다.

♠ 목적어 자리의 what절

I bought my daughter what she needed.　　　　　　　　　　(목적격)

나는 딸에게 그 아이가 필요한 것을 사줬다.

I will send what was promised.　　　　　　　　　　　　　　(주격)

약속된 것을 보내겠습니다.

Don't put off till tomorrow what can be done today.　　　　　(주격)

오늘 끝낼 수 있는 일을 내일로 미루지 마라.

♠ 전치사 다음의 목적어 what절

I'm looking for what I bought yesterday.   (목적격)
어제 내가 산 것을 찾고 있는 중이야.

Stop thinking about what makes you sad.   (주격)
너를 슬프게 하는 것에 대해 그만 생각해.

The team tried to focus on what they desired.   (목적격)
그 팀은 그들이 바라는 것에 집중하려고 애썼다.

♠ 보어 자리의 what절

Challenges are what make life interesting.   (주격)
도전은 삶을 재미있게 만들어주는 것이다.

Here is what you should know.   (목적격)
여기 너가 알아만 하는 것이 있어.

Is this what you were asking for?   (목적격)
이것이 너가 부탁했던 거야?

*NOTE: 관계대명사 what   VS   의문대명사 what

　관계대명사 what과 의문대명사 what을 구별하는 기준은 <u>해석</u>입니다. 관계대명사 what
은 '**것**'으로 해석되고, 의문대명사 what은 '**무엇**'이라고 해석됩니다. 또한, 이미 어떠한
'것'이나 해야만 하는 '것', ~하게 만드는 '것'이라는 뉘앙스로 해석되면 관계대명사이고,
앞으로 할 '무엇', 현재 궁금한 '무엇'의 뉘앙스로 해석되면 의문대명사입니다. what이 관
계대명사 혹은 의문대명사로 명확히 구분되지 않는 경우도 있습니다.

It depends on **what** you want to use it for.   의문대명사 what
그것은 당신이 그것을 **무엇**을 위해서 사용하고 싶은지에 달려 있다.

That's **what** I wanted to say.   관계대명사 what
그것은 내가 말하고 싶었던 **것**이다.

You know **what** you have to do, but you have no idea **what** you truly want to do.
　관계대명사 or 의문대명사   관계대명사 or 의문대명사
너는 **무엇**을 해야 하는지 알지만, 너가 진정으로 **무엇**을 하기 원하는지는 모른다.
너는 해야 할 **것**은 알지만, 너가 진정으로 하기를 원하는 **것**을 모른다.

5. 계속적 용법과 한정적 용법

관계대명사는 comma(콤마, 쉼표)의 유무에 따라서 한정적 용법과 계속적 용법으로 나누어집니다.

한정적 용법은 콤마를 쓰지 않고, 말 그대로 관계대명사절(형용사절)이 선행사를 한정적으로 수식해 줍니다.

계속적 용법은 콤마가 사용되고, 콤마 앞부분을 해석하고 나서 계속해서 콤마 뒷부분을 해석해야 합니다. 계속적 용법의 선행사로 고유 명사나 특정 대상이 주로 쓰이고, 콤마 다음의 관계대명사절이 선행사에 대해 부가적인 설명을 해줍니다. 계속적 용법에서 which가 쓰일 경우 which 앞 절(주절) 전체가 which의 선행사가 될 수도 있습니다. 계속적 용법의 관계대명사는 생략될 수 없습니다. 계속적 용법에서는 that이 쓰일 수 없는데, 콤마 다음에 관계대명사 that은 올 수 없기 때문입니다.

예문을 통해 한정적 용법과 계속적 용법을 알아보겠습니다.

한정적 용법 She has three sons <u>who are doctors.</u>

      그녀는 <u>의사인</u> 아들이 세 명 있다.

계속적 용법 She has three sons, who are doctors.

        ① /   ②

      그녀는 세 명의 아들이 있는데, 그들은 의사이다.

위의 두 예문은 콤마의 유무에 따라 의미가 약간 달라집니다. 콤마가 없는 한정적 용법에서는 세 명의 아들 이외에 자녀가 더 있을 수 있습니다. 자녀가 세 명이라고 단정 짓는 것이 아니고, 의사인 세 아들에 초점이 더 맞춰져 있습니다. 콤마가 있는 계속적 용법에서는 아들이 세 명이라고 단정 짓고 나서 직업을 언급하기 때문에, 자녀가 총 아들 세 명만 있다고 볼 수 있습니다.

한정적 용법과 계속적 용법의 의미가 항상 다른 것은 아니며, 같은 경우도 많습니다.

다음은 계속적 용법의 예문입니다. 밑줄 친 부분이 관계대명사의 선행사입니다.

I have a coworker, **who**'s one of my friends. He's never been on a train.
직장 동료가 있는데 그는 내 친구이기도 하다. 그는 결코 기차를 타 본 적이 없다.

My cousin Sam, **who** lives in London, is a journalist.
나의 사촌 쌤은 런던에 살고 있는데 기자이다.

My new dog, **which** I adopted from the animal shelter last year, loves to chew on things.
내가 작년에 동물 보호소에서 입양한 새 강아지는 물어뜯는 것을 좋아한다.

There was me and there was Kate, **whose** party it was, and then there were two other people.
나와 케이트가 있었는데, 케이트의 파티였고, 다른 두 사람이 더 있었다.

The earth lay at the center of the universe with the sun and the moon revolving around it, **which** proved entirely incorrect.
태양과 달이 지구 주위를 돌며 지구가 우주 중심에 있다는 것은 완전히 틀린 것으로 증명됐다.
◦ 계속적 용법에서는 앞 절 전체가 which의 선행사가 될 수 있습니다.

He couldn't stay in the job, **which** was a pity.
그는 그 일을 계속 할 수 없었는데, 그것은 유감이었다.

These days, many people spend little time outdoors and rarely exercise outside, **which** leads to poor vitamin D production in their bodies.
요즘 많은 사람들이 실외에서 보내는 시간이 거의 없으며 밖에서 운동을 거의 하지 않는데, 이것이 체내 비타민D 생산 부족으로 이어지고 있습니다.

6. 관계대명사에서 더 알아두어야 할 사항들

1) 까다로운 관계대명사 that

 a. that만 쓰이는 경우

   ▪ 선행사로 사람과 사물 또는 사람과 동물이 함께 쓰일 때

   <u>A boy named Mowgli and Baloo, a brown bear,</u> **that** like to play with each other are swimming together.

   서로 같이 놀기 좋아하는 모글리라는 소년과 갈색곰 발루는 함께 수영 중입니다.
   ◦ 계속적 용법의 콤마가 아닌 동격을 표시하는 콤마 뒤에는 관계대명사 that이 쓰일 수 있음.

   ▪ 특정 선행사가 쓰일 때: 선행사가 유일하거나 한정적인 의미를 가질 때

   - the 최상급, the 서수 (first, second, third, fourth …)

   - the only, the same, the last, the very

   - all, every, much, some, any, little, no

   - everything, anything, nothing, everybody, anybody, nobody

   Look at <u>the second one</u> **that** I chose.
   내가 선택한 두 번째 것 좀 봐줘.

   The chore is <u>the last thing</u> **that** I want to do.
   허드렛일은 내가 가장 하고 싶지 않은 것이다.

   <u>All</u> **that** glitters is not gold.
   빛난다고 모두 금이 아니다.

   Don't buy <u>anything</u> **that** is not on the list.
   목록에 없는 것은 사지마.

   She is <u>the only one</u> **who**(that) can tackle the problem.
   그녀는 그 문제를 다룰 수 있는 유일한 사람이다.
   ◦ 특정 선행사에는 관계대명사 that만 쓰이지만, 선행사가 사람이면 "구어체"에서는 who가 쓰일 수 있습니다.

- 선행사가 의문대명사일 때나, 선행사가 의문대명사가 있는 의문문에 쓰일 때

Who **that** became lawyers this year are very polite.

올해 변호사가 된 사람들은 매우 예의 바르다.

Who is the boy **that** looks shy?

수줍어 보이는 그 소년은 누구야?

What is in the box **that** is on the desk?

책상 위에 있는 상자 안에는 무엇이 있나요?

Which is the one **that** you want?

너가 원하는 것은 어는 것이냐?

b. 관계대명사 that이 쓰이지 못하는 경우

- 콤마 다음에 that은 쓰일 수 없습니다. that은 한정적 용법에서만 쓰입니다.

The virus is transmitted through physical contact, **which** turns out not to be true. (O)

The virus is transmitted through physical contact, <u>that</u> turns out not to be true. (X)

그 바이러스는 신체적 접촉을 통해서 전염된다는 것이 사실이 아닌 것으로 밝혀졌다.

- 전치사 다음에 관계대명사 that은 쓰일 수 없습니다. 전치사도 콤마와 마찬가지로 의미상으로 문장을 끊는 역할을 하기 때문입니다.

That is the house **in which** I lived when I was little. (O)

That is the house <u>in that</u> I lived when I was little. (X)

저 집은 내가 어렸을 때 살던 집이다.

◎ in that S V (~라는 점에서): that은 부사절을 이끄는 접속사

I was fortunate **in that** I had good colleagues.

좋은 동료들을 가지고 있다는 점에서 나는 운이 좋다.

2) '주어가 생각하다' 삽입절이 있는 관계대명사 문장

주어와 '생각하다'라는 뜻을 가진 동사(think / suppose / believe / imagine / know / say / be sure etc.)로 이루어져 '주어가 생각하기에'라고 해석되는 삽입절이 관계대명사절 속에 관계대명사 바로 다음에 위치하는 것입니다. 관계대명사절이 누구의 생각인지를 나타내기 위해 삽입된 구문이며, 이 구문을 빼도 문법적으로는 자연스럽습니다. 따라서, 삽입절이 있는 관계대명사 문장의 문법적 요소를 따질 때 마치 삽입절이 없는 것처럼 생각하고 문장을 파악하면 이해가 쉽습니다.

He is the man who **I think** has good manners.
내가 생각하기에 그는 좋은 매너를 가진 사람이다.

We have searched some sites that **we believe** are worth a look.
우리는 우리가 볼만한 가치가 있다고 생각하는 몇몇 사이트를 검색했다.

The company will employ the woman who **she says** speaks Spanish fluently.
그 회사는 스페인어를 유창하게 한다고 말하는 그 여자를 고용할 것이다.

3) 관계대명사 what VS 관계대명사 that

관계대명사 what은 '것'이라는 뜻이며, the thing(s) that / the thing(s) which와 같습니다. 관계대명사 what 자체에 the thing(s)이라는 선행사를 포함하고 있습니다. 따라서 what이 꾸며주는 선행사는 존재하지 않습니다. 반면, 관계대명사 that이 쓰인 문장은 that절이 수식하는 선행사가 있어야 합니다. 관계대명사 what과 that을 구별하기 위해서는 이들 앞에 선행사(명사)의 유무를 확인해야 합니다. 관계대명사절은 선행사와 겹치는 주어나 목적어, 또는 소유격을 제거하고 관계대명사를 쓰기 때문에 관계대명사 what과 that이 쓰인 절은 모두 불완전한 절입니다.

Take **what** you want to drink.
=Take the one **that** you want to drink.
너가 마시길 원하는 것을 집어라.

Did you get **what** I said?
=Did you get the thing **that** I said?
당신은 제가 말한 것을 이해했습니까?

4) 관계대명사 that   VS   접속사 that

관계대명사 that 다음에는 불완전한 절이 옵니다. 주격 관계대명사 that이 이끄는 절에는 주어가 없고, 목적격 관계대명사 that이 이끄는 절에는 목적어가 없습니다. 또한, 관계대명사 that 앞에는 선행사(명사)가 존재합니다.

이와는 달리, 접속사 that 다음에는 완전한 절이 옵니다. 접속사 that은 수식하는 절이 아니라, 하나의 명사절이기 때문에 선행사가 존재하지 않습니다.

따라서, that이 관계대명사로 쓰였는지 접속사로 쓰였는지 구별하기 위해서는 that 절이 주어나 목적어 등이 빠진 불완전한 절인지 아니면 완전한 절인지, 그리고 that 앞에 선행사가 있는지를 살펴야 합니다.

I know a girl **that** wants to be a singer.　　　　　(주격 관계대명사)
나는 가수가 되고 싶어하는 한 소녀를 안다.

I was sure **that** she would become a singer.　　　(목적어를 이끄는 접속사)
나는 그녀가 가수가 될 것이라고 확신했다.

The odds **that** the girl untalented in singing will become a singer are not high.
　　　　　= (동격의 접속사)
노래에 재능 없는 소녀가 가수가 될 가능성은 높지 않다.

This is the watch **that** I bought yesterday.　　　　　(목적격 관계대명사)
이것이 내가 어제 산 시계이다.

Don't tell her **that** I bought the watch yesterday.　　(목적어를 이끄는 접속사)
내가 어제 시계를 샀다고 그녀에게 말하지 마.

Is she angry at the fact **that** you didn't tell her?
　　　　　　= (동격의 접속사)
그녀는 너가 그녀에게 말하지 않았다는 사실에 화가 난 거야?

* NOTE: 동격의 명사절 (명사 = 접속사 that + S + V)

사실이나, 정보, 가능성의 의미를 갖는 fact, information, evidence, condition, idea, belief, rumor, possibility, chance 등의 추상 명사를 완전한 that 절이 설명해 주는 것입니다. 말 그대로 이 추상 명사와 완전한 that 절이 동격인 것입니다. 관계대명사 that절과는 달리 접속사 that이 이끄는 절은 완전한 절 입니다.

5) 관계대명사 VS 대명사

다음의 예문에서 관계대명사와 대명사를 구별하는 기준은 <u>접속사의 유무</u>입니다. 접속사가 있다면 접속사 뒤에는 주어가 와야 하므로 명사의 한 종류인 대명사가 올 수 있습니다. 관계대명사는 두 문장을 관계시켜주는 접속사와 종속절의 명사를 함축하고 있습니다. 따라서, 두 절 사이에 공통되는 명사가 존재한다면 접속사를 없애고 형용사절의 겹치는 명사는 제거되고 관계대명사로 연결될 수 있습니다. 정리하자면 접속사가 있다면 대명사가 와야 하고, 접속사가 없다면 접속사 역할까지 하는 관계대명사가 와야 합니다.

DNA accumulates information through random errors, some of **which** just happen to work.

= DNA accumulates information through random errors, **and** some of **them** just happen to work.

DNA는 임의의 오류를 통해 정보를 축척하는데, 그 오류 중 일부만이 작용하게 됩니다.

There were a few solutions, none of **which** worked.

= There were a few solutions, **but** none of **them** worked.

= There were a few solutions, **but they** did not work.

해결책들이 몇 개 있었는데, 모두 효과가 없었다.

Most of her speech is made up of questions, few of **which** are answered.

= Most of her speech is made up of questions, **but** few of **them** are answered.

= Most of her speech is made up of questions, **but they** are hardly answered.

그녀의 화법은 대부분 질문으로 이루어지지만, 그 질문에 대한 답변은 거의 이루어지지 않는다.

☺ 관계대명사의 종류

격 선행사	주격	소유격	목적격
사람	A.	whose	B.
사물	which	C.	which
사람, 사물, 동물	D.	-	that
선행사 없음	what	-	what

1. 주어부를 찾고, 다음 문장을 두 문장으로 표현해 주세요.

   The machine that broke down has just been repaired.

   (1) that broke down이 꾸며주는 명사는?

   (2) 주어부:

   (3) The machine _____. + It broke down.

2. 주어부를 찾고, 다음 문장을 두 문장으로 표현해 주세요.

   The man who I was sitting next to on the plane talked all the time.

   (1) who I was sitting next to가 꾸며주는 명사는?

   (2) 주어부:

   (3) The man talked all the time. + I _____ on the plane.

   (4) 생략 가능한 부분을 찾아주세요.

3. 목적어를 찾고, 다음 문장을 두 문장으로 표현해 주세요.

   Everyone likes the boy that is putting on a blue hat.

   (1) that is putting on a blue hat이 꾸며주는 명사는?

   (2) 목적어:

   (3) Everyone likes the boy. + He _____.

   (4) 생략 가능한 부분을 찾아주세요.

♣ 다음 중 적절한 것을 고르세요. (4 ~ 12)

4. I know a girl (who / which) can speak French well.

5. The book (who / which) I bought last week is easy to read.

6. The bus (which / what) goes to the airport runs every hour.

7. Is that the man (which / whom) you met yesterday?

8. The only thing (that / which) overcomes hard luck is hard work.

9. Did you hear (which / what) he said?

10. The members have to know the ways (in which / which) they resolve conflicts.

11. Everything she (say / says) (is / are) true.

12. Some friends of mine who I wanted to see (was / were) away on holiday.

♣ 다음 밑줄에 알맞은 관계대명사를 써주세요. (13 ~ 21)

13. Anyone _____ wants to do the exam must register for it by next Friday.

14. Do you know that girl _____ name is Samantha?

15. This is the most exciting game _____ I've ever seen.

16. Last Monday I received a letter _____ was written in English.

17. That is the boy with _____ I played tennis yesterday.

18. It was totally different from _____ I had heard.

19. This is the high school _____ I graduated from.

20. This is the high school from _____ I graduate.

21. Is that _____ she wants to have?

♣ 다음 보기와 같이 관계대명사를 이용하여 한 문장으로 만드세요. (22 ~25)

> There were many students. + They were studying in the library.
>
> = There were many students who(that) were studying in the library.

22. I'll give you the dress.   +   It doesn't fit me well.

  = I'll give you the dress _____.

23. The girl is Amy.   +   You met her in the classroom.

  = The girl _____ is Amy.

24. The man was angry.   +   You hit his car.

  = The man _____.

25. Do you know the woman?   +   I was talking with her yesterday.

  = Do you know the woman that _____?

  = Do you know the woman with _____ I was talking yesterday?

26. 다음 문장의 that이 관계대명사인지 접속사인지 구별해 주세요.

  (1) This is all the money that I have.   관계대명사 / 접속사

  (2) It is certain that the man can swim.   관계대명사 / 접속사

  (3) The fact that she's older than me is not relevant.   관계대명사 / 접속사

27. 다음 중 생략할 수 없는 관계대명사를 고르세요.

① Have you found the wallet that you lost?

② The building that was destroyed by a fire has been rebuilt.

③ Who is the woman that is standing at the gate?

④ Everything that happened yesterday was my fault.

28. 다음 중 what의 성격이 다른 하나를 고르세요.

① This is what I mean.

② I wonder what we'll have for lunch.

③ What we hope for is a peaceful settlement of the conflict.

④ I could not believe what I saw there.

29. 다음 중 어색한 문장을 고르세요.

① That is the palace in which a king lived.

② The gentleman whom we are looking at is our new teacher.

③ There are countless tasks, none of them are easy.

④ What's the name of the man whose notebook you borrowed?

30. 다음 중 올바른 문장을 고르세요.

① The party that we went to last night amazing.

② The boy who is skating over there is my nephew.

③ Is this the house which he lives?

④ An architect is someone who design buildings and advise in the construction.

유사 관계대명사

유사 관계대명사에는 as, than, but이 있습니다. 우리가 흔히 알고 있는 관계대명사는 아니지만 관계대명사와 유사한 역할을 하기 때문에 유사 관계대명사라고 합니다. 관계대명사처럼 수식하는 절을 주절에 연결시켜주는 접속사 역할을 합니다. 유사 관계대명사절의 (선행사와 겹치는) 주어, 목적어, 보어가 제거되고, 그 절이 명사(선행사)를 수식하는 경우가 있습니다. 또는, 절 전체가 선행사가 되거나, 하나의 굳어진 표현으로 사용되기도 합니다. 유사 관계대명사 as, than, but은 아래 표와 같이 각각 정해진 선행사 형태를 동반합니다.

선행사	유사 관계대명사
the same, as, such, so + 명사	as
비교급 + 명사	than
no + 명사, nothing	but

1. 유사 관계대명사 as

the same, as, such가 선행사에 포함되며, 유사 관계대명사 as 다음에 선행사와 겹치는 성분은 제거됩니다.

a. the same이 선행사에 포함된 경우

Can I get the same food as we had for lunch yesterday?

= Can I get the same food that we had for lunch yesterday?

어제 점심에 먹었던 것과 같은 음식을 먹을 수 있을까?

This is the same watch as I lost. (같은 종류)

≒ This is the same watch that I lost. (같은 물건)

이것은 내가 잃어버린 것과 같은 시계이다.

∘ the same N as와 the same N that의 뜻이 약간 다를 수도 있습니다. the same N as는 같은 종류의 것을 가리키고, the same N that은 똑같은 물건을 가리킵니다.

b. such가 선행사에 포함된 경우

Trust such friends as will be there for you.

= Trust some friends that will be there for you.

너를 위해서 곁에 있어줄 그런 친구를 신뢰해라.

Don't read such books as you can't understand.

= Don't read some books that you can't understand.

당신이 이해할 수 없는 그런 책은 읽지 마세요.

c. as가 선행사에 포함된 경우 (as + 형용사 + 선행사 + as)

There are as some books as you want to read.

= There are some books that you want to read.

너가 읽기 원하는 책들이 있다.

As many phones as are made by the company are selling like hot cakes.

= Many phones that are made by the company are selling like hot cakes.

그 회사가 만든 전화기가 날개 돋친 듯이 팔리고 있다.

He is as great a man as ever lived.

그는 전에 없었을 만큼 훌륭한 사람이다.

The outcome is not as dire as expected.

= The outcome is not as dire as was to be expected.

그 결과는 예상했던 것만큼 끔찍하지 않다.

d. 절 전체가 선행사가 될 때

: as is often the case, as is often pointed out, as is often said, as is well known, as follows 등이 하나의 숙어처럼 쓰입니다.

As is often the case, he is absent today.
= That he is absent is often the case, and he is absent today.
그는 종종 그랬듯이, 오늘도 결석했다.
◦ 이 문장의 주격 유사 관계대명사 as의 선행사는 he is absent. 입니다.

They were not increasing quite as fast as was forecast.
= That they were increasing quite fast was forecast, but they were not.
그것들은 예상된 것만큼 빠르게 성장하지 못했다.
◦ 이 문장의 주격 유사 관계대명사 as의 선행사는 They were increasing quite fast. 입니다.

He was French, as I knew from his accent.
= I knew that he was French from his accent.
그의 억양에서 내가 알아차렸듯이 그는 프랑스인이었다.
◦ 이 문장의 목적격 유사 관계대명사 as의 선행사는 He was French. 입니다.

2. 유사 관계대명사 than

유사 관계대명사 than의 선행사에는 비교급이 쓰입니다.

Better cars than are expected will be launched.
예상한 것보다 더 나은 차가 출시될 것이다.

Much more people than were invited attended the seminar.
초대한 것보다 훨씬 더 많은 사람들이 세미나에 참석했다.

The girl has more enthusiasm and creativity than can be imagined.
그 소녀는 생각보다 더 많은 열정과 창의성을 가지고 있다.

There is more money than is needed.
필요 이상의 돈이 있다.

There is more (to it) than meets the eye.
눈에 보이는 것 이상의 것이 있다.

3. 유사 관계대명사 but (= 관계대명사 that + not)

유사 관계대명사 but은 not이 쓰인 관계대명사 that절과 같으며, 선행사 자리에는 no, not, nothing, few, little, hardly, rarely 등의 부정어가 쓰입니다. 유사 관계대명사 but 자체에 부정의 의미가 있어 no, not, nothing과 같은 부정어가 있는 선행사와 함께 쓰이면 이중 부정이 됩니다. 현대 영어에서는 잘 쓰이지 않습니다.

There is no one but has some faults.

= There is no one that doesn't have some faults.

= Everyone has some faults.

결점 없는 사람은 없다.

There is no rule but has its exceptions.

= There is no rule that doesn't have its exceptions.

= Every rule has its exceptions.

예외 없는 규칙은 없다.

There is nobody but knows him.

= There is nobody that does not know him.

= Everybody knows him.

그를 모르는 사람은 아무도 없다.

유사 관계대명사 문제

☺ **유사 관계대명사의 종류에는 _____ , _____ , but이 있습니다.**

♣ 둘 중 옳은 것을 고르세요. (1 ~ 7)

1. He has the same baseball cap (as / than / but) you bought.

2. Make friends with such people (as / than / but) will help you when you are in need.

3. I have more shoes (as / than / but) are needed.

4. There is no father (as / than / but) loves his children.

5. He is not such a boy (as / than / but) would cut his classes.

6. The war was more cruel (as / than / but) could be imagined.

7. Who is there (as / than / but) makes mistakes?

♣ 밑줄에 어울리는 유사 관계대명사를 채워주세요. (8 ~ 10)

8. There is no rose _____ has some thorns.

9. She lives in the same city _____ I do.

10. The actress performed much better _____ was expected.

11. 다음 중 as의 쓰임이 <u>다른</u> 하나를 고르세요.

① She is such a woman as is faithful and respectable.

② Do to others as you wish to be treated.

③ As is often the case, Tom was late.

④ I don't have the same shoes as she has.

Chapter 9   관계부사

관계부사 (접속사 + 부사 [부사 = 전치사 + 명사])

관계부사는 접속사와 부사의 역할을 합니다. 문자 그대로 '관계'라는 것은 문장과 문장을 연결하는 접속사 역할을 뜻하며, '부사'는 시간, 장소, 방법, 이유에 대해 부연 설명하는 품사를 말합니다. 관계부사에는 when, where, how, why 4가지가 있습니다. 종속절의 부사를 대신하는 관계부사를 써서 주절의 선행사를 수식합니다. 관계부사가 쓰인 종속절은 주절의 명사인 선행사를 수식해 주므로 형용사절이라고 할 수 있습니다. (when, where, how 관계부사절은 부사절로 쓰이기도 합니다.) how가 쓰인 절의 경우 형용사절 역할보다는 명사절 역할을 하기 때문에 관계부사로 취급되지 않기도 합니다. 또한, 관계부사가 형용사절로 쓰이고 관계부사가 생략될 수 있는 경우에 that이 관계부사 대용으로 쓰일 수 있습니다.

관계부사는 완전한 절을 이끕니다. 종속절에 관계부사가 쓰여 주절과 겹치는 부사(구) 부분이 제거되더라도 부사라는 성분은 문장의 형식에 영향을 줄 수 없기 때문에 관계부사절은 필수 문장 성분이 다 있는 완전한 절이 됩니다.

관계부사의 선행사와 관계부사는 동시에 같이 쓰이거나, 경우에 따라서 둘 중에 하나만 쓰일 수 있습니다. 제한적 용법에서 관계부사 앞의 선행사가 특별한 의미를 갖지 않고 일반적인 의미일 때 선행사 또는 관계부사가 생략될 수 있습니다. 단, the way와 how는 같이 쓰일 수 없으며, 반드시 둘 중 하나만 쓰입니다.

	선행사	관계부사	의미	"전치사" + 관계대명사
시간	the time (day, year 등)	when	~할 (때)	at / on / in which
장소	the place (city, situation 등)	where	~하는 (장소, 상황)	at / on / in which
방법	the way	how	~하는 (방법)	in which
이유	the reason	why	~하는 (이유)	for which

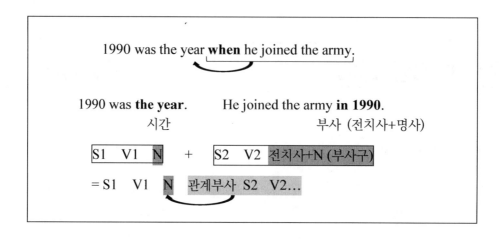

1990 was **the year**.   +   He joined the army **in 1990**.

1. 두 문장에서 같은 대상을 가리키는 단어를 찾습니다.

   the year & in 1990

2. 앞 문장은 그대로 둡니다.

3. 뒤 문장에서 겹치는 부사가 시간/장소/방법/이유 중 무엇인지 확인합니다.

   in 1990 → 시간

   이를 통해 관계부사가 결정됩니다.
   "when"

   관계부사 when을 사용하여 형용사절을 주절에 연결시킬 때 선행사와 겹치는 부사
   in 1990는 제거됩니다.

4. 주절의 선행사 다음에 관계부사절을 연결시킵니다.

   선행사 the year 뒤에 (in 1990 빼고) when으로 연결

   1990 was **the year when** he joined the army.

The pond **where** the animals gather to drink is near the forest.

The pond is near the forest.   The animals gather to drink **in the pond**.
장소   부사 (전치사+명사)

        N   V1...   +   S2   V2   전치사+N (부사구)

    = N   관계부사 S2   V2...   V1...

The pond is near the forest. + The animals gather to drink **in the pond**.

1. 두 문장에서 같은 대상을 가리키는 단어를 찾습니다.

    the pond & in the pond

2. 앞 문장은 그대로 둡니다.

3. 뒤 문장에서 겹치는 부사가 시간/장소/방법/이유 중 무엇인지 확인합니다.

    in the pond → 장소

이를 통해 관계부사가 결정됩니다.

    "where"

관계부사 where를 사용하여 형용사절을 주절에 연결시킬 때 선행사와 겹치는 부사
in the pond는 제거됩니다.

4. 주절의 선행사 다음에 관계부사절을 연결시킵니다.

    선행사 the pond 뒤에 (in the pond 빼고) where로 연결

The pond where the animals gather to drink is near the forest.
                   S   V

I will never forget those days **when** I stayed in Hawaii.
나는 하와이에 머물렀던 날들을 잊지 못할 것이다.

I'm expecting the time **when** I will meet them.
나는 그들을 만날 시간을 기대하고 있다.

That was the moment **when** I understood my father.
그때가 내가 아버지를 이해한 순간이었다.

We're at a crossroads **where** we have to decide whether to take a risk or not.
우리는 위험을 감수해야 할지 말지 결정해야 하는 기로에 서 있다.

Let's meet this Friday at the restaurant **where** we had a gathering before.
우리가 예전에 모임을 가진 그 식당에서 이번 주 금요일에 만납시다.

Could you tell me the situation **where** you had to be patient?
당신이 인내심을 가져야 했던 상황을 말해줄 수 있나요?
◦ where의 선행사는 장소뿐만 아니라 상황이나 경우 등이 될 수 있습니다.

Be careful **how** you act.
행동을 조심하세요.

This is **how** it was done.
이것은 그것이 이루어진 방식이다.

The girl did it just **how** she wanted.
그 소녀는 그녀가 원하는 방식대로 했다.

The reason **why** these suits are so expensive is they are custom-made.
이 양복들이 비싼 이유는 주문 제작되기 때문입니다.

I'd like to know the reason **why** you're so late.
나는 네가 늦은 이유를 알기를 원한다.

This is the reason **why** the boy was hurt.
이것은 그 소년이 다친 이유이다.

*NOTE: 관계부사 VS 의문부사

   관계부사와 간접 의문문에 쓰이는 의문부사의 공통점은 접속사 기능을 갖고 있는 부사라는 점이고, 이들은 시간, 장소, 방법, 이유에 대한 정보를 알려줍니다. <u>관계부사와 의문부사의 구분은 해석을 통해서</u> 이루어집니다. '언제, 어디서, 어떻게, 왜'로 해석이 되면 의문부사이고, 실질적인 뜻 없이 선행사를 꾸며주는 형용사절을 이끌면 관계부사입니다.

	관계부사		의문부사		
	뜻	역할	뜻	직접 의문문	간접 의문문
when	할 (때)	형용사절, 부사절	언제	부사	명사절
where	~하는 (장소,상황)	형용사절, 부사절	어디서		
how	~하는 (방법)	명사절, 부사절	어떻게		
why	~하는 (이유)	형용사절	왜		

Today is the day <u>when the movie is scheduled to be released</u>.　　　관계부사
　　　　　　　　　　　　형용사절
오늘은 그 영화가 개봉될 예정인 날이다.

<u>When</u> is the movie scheduled to be released?　　　직접 의문문
의문사
그 영화는 언제 개봉될 예정인가요?

Do you know <u>when the movie is scheduled to be released</u>?　　　간접 의문문
　　　　　　　know의 목적어 자리 (의문사＋주어＋동사 = 명사절)
당신은 그 영화가 언제 개봉 예정인지 아시나요?

We're going to get together at the hall, where we can sing and dance.　관계부사
　　　　　　　　　　　　　　　(and there)　　부사절
우리는 홀에서 모일 것이고, 그곳에서 노래하고 춤출 수 있다.

279

Where are we going to get together?　　　　　　　　　　　　　　직접 의문문
의문사
우리는 어디서 만날까?

Let me know where we're going to get together.　　　　　　　간접 의문문
　　　　　　　know의 목적어 (의문사＋주어＋동사 ＝ 명사절)
우리가 어디서 만나는지 알려주세요.

That is how you want to spend your money.　　　　　　　　　　관계부사
그것은 너가 돈을 쓰고 싶어하는 방식이다.

How do you want to spend your money?　　　　　　　　　　　직접 의문문
의문사
너는 돈을 어떻게 쓰기를 원하니?

Make a list of how you want to spend your money.　　　　　간접 의문문
　　　　　　　전치사 of의 목적어 (의문사＋주어＋동사 ＝ 명사절)
돈을 어떻게 쓰기를 원하는지 목록을 작성해라.

The reason why the movie was so impressive was it showed what's missing
in our society.　　　　　　　　형용사절　　　　　　　　　　관계부사
그 영화가 매우 인상 깊었던 이유는 우리 사회에 부족한 부분을 보여줬기 때문입니다.

Why is the movie so popular?　　　　　　　　　　　　　　　직접 의문문
의문사
그 영화는 왜 그렇게 인기있나?

I wonder why the movie is a big hit.　　　　　　　　　　　간접 의문문
　　　　　　wonder의 목적어 (의문사＋주어＋동사 ＝ 명사절)
나는 왜 그 영화가 크게 히트한지 궁금하다.

♣ 다음 문장에 대한 질문에 답해주세요. (1 ~ 3)

1. I remember the day when we first met.

(1) when we first met의 선행사는?

(2) 목적어를 찾으세요.

(3) I remember the day. + We first met ___ _____ _____.

2. The town where I usually spend my holidays is in Gangwon-do.

(1) where I usually spend my holidays의 선행사는?

(2) 주어부를 찾으세요.

(3) The town is in Gangwon-do. + I usually spend my holidays ___ _____ _____.

3. I'm not sure of the reason why he left.

(1) why he left의 선행사는?

(2) 전치사의 목적어를 찾으세요.

(3) I'm not sure of the reason. + He left _____ some reason.

♣ 둘 중 옳은 것을 고르세요. (4 ~ 11)

4. The house (where / which) the musician was born is a museum now.

5. That is the house (which / in which) I grew up.

6. I'll never forget the day (which / when) he proposed to me.

7. 1945 was the year (in which / which) Korea was finally liberated.

8. There were many reasons (why / which) I chose not to get married.

9. The reason (which / that) I didn't call you yesterday is that I've lost my phone.

10. This is (what / how) we are going to do it.

11. I like you (the way / which) you are.

♣ 다음 밑줄에 알맞은 관계부사로 채워주세요. (12 ~ 15)

12. The reason _____ I moved to the country from the city is to recover my health.

13. People love _____ she talks.

14. Is that the shop _____ you bought the dress?

15. Do you know the time _____ we have to leave?

♣ 관계부사를 사용하여 한 문장으로 연결해 주세요. (16 ~ 18)

16. There are some cases.   People suffer injustice in some cases.

   = There are some cases _____.

17. Tell me the reason.   You came home late for some reason.

   = Tell me the reason _____.

18. That is the day.   I was born on the day.

   = That is the day _____.

♣ 문장의 뜻이 같도록 빈칸을 채워주세요. (19 ~ 22)

19. This is the house where I was born.

   = This is the house in _____ I was born.

   = This is the house that I was born in.

20. Don't forget the day when we will meet.

   = Don't forget the day ___ _____ we will meet.

   = Don't forget the day that we will meet.

21. The reason why I turned down the job is that the pay was too low.

   = The reason _____ I turned down the job is that the pay was too low.

   = The reason I turned down the job is that the pay was too low.

22. The way scientists and artists and priests act is quite different.

   = The way that scientists and artists and priests act is quite different.

   = The way ___ which scientists and artists and priests act is quite different.

복합관계대명사

복합관계대명사는 관계대명사 what, which, who(m)에 ever를 붙인 형태로, whatever, whichever, who(m)ever이 있습니다. 이들은 명사절과 부사절에 쓰입니다.

복합관계대명사가 명사절을 이끌 경우 주어, 목적어, 보어 자리에 위치하며, 절 안에 주로 주어와 목적어를 대신하므로 불완전한 절을 이끕니다. '대명사(선행사) + 관계대명사'로 대체될 수 있으며, 복합관계대명사 자체에 선행사가 포함되어 있습니다.

또한, 복합관계대명사절은 양보(~일지라도, ~든지 간에)의 의미를 갖는 부사절로 쓰일 수 있습니다. 부사절로 쓰일 경우 주로 콤마와 함께 쓰이며, 불완전한 절을 이끕니다.

	whatever	whichever	who(m)ever
명사절	무엇이든 anything that	어느 것이든 anything that	누구든 anyone who(m)
양보 부사절	무엇이든지 간에 no matter what	어느 것이든지 간에 no matter which	누구든지 간에 no matter who(m)

명사절

Do **whatever you want**. 목적어 자리
당신이 원하는 대로 하세요.

Whatever does not destroy me makes me stronger. - *Friedrich Nietzsche* 주어자리
나를 파괴하지 않는 것은 나를 더 강하게 만든다.

Please choose **whichever color you prefer**. 목적어 자리
당신이 선호하는 색깔 어느 것이든지 선택해 주세요.

Wear **whichever shoes are most comfortable**. 목적어 자리
가장 편한 신발 어느 것이든지 신으세요.

Whoever made this bag is a real artisan. 주어 자리
이 가방을 만든 사람은 진짜 장인이다.

I'd like to speak to **whoever is in charge of the project**.　목적어 자리
나는 그 프로젝트를 담당하는 사람과 이야기하고 싶습니다.

Whatever he says will be all right with me.　주어 자리
그가 무슨 말을 해도 나는 괜찮을 것이다.

부사절

I will do as I have made up my mind, **whatever they may think**.
그들이 어떻게 생각하든 내가 마음먹은 대로 할 것이다.

Stay calm, **whatever happens**.
무슨 일이 일어나더라도, 침착해라.

Whatever he says, his parents will listen to him.
그가 무슨 말을 해도 그의 부모님은 그의 말에 귀 기울여 줄 것이다.

It takes long, **whichever route you take**.
어떤 길로 가더라도, 오래 걸린다.

Whichever way we look at it, we will come to the same conclusion.
우리가 그것을 어떤 방식으로 바라보더라도, 같은 결론에 도달할 것이다.

Whoever you are, come out now!
당신이 누구든 간에, 지금 당장 나오시오!

Whoever wins, we will support him or her.
누가 승리하든지 간에, 우리는 그 또는 그녀를 지지할 것이다.

복합관계부사

관계부사 where, when, how에 ever를 붙인 형태이고, '~하더라도', '~든지'라는 뜻을 갖습니다. 복합관계부사는 장소, 시간, 양보를 나타내는 부사절(완전한 절)을 이끕니다.

	wherever	whenever	however
~든지	어디든지 at any place where	언제든지, ~할 때마다 at(in, to) any time when = every time	어떻게 ~하든지 in any way
~하더라도	어디서 ~하더라도 no matter where	언제 ~하더라도 no matter when	아무리/어떻게~하더라도 no matter how

Wherever you choose to live, there are always pros and cons.
너가 어디에 살기로 선택하든, 항상 장단점이 있다.

No matter who you are, **no matter where you come from**, you deserve to be happy.
당신이 누구든, 어디 출신이든, 당신은 행복할 자격이 있습니다.

Whenever I go there, the cats seem to be asleep.
내가 그곳에 갈 때마다 고양이들은 자고 있는 것 같다.

Bread is always delicious **no matter when I eat it**.
빵은 언제 먹더라도 항상 맛있다.

However rich he may be, it is still not enough for him.
그가 아무리 부자라 하더라도, 그에게는 아직도 충분하지 않다.
∘ 정도를 나타내는 관계부사 however는 바로 뒤에 형용사나 부사와 함께 쓰입니다.

If Jenny likes something, she'll buy it **no matter how much it costs**.
제니는 무언가를 좋아하면, 그것이 얼마가 되든 살 것이다.

However you look at it, it's still a crime. (방법을 나타내는 관계부사 however)
네가 그것을 어떻게 보든 간에, 그건 여전히 범죄다.

* NOTE: 복합관계부사절은 명사절로 쓰이기도 합니다. 이런 경우 wherever절, whenever절, however절은 주어, 목적어, 보어 자리에 위치합니다.

Wherever he sat was the head of the table.
그가 앉았던 곳은 어디든 테이블의 상석이었다.

Whenever you're ready is when we'll leave.
네가 준비되면 언제든지 우리는 떠날 것이다.

I'm not interested in **however you do it**.
나는 네가 어떤 식으로 하든 관심 없어.

복합관계대명사 & 복합관계부사 문제

☺ 복합관계대명사

whatever	A.	B.
무엇이든, 무엇이든지 간에	어느 것이든, 어느 것이든지 간에	누구든, 누구든지 간에

☺ 복합관계부사

wherever	C.	D.
어디든, 어디서~하더라도	할 때마다, 언제 ~하더라도	아무리 ~하너라노

♣ 의미상 적절한 것을 골라주세요. (1 ~ 8)

1. I will do (that / whatever) it takes to defend it.

2. (Which / Whichever) of them you choose, you will land in trouble.

3. You can submit the application to (whomever / wherever) you find at the reception desk.

4. (Who / Whoever) comes here, ask them to wait a second.

5. (However / How) much it is stressful, she never gets upset.

6. (Whenever / Whatever) I walk my dog after dinner, I feel happy.

7. (Whatever / Whenever) problems you have, they will help you.

8. (Whichever / Wherever) you plan to travel, I'll follow you.

♣ 밑줄 친 부분이 명사절인지 부사절인지 구분해 주세요. (9 ~ 12)

9. <u>However long it takes</u>, we need to get it done by Thursday.　　(명사절 | 부사절)

10. <u>Whoever comes</u> will be welcome.　　(명사절 | 부사절)

11. You're free to use <u>whichever photos you like</u>.　　(명사절 | 부사절)

12. Put it back <u>wherever you found it</u>.　　(명사절 | 부사절)

♣ 두 문장의 뜻이 같도록 빈칸을 채워주세요. (13 ~ 14)

13. No matter how small Paul is, he is a great man.

 = _____ _____ Paul is, he is a great man.

14. Whatever happens, we will still be friends.

 = ____ _____ _____ happens, we will still be friends.

Chapter 10 꼭 알아두어야 하는 구문 형태

Unit 1. 도치 구문

보통 평서문은 주어와 동사 그리고 나머지 성분들 순이지만, 도치 구문에서는 주어와 동사의 어순이 바뀌어 동사 다음에 주어가 오게 됩니다. 문장에서 주어가 아닌 강조하고 싶은 부분이 문장 맨 앞에 위치할 때 도치가 일어납니다.

도치 될 때 be동사와 조동사는 그 자체가 주어와 도치되며, 완료 시제 have p.p.의 경우에는 조동사 have와 주어가 도치됩니다. 일반동사는 조동사 do(do, does, did)가 주어 앞에 쓰이고, 주어 뒤에는 일반동사의 동사원형이 옵니다. 경우에 따라서 do동사의 도움없이 주어와 일반 동사가 도치되기도 합니다.

목적어가 문두에 위치하는 경우에는 도치가 일어나지 않으며, 문장 맨 앞의 only가 주어를 강조하기 위해서 쓰일 때도 도치가 일어나지 않습니다. 이런 경우를 제외하고 문두에 명사(주어)가 아닌 성분이 있으면 그 성분을 강조하는 도치 구문일 가능성이 큽니다.

1. 부정어구가 문장 맨 앞에 위치할 때

문장 속 부정어(구)를 강조하기 위해 부정어가 문장 맨 앞에 위치하고, '동사 + 주어'의 어순이 됩니다. 도치를 일으키는 부정어나 부정어구의 종류에는 Never, Hardly, Seldom, Rarely, Scarcely, No sooner, Little, Only then, Only later, Only in this way, Nowhere, On no account, At no time, Under no circumstances, In no way, Not only… but 등이 있습니다.

Never have I seen such a magnificent sight before.
= I have never seen such a magnificent sight before.
　나는 전에 그런 놀라운 광경을 결코 본 적이 없다.

Not a word did the man say.
= The man did not say a word.
　그 남자는 한 마디도 하지 않았다.

Scarcely had I got off the bus when it hit the back of a car.

= I had scarcely got off the bus when it hit the back of a car.

내가 버스에서 내리자마자, 그 버스는 어떤 차의 뒤를 들이받았다.

Only after lunch can you play games.

= You can play games only after lunch.

오직 점심을 먹은 후에만 너는 게임할 수 있다.

Only by guessing are you able to solve this puzzle.

= You're able to solve this puzzle only by guessing.

오직 추측함으로써 이 퍼즐을 풀 수 있다.

Nowhere are Kakao emojis more popular than in South Korea.

= Kakao emojis are more popular in South Korea than in any other country.

카카오 이모티콘이 한국보다 인기있는 곳은 어디에도 없다.

On no account must people in the library make any noise.

= People in the library must on no account make any noise.

도서관에 있는 사람들은 어떤 소음도 내서는 안됩니다.

Not only did Sue start playing the piano before she could speak, **but** her mother taught her to compose music at an early age.

= Sue not only started playing the piano before she could speak, but her mother taught her to compose music at an early age.

Sue는 말하기도 전에 피아노를 치기 시작했을 뿐만 아니라, 그녀의 엄마는 그녀에게 어린 나이에 작곡을 가르쳤다.

cf) **Only** she spelt correctly.

오직 그녀만이 제대로 철자를 말했다.

◦ only가 주어를 강조할 경우 도치 안됨.

289

> **Not until A, <u>V S</u>**   A하고 나서야, S가 V하다.   ⟵   Until A, S not V

이 문장 구조는 Not 〔until A〕, 동사 + 주어 … 이고, not은 주절의 동사를 부정하는데, not이 문두에 위치하여 주절의 주어와 동사가 도치된 구문입니다. 원래 문장 형태는 Until A, S not V입니다. 'A할 때까지, S가 V하지 않다.'는 뜻입니다. 따라서 'A하고 나 서야, S가 V하다.'라고 해석됩니다. not이라는 부정어가 문장 제일 앞에 있기 때문에, 의 미상 not과 연결된 주절의 주어와 동사가 도치된 것입니다.

또한, It is … that 강조 구문을 이용해 not until A를 강조할 수 있습니다.

It was not until A **that** S V   (= It was only after A that S V)

Until today I did **not** know the fact.

= **Not until** today did I know the fact.   Not until 도치 구문
                 V S

= <u>It was</u> **not until** today <u>that</u> I knew the fact.   It was … that 강조 구문
오늘이 되어서야 그 사실을 알았다.

Until her daughter called her, she did **not** stop worrying about her.

= **Not until** her daughter called her, did she stop worrying about her.
                              V   S   Not until 도치 구문

= <u>It was</u> **not until** her daughter called her <u>that</u> she stopped worrying about her.
                                        It was … that 강조 구문
그녀는 딸에게서 전화를 받고 나서야 딸 걱정을 멈추게 되었다.

* **NOTE 2**: A 하자마자 B 했다. ⌜ No sooner A than B 도치 구문

　　　　　　　　　　　　　　 ⌞ Hardly/Scarcely A when(before) B 도치 구문

no sooner과 hardly나 scarcely와 같은 부정어구가 문두에 위치해 A절의 주어와 동사가 도치된 구문입니다.

- <u>No sooner had S p.p than S + 과거동사</u> = <u>S had no sooner p.p than S + 과거동사</u>
　　A(도치)　　　　　　B　　　　　　　 A　　　　　　　B

- <u>Hardly/Scarcely had S p.p when(before) S + 과거동사</u>
　　　　A(도치)　　　　　　　　B

= <u>S had hardly/scarcely p.p when(before) S + 과거 동사</u>
　　　　A　　　　　　　　　　B

◦ A부분에 과거 완료는 B의 과거 시제보다 먼저 일어났다는 것을 나타냅니다.

　　No sooner had she closed her eyes **than** she fell asleep.

= She had no sooner closed her eyes than she fell asleep.

= Scarcely had she closed her eyes before she fell asleep.

= As soon as she closed her eyes, she fell asleep.

　　그녀는 눈을 감자마자 잠들었다.

　　Hardly had he arrived **when** it began to snow.

= He had hardly arrived when it began to snow.

= No sooner had he arrived than it began to snow.

= As soon as he arrived, it began to snow.

　　그가 도착하자마자 눈이 오기 시작했다.

2. 부사가 문장 제일 앞에 위치할 때

a. 장소, 방향, 이동 부사(구) + V + S

장소 부사구를 강조하는 도치 구문에서 일반 동사가 쓰이는 경우 do의 도움 없이 일반 동사가 직접 주어 앞에 위치하며, 타동사와 진행형은 이러한 도치에서 제외됩니다.

Under the seabed was a huge oil reservoir found.

해저 밑에 거대한 석유 매장지가 발견되었다.

On the grass sat an adorable dog.

풀밭 위에 사랑스러운 개가 앉아 있었다.

With the self-efficacy comes the belief.

자기 효능감과 함께 믿음이 생긴다. (관념적 이동)

b. 유도 부사 There, Here + V + S

유도 부사 there과 here이 문장 맨 앞에 위치하면 주어와 동사가 도치됩니다. 『There + be동사 + 주어』는 '(주어)가 있다.'라는 뜻입니다. 단, 문두에 부사가 쓰이더라도 주어가 대명사이면 도치되지 않습니다.

There were a number of people who enjoyed the festival.

축제를 즐기는 많은 사람들이 있었다.

Will there be a sequel to that movie?

그 영화의 후속편이 나올까요?

Here's what I know about the incident.

그 사건에 대해 제가 알고 있는 것은 이것입니다.

Here is a story about an extraordinary gorilla.

비범한 고릴라에 관한 이야기가 있습니다.

Here comes a train.

기차가 온다.

Here you are.   There you go.   ◦ you가 인칭대명사이므로 도치 X

여기 있습니다.   맞아, 바로 그거야.

3. so와 neither의 공감 표현 / 공감 표현이나 접속사로 쓰이는 nor

『So / Neither / Nor + 동사 + 주어』의 도치된 형태로 쓰이며, '(주어)도 그래 / (주어)도 그렇지 않아'라는 뜻을 가진 **공감**의 표현입니다.

He is exercising, and she is exercising, too.

= He is exercising. **So is she**.

그는 운동을 하고 있고, 그녀도 또한 운동을 하고 있습니다.

You can play the drum, and I can play the drum, too.

= You can play the drum. **So can I**.

너는 드럼을 칠 줄 알고, 나도 또한 드럼을 칠 줄 안다.

She works at a bank, and he works at a bank, too.

= She works at a bank. **So does he**.

그녀는 은행에서 일하고, 그도 또한 은행에서 일한다.

We have been there, and she has been there, too.

= We have been there. **So has she**.

우리는 거기에 가 본 적이 있고, 그녀 또한 거기에 가 본 적이 있다.

She's not going, and I'm not going, either.

= She's not going. **Neither am I**. / **Nor am I**.

그녀는 가지 않을 것이고, 나도 또한 가지 않을 것이다.

Jane must not tell a lie, and Tom must not tell a lie, either.

= Jane must not tell a lie. **Neither must Tom**. / **Nor must Tom**.

제인은 거짓말을 할 리가 없고, 톰도 또한 거짓말을 할 리가 없다.

I never go to the opera, and he never goes to the opera, either.

= I never go to the opera. **Neither does he**. / **Nor does he**.

나는 오페라를 보러 가지 않고, 그도 또한 오페라를 보러 가지 않는다.

He didn't phone me, and she didn't phone me, either.

= He didn't phone me. **Neither did she. / Nor did she**.

그는 나에게 전화하지 않았고, 그녀 또한 나에게 전화하지 않았다.

I wasn't a good guitarist <u>**nor** could I sing</u> well.

나는 기타를 잘 치지도 못했지만, 노래도 못 불렀다.

It does not depend on special talents, <u>**nor** does it operate</u> only in special fields.

그것은 특별한 재능에 달려있거나, 오직 특별한 분야에서만 일어나는 것도 아닙니다.

The stew is **neither** too hot **nor** too cold to eat.

그 스튜는 먹기에 너무 뜨겁거나 너무 차갑지 않다.

◦ neither A nor B 'A도 B도 아닌'

Joy **neither** has a car, <u>**nor** does she drive</u> a car.

조이는 차를 가지고 있지도 않고, 운전을 하지도 않는다.

4. So 형/부 V S that ... 또는 Such 명사 V S that ...   (so/such ~ that 구문의 도치)

'so + 형용사/부사'와 'such + 명사'가 강조되기 위해 문두에 위치하면 이들과 연결된 주어와 동사가 도치됩니다. '너무 ~해서 that ... 하다.'라고 해석됩니다.

So fast <u>did he walk</u> **that** I couldn't keep up with him.

= <u>He walked</u> **so fast that** I couldn't keep up with him.

그가 너무 빨리 걸어서 나는 그를 따라갈 수 없었다.

So difficult is the piece that even professional pianists cannot play it.

= The piece is so difficult that even professional pianists cannot play it.

그 곡은 너무 어려워서 심지어 전문 피아니스트도 연주할 수 없다.

So different are they that at times they have an argument.

= They are so different that at times they have an argument.

그들은 너무 달라서 때때로 말다툼을 한다.

Such great **players** <u>are they</u> **that** no one can beat them.

= <u>They are</u> **such** great **players that** no one can beat them.

그들은 매우 훌륭한 선수들이라 아무도 그들을 이기지 못한다.

Such a captivating voice does she have that people love listening to her songs.

그녀는 매우 매력적인 목소리를 가지고 있어서 사람들이 그녀의 노래를 듣는 것을 좋아한다.

Nothing is going right, but such is life.

되는 일이 없네. 인생이 그런 거지 뭐.

○ 원래 문장은 Life is such.이고, 대명사 such가 문두에 위치하여 주어와 동사가 도치되었습니다.

Such is the power of self-study.

스스로 학습의 힘이란 바로 그런 것이다.

Such was her astonishment that she leaned against the wall without moving a bit.

너무 놀라서 그녀는 움직이지 못한 채 벽에 기대 있었다.

5. as / than + V + S

as(~처럼)와 than(~보다)이 비교 구문에 쓰일 때 도치가 필수적이지 않지만 의미 강조를 위해 선택적으로 도치가 일어날 수 있습니다. 단, 주어가 대명사일 경우 도치되지 않습니다.

I see it in much the same way <u>as does Frank</u>.

= I see it in much the same way as Frank does.

나는 프랭크가 이해한 것과 거의 같은 방식으로 그것을 바라본다.

Jane was a brave girl, as was her mother.

제인은 그녀의 엄마가 그랬던 것처럼 용감한 소녀였다.

Steve is more inspirational than was his predecessor Josh.

스티브는 그의 선임자인 조쉬보다 더 격려해 준다.

He drew more inspiration from the book than did Jack.

그는 잭이 그 책으로부터 영감을 받은 것보다도 더 많은 영감을 받았다.

도치 구문

♣ 다음 중 올바른 표현을 고르세요. (1 ~ 5)

1. Never (I have seen / have I seen) such a gorgeous girl.

2. Only after her kids went to sleep (she was able to relax / was she able to relax).

3. In front of the desk (stood several kids / several kids stood).

4. So quickly (has it changed / it has changed) that even experts don't know exactly what's going on.

5. They did not talk to one another, nor (they tried / did they try) to get along well.

♣ 어색한 부분을 고쳐주세요. (6 ~ 10)

6. Not until I asked a passer-by I knew where I was.

7. Rarely he has a perfect score in math.

8. If others can make it, so you can.

9. So an immense interest in science does Jane have that she has decided to be a scientist.

10. He doesn't like to exercise, and neither I do.

11. 다음 중 어색한 문장을 골라주세요.

① So pressed for time was I that I was utterly worn out.

② Down the hills played some children.

③ In no way I am saying that extraterrestrial life does not exist.

④ Light travels faster than does sound.

12. 다음 중 빈칸에 어울리지 않는 것을 고르세요.

　　[　　　　] did I understand what it was about.

① Rarely 　　② Scarcely 　　③ Seldom 　　④ Little 　　⑤ Few

♣ 다음 문장이 같은 뜻이 되도록 빈칸을 채워주세요. (13 ~ 14)

13. Until last year our team did not begin the project.

= Not until last year _____ _____ _____ _____ the project.

= It was _____ _____ _____ _____ that our team began the project.

14. Tom had no sooner stepped out than it started raining.

= No _____ _____ _____ _____ _____ than it started raining.

= Hardly had Tom stepped out _____ it started raining.

= As soon as Tom stepped out, it started raining.

Unit 2. 강조 구문

1. It be동사 ... that 강조 구문

It is (was) ... that 강조 구문은 강조하고 싶은 단어나 구문을 It is (was)와 that 사이에 위치시키는 것입니다. 강조하고 싶은 단어를 블록처럼 It is (was)와 that 사이에 놓고, 나머지 단어들은 순서 그대로 that 다음에 위치시킵니다. '~한 것은 바로 ... 이다.'라고 해석됩니다. that 대신 주어를 강조할 때는 who, which, 목적어를 강조할 때 whom, which, 부사를 강조할 때는 when, where이 문맥에 따라 쓰일 수 있습니다. 단, It be동사 ... that 구문으로는 동사를 강조할 수 없습니다.

나는 어제 그 식당에서 Tom과 피자를 먹었다.

I ate pizza with Tom in the restaurant yesterday.

어제 Tom과 그 식당에서 피자를 먹은 사람은 바로 **나**였다.　　　　(주어 강조)

It was **I** that(who) ate pizza with Tom in the restaurant yesterday.

내가 어제 Tom과 그 식당에서 먹은 메뉴는 바로 **피자**였다.　　　　(목적어 강조)

It was **pizza** that(which) I ate with Tom in the restaurant yesterday.

내가 어제 그 식당에서 같이 피자를 먹은 사람은 바로 **Tom**이있다.　　(부사 강조)

It was **with Tom** that I ate pizza in the restaurant yesterday.

내가 어제 Tom과 피자를 먹은 곳은 바로 **그 식당에서**였다.　　　　(부사 강조)

It was **in the restaurant** that(where) I ate pizza with Tom yesterday.

내가 Tom과 그 식당에서 피자를 먹은 날은 바로 **어제**였다.　　　　(부사 강조)

It was **yesterday** that(when) I ate pizza with Tom in the restaurant.

It was to discuss the significant issue **that** Sue met her staff the other day.

Sue가 며칠 전 직원들을 만난 것은 바로 중요한 문제를 상의하기 위해서였다.

It was from Owen **that** the purse I've been looking for was a gift.

내가 찾고 있는 지갑은 바로 Owen에게서 받은 선물이었다.

It was when I got support from the social organizations as well as the association **that** I thought I had done the right thing.

내가 옳은 일을 했다고 생각한 것은 협회뿐만 아니라 사회단체에서 지지를 받았을 때였다.

What **is it that** you are asking?　　당신이 묻고 있는 것은 무엇입니까?

◦ What are you asking? 문장을 it is ... that 강조 구문으로 <u>의문사를 강조하면</u> It is what that you are asking.이 되고 의문문으로 만들면 What is it that you are asking?이 됩니다.

Who **was it that** told you about this matter?

이 문제에 대해 당신에게 말한 사람은 누구입니까?

* NOTE: It ... that 가주어 진주어 구문　**VS**　It ... that 강조 구문

　It ... that 가주어 진주어 구문은 주어 자리(that 절)에 가짜 주어 It을 놓고 진주어(that 절)가 모두 뒤로 이동한 것입니다. 진주어 that은 명사 역할을 하는 완전한 절입니다.

　이와는 달리, It ... that 강조 구문은 that 절에서 강조하고 싶은 부분이 It과 that 사이에 위치하므로 강조하는 부분의 품사에 따라 강조 구문의 that은 불완전한 절이 될 수 있습니다. that 절의 문장이 It be ... that 사이에 있는 단어가 문법상이나 내용상 필요하다면 It ... that은 강조 구문입니다.

　<u>**It** is tough **that** you make others listen to and understand what you say.</u>
　가주어　　　　　　　　　　　　　　진주어 (완전한 절)

= That you make others listen to and understand what you say / is tough.

　타인이 당신의 말에 귀 기울이게 하고, 이해하도록 만드는 것은 어렵다.

　<u>**It was** a cake **that** I made for my mom.</u>　　　　☞ It ... that 강조 구문
　　　　　　　　목적어 없음: 불완전한 절

　내가 엄마를 위해 만든 것은 바로 케이크였다.

≒ I made a cake for my mom.

　나는 엄마를 위해 케이크를 만들었다.

It was rude **that** he slammed the door in her face.
가주어   진주어 (완전한 절)

= That he slammed the door in her face / was rude.

 그가 그녀 면전에 대고 문을 쾅 닫은 것은 무례했다.

It was the dictionary **that** he angrily slammed on the desk. ☞ It ... that 강조 구문
        목적어 없음: 불완전한 절

그가 화가 나서 책상에 던진 것은 바로 사전이었다.

≒ He angrily slammed the dictionary on the desk.

 그는 화가 나서 사전을 책상에 던졌다.

2. 동사를 강조해주는 do

do / does / did + 동사원형   '정말로 ~하다.'

 동사 앞에 do동사를 씀으로써 동사가 강조됩니다. 주어와 시제에 따라 do, does, did 를 쓰며, 문장의 동사가 일반 동사인 경우 강조의 do동사 다음에 일반 동사의 동사원형 이 오게 됩니다. '정말로 (동사)하다.'라고 해석됩니다.

You **do** eat meat, don't you?
너 육류 진짜 먹지, 그렇지?

Jane **does** look good in that dress.
Jane은 그 드레스가 정말 잘 어울린다.

We all **did** enjoy the gathering last night.
우리 모두는 어제 밤 모임을 매우 즐겼다.

It doesn't look like it, but I really **do** work hard.
그렇게 보이지 않지만, 나 정말 열심히 해.

3. 주어, 목적어, 보어를 강조해 주는 재귀대명사

: 강조 용법으로 쓰이는 재귀대명사는 생략 가능합니다.

I'll speak to her **myself**. (주어 강조)
내가 직접 그녀에게 말할 것이다.

She made the cookies **herself**. (주어 강조)
그녀가 직접 쿠키를 만들었다.

Did you see the girls **themselves**? (목적어 강조)
바로 그 소녀들을 봤어?

4. 의문문 강조

의문사 + on earth, in the world ...   '도대체'

on earth, in the world, the hell, the devil, ever 등의 부사가 의문사 바로 뒤에 위치하고 '도대체 (왜, 뭐가, 누가, 어떻게, 언제)'의 뜻으로 쓰이며 의문문을 강조해 줍니다.

What **on earth** brings you here?
여긴 대체 무슨 일로 오셨어요?

How **on earth** could you do such a thing?
도대체 어떻게 그런 짓을 할 수 있니?

Why **in the world** would you want to talk to him?
도대체 너는 왜 그에게 말을 걸기를 원하는 거야?

Who **the hell** are you?
도대체 넌 누구냐?

5. 명사 강조

> the very + 명사   '바로'

보통 very는 '매우'라는 뜻의 부사로 형용사를 수식하지만, the very는 명사 앞에 위치해 명사를 강조해 주는 역할을 합니다.

The event happened at **the very** beginning of the soap opera.
그 사건은 드라마 맨 처음에 일어났다.

The very fact of your presence is enough.
너의 존재 그 사실만으로 충분하다.

She stole for **the very** fun of it.
그녀는 정말 재미로 훔쳤다.

The very thought of starting all over again made me depressed.
다시 시작해야 한다는 생각만으로도 나는 우울했다.

강조 구문

♣ 다음 문장에 대한 질문에 답해주세요. (1 ~ 2)

1. It was at the café that I met him.

(1) 위의 강조 구문이 강조하는 부분을 찾아주세요.

(2) 원래 문장으로 만들어 주세요.

2. It is the courage to continue that counts.

(1) 위의 강조 구문이 강조하는 부분을 찾아주세요.

(2) 원래 문장으로 만들어 주세요.

3. 다음 문장의 목적어를 강조하는 구문으로 만들어 주세요. (It be동사 ... that 사용)

> He spoke on the importance of economic recovery in the conference.

---

4. 다음 중 it ... that 강조 구문이 <u>아닌</u> 것을 모두 고르세요.
① It is not money but time that is my most valuable asset.
② It was the vase that Sam broke by mistake.
③ It is true that human selfishness can damage the environment.
④ Who is it that wants to run errands?
⑤ It is important that you should do it little by little every day.

♣ 다음 문장에서 강조된 부분을 찾아주세요. (5 ~ 8)

5. I did call you yesterday.

6. I made porridge myself for my mom.

7. What on earth do you want me to do?

8. The very idea of equality has changed over time.

Unit 3. 특수 구문

1. so 형용사/부사 that 구문

so … that 구문은 자주 사용되지만, 확실하게 알아두지 않으면 독해나 듣기에서 놓치기 쉬운 구문이므로 잘 숙지해 두세요. 뜻은 '주어가 너무 형용사/부사 해서 that 이하 하다.'입니다. so … that 구문의 문장 구조는 다음과 같으며, 이 구문의 접속사 that은 생략 가능합니다.

```
주어 동사 so 형용사/부사 that 주어 동사 … .
         └─── 원인 ───┘   └─── 결과 ───┘
```

I was **so** tired **that** I went to bed early.
나는 너무 피곤해서 / 일찍 잠들었다.

They are **so** hungry **that** they could eat a horse.
그들은 너무 배가 고파서 / 말 한 마리라도 먹을 수 있을 것 같다.

I laughed **so** hard I had tears in my eyes. (that 생략)
나는 너무 많이 웃어서 / 눈물이 다 났다.

◦ so … that 구문에서 so가 be동사류와 함께 쓰이면 so 다음에 형용사가 오고, 일반동사와 함께 쓰이면 so 다음에 대부분 부사가 옵니다.

'so 형/부 that 주 동'과 같은 문장에 형용사나 부사가 아닌 명사가 온다면 so 대신 such가 와야 합니다. so는 부사적 성격이 있어 형용사나 부사와 어울리며, such는 형용사적 성격을 띠어 명사와 함께 쓰입니다.

```
주어 동사 such (형용사) 명사 that 주어 동사 … .
         └───── 원인 ─────┘   └─── 결과 ───┘
```

It was **such** a nice day **that** I wanted to go on a picnic.
= The weather was so nice that I wanted to go on a picnic.
날씨가 너무 좋아서 소풍 가고 싶었다.

There was **such** a noise **that** I could hardly hear him.

= It was so noisy that I could hardly hear him.

너무 시끄러워서 그의 말을 거의 들을 수 없었다.

*NOTE 1: '(너무) ~해서 ~하다.' (결과 긍정문) ┃ 형용사/부사 enough to 동사원형 ┃

『주어 동사 형용사/부사 enough to 동사원형』 구문을 직역하면 '주어가 동사원형 하기에 충분히 형용사/부사 하다.'입니다.

예를 들어 He was healthy enough to travel.은 '그는 여행할 만큼 충분히 건강했다.'로 해석됩니다. 이 구문은 so 형용사/부사 that 구문 ('너무 형용사/부사 해서 ~하다.')으로 표현될 수 있습니다. so ~ that 구문으로 바꾸면 He was so healthy that he could travel.이 됩니다. that 절의 동사 could travel의 시제는 주절의 시제에 맞춰야 합니다.

┃ so 형용사/부사 that 주어 동사 = 형용사/부사 enough to 동사원형 ┃

I was tired **enough to** go to bed early.

= I was **so** tired **that** I went to bed early.

나는 일찍 잠자리에 들 만큼 매우 피곤했다.

They are hungry **enough to** eat a horse.

= They are **so** hungry **that** I could eat a horse.

그들은 말 한 마리를 잡아먹을 수 있을 만큼 무지 배가 고프다.

∘ so ~ that 구문에서 that절의 동사의 시제는 주절의 시제와 일치해야 하지만,
이 예문에서는 말 한 마리도 잡아먹을 수 있겠다는 의미의 현재와 관련된 가정
이므로 가정법 과거형인 could가 적합합니다.

I laughed hard **enough to** have tears in my eyes.

= I laughed **so** hard **that** I had tears in my eyes.

나는 눈물이 날 만큼 너무 많이 웃었다.

*NOTE 2: 너무 ~해서 ~ 할 수 없다. (결과 부정문) too 형용사/부사 to 동사원형

『주어 동사 too 형용사/부사 to 동사원형』구문은 직역하면 '동사원형 하기에는 너무 형용사/부사 하다'이고, too는 부정적인 의미의 '너무'라는 뜻을 가지고 있어 전체적으로 부정의 의미가 됩니다. 따라서, '너무 형용사/부사해서 동사할 수 없다.'라고 해석됩니다.
『so 형용사/부사 that 주어 can't 동사』로 바꾸어 쓰일 수 있습니다.

so 형용사/부사 that 주어 can't 동사원형 = too 형용사/부사 to 동사원형

예를 들어 The coffee is too hot for me to drink.는 직역하면 '그 커피는 내가 마시기에 지나치게 뜨겁다.'이고, '커피가 너무 뜨거워서 나는 마실 수 없다.'로 해석됩니다. 이 문장을 so ~ that 구문으로 바꾸면 The coffee is so hot that I can't drink.가 됩니다.

The boy is **too** young **to** cast a vote.
= The boy is **so** young **that** he **can't** cast a vote.
그 소년은 너무 어려서 투표를 할 수 없다.

The girl was **too** short **to** ride it.
= The girl was **so** short **that** she **could not** ride it.
그 소녀는 키가 너무 작아서 그것을 탈 수 없었다.

It was raining **too** much for him **to** go out.
= It was raining **so** much **that** he **couldn't** go out.
비가 너무 많이 내려서 그는 외출할 수 없었다.
  ◦ so ~ that 구문에서 that 절의 동사 시제는 주절의 동사 시제에 맞추어야 합니다.

*NOTE 3: so + '수량 형용사(many, much, few, little) 명사' + that 주어 동사

수량 형용사(many, much, few, little)와 명사의 조합인 경우 명사가 있더라도 such ... that 구문이 아닌 so ... that 구문이 사용됩니다. so가 수량 형용사를 강조하기 때문입니다.

The boy has **so many** friends **that** he is busy playing with them.
그 소년은 친구가 너무 많아서 친구들과 놀기 바쁘다.

She has **so much** money **that** she owns several buildings.
그녀는 돈이 매우 많아서 건물 몇 채를 보유하고 있다.

306

2. It seems that S V = S seem(s) to V

  두 형태 모두 'S가 V하는 것처럼 보인다.'라는 뜻입니다. 두 형태의 차이는 우선 주어S의 위치입니다. It seems that S V 구문은 '(that 이하)처럼 보인다.'라고 해석되며 주어의 주관적 의견을 표현할 때 쓰입니다. 실질적인 내용은 that 절에 있고, that 절은 주어와 동사가 있는 완전한 절입니다.

  that 절의 주어S가 문장의 주어 자리에 위치한 경우, 동사V는 seem 뒤에 위치하며, 한 문장에 두 개의 동사가 존재할 수 없으므로 seem to V의 형태가 됩니다. 'S가 V하는 것처럼 보인다.'라고 해석됩니다.

It seems that he is in good spirits.
= He seems to be in good spirits.
  그는 기분 좋아 보인다.

It seems that you ate instant noodles last night.
= You seem to have eaten instant noodles last night.
  너 어젯밤에 라면 먹은 것처럼 보여.

It seemed that she caught a cold.
= She seemed to catch a cold.
  그녀는 감기 걸린 것처럼 보였다.

  It seemed that Sam had decided to quit baseball.
= Sam seemed to have decided to quit baseball.
  샘은 야구를 그만두기로 결심한 것 같았다.

  ◦ that절의 시제가 seem의 시제보다 한 시제 앞서면 that절의 시제가 주절의 동사보다 먼저 일어난 것을 나타내기 위해 to 부정사를 이용한 문장 전환 시 'to have p.p'를 씁니다.

【 동사의 시제에 따른 It seems that 구문 정리 】

	that절 시제 = seem의 시제	that절 시제: seem보다 한 시제 먼저
seem 현재	It seems that S V(현재 시제) = S seems to V He seems to be a nurse. 그는 간호사인 것처럼 보인다.	It seems that S V(과거 시제) = S seems to have p.p He seems to have been a nurse. 그는 간호사였던 것처럼 보인다.
seemed 과거	It seemed that S V(과거 시제) = S seemed to V He seemed to be a nurse. 그는 간호사인 것처럼 보였다.	It seemed that S V(과거완료 시제) = S seemed to have p.p He seemed to have been a nurse. 그는 전에 간호사였던 것처럼 보였다.

♣ 다음 문장을 해석해 주세요. (1 ~ 3)

1. The movie was so boring that I dozed off.

2. The restaurant was so crowded that we had to wait for a long time.

3. It seems that you are falling head over heels in love with the guy.

♣ 다음 문장에서 <u>어색한</u> 부분을 찾아 고쳐주세요. (4 ~ 6)

4. It was so a cold night that we had to put on layers.

5. I have such little money that I can't buy it.

6. The assignment seems being too tough for me to handle.

♣ 다음 문장이 같은 뜻이 되도록 빈칸을 채워주세요. (7 ~ 12)

7. It was so pitch black that I couldn't see anything.

= It was _____ pitch black _____ see anything.

8. Anne was so strong that she could carry the heavy bag.

= Anne was strong _____ ___ _____ the heavy bag.

9. She is bold enough to voice her opinion in the oppressive atmosphere.

= She is ____ _____ _____ she can voice her opinion in the oppressive atmosphere.

10. He ran too fast for me to catch him.

= He ran ____ fast _____ __ _____ ____ _____ him.

11. Nobody seems to be willing to accept responsibility for the issue.

= ___ _____ that nobody ___ _____ ___ accept responsibility for the issue.

12. It seemed that my mother's hunch had been right.

= My mother's hunch _____ ____ _____ _____ right.

★ as 정리

① 전치사 ~로서, ~처럼

Tom worked there **as** a manager.

The kids were all dressed **as** monsters for Halloween.

어느 시기였을 때

As a child, I suffered from several illnesses.

② 접속사 〈시간〉 ~할 때, ~하면서

A dog came up to us **as** we were taking a walk.

〈이유〉 왜냐하면, 이므로

As I had something to tell Tom, I called him.

〈비례〉 ~할수록

As my mom gets older, she knows better how to enjoy her life.

〈양태〉 ~처럼, ~같이, ~대로

As you sow, so shall you reap. - 뿌린 대로 거둘 것이다.

〈상태〉 ~인 채로, ~있는 그대로

I love **as** you are.

〈확인〉 ~다시피, 듯이

As you know, we should finish it ASAP.

ex) as you can see / as she said / as he mentioned

〈양보〉 ~에도 불구하고 '형용사 + as + 주어 + 동사'

Young **as** he is, he makes a lot of money.

③ 부사 **as** A **as** B: 'B와 같은 정도로 A한' – 두 as 모두 A를 수식해 줍니다.

He can run **as** fast **as** me. He runs **as** fast **as** I do.

just as: 만큼, 마찬가지로, 처럼, 듯이

Students need to pay attention in class and self-study is **just as** important.

④ 유사 관계대명사

관계대명사와 유사한 역할을 하며, 유사 관계대명사 as의 선행사에 the same, as, such, so가 포함되는 경우가 많습니다.

I have the same watch **as** you bought.

Do such things **as** will make you happy.

《〈 as가 포함된 관용어구 〉》

- as long as S V: ~ 하는 한   • as in N: ~에서처럼

- as far as N is concerned: ~에 관한 한 (= about N)

- as to N: ~에 관하여   • as for N: ~에 관해 말하자면

- A as well as B: B뿐만 아니라 A도 (not only B but also A)   • as such: 그것 자체로

- as well: 마찬가지로, 또한   • as ever: 변함없이, 여느 때와 마찬가지로

- regard A as B = think of A as B = consider A as B = see A as B = view A as B

- as a result of N: N의 결과로   • as soon as S V: ~하자마자

- as of 날짜: 그 날짜로부터 시작하여   • as of now: 현재로서는

- such as N: 예를 들어, ~와 같이   • as with N: ~와 마찬가지로, ~에서 그렇듯이

- not so much A as B: A라기보다는 B인   • as usual: 평상시처럼

- so as to V: V하기 위해서   • might as well V: V하는게 더 낫다.

- as if S V = as though S V: 마치 ~인 것처럼   • as it were: 말하자면

★ that 정리

① 지시대명사: '저것'을 의미하며, 멀리 있는 대상 하나를 가리킬 때 쓰임. 복수형은 those

Who is **that**?   **That**'s my umbrella.

② 지시형용사: 명사와 함께 「'저'+명사」 형태로 쓰임.

Who is **that** boy?   Look at **that** lovely bird on the tree.

③ 관계대명사: 접속사 + 명사

That is the building **that** was used as a hospital during the war.

The first thing **that** I need to do is gather a lot of information.

④ 접속사 – 완전한 절을 이끕니다.

 a. 명사절을 이끄는 접속사 (종속 접속사)

I think **that** this book might change the way you think.

It is wonderful **that** they have been friends for over 40 years.

 b. 동격의 접속사 (특정 명사에 대한 설명)

We need to be aware of **the fact that** we still have a long way to go.

I don't buy into **the idea that** a college degree guarantees a high-paying job.

 c. 부사절을 이끄는 접속사

 ⅰ) so that 주어 동사: '~하기 위해서' (목적)

We keep household accounts **so that** we cut down on unnecessary expenses.

I drink several cups of coffee a day **so that** I can stay awake.

ii) so 형/부 that 주어 동사: '너무 형/부해서 that절의 주어가 동사함' (결과)

I was **so** busy **that** I couldn't meet my parents for a while.

The girl was **so** shy **that** she hid behind her mother.

iii) 형용사 that 주어 동사: 'that절의 주어가 동사해서 형용사한' (형용사에 대한 원인)

I am glad **that** you're feeling better.

She was upset **that** her dog had bitten her shoes.

⑤ 강조 구문 (It is/was 강조되는 부분 that ...)

It was Ms. Yoon, a Korean actress **that** won an acting award at the Oscars.

It was on the subway **that** I bumped into her this morning.

⑥ 부사: '그렇게, 그 정도로'

Tom is not **that** stupid.

It was impossible for the boy to walk **that** far.

★ 명사가 필요한 what과 such VS. 형용사나 부사가 필요한 how와 so

형용사적	부사적
what + 명사	how + 형용사/부사
such + 명사	so + 형용사/부사

WHAT   what은 형용사적 성격을 갖고 있기 때문에 뒤에 명사가 꼭 와야 합니다.

의문 형용사 | what + **명사** | '어떤'

What kind of Korean food do you like?
어떤 종류의 한국 음식을 좋아하세요?

감탄문 | What + (a) + (형용사) + **명사** + (주어 + 동사)! |

What a nice **hat** it is!
매우 멋진 모자구나!

HOW   how는 부사적 성격을 띠기 때문에 뒤에 형용사나 부사가 옵니다.

의문 부사 | how + **형용사 / 부사** | '얼마나'

How old are you?
나이가 어떻게 되세요?

How often is the magazine published?
그 잡지는 얼마나 자주 발행되나요?

감탄문 | How + **형용사 / 부사** + (주어 + 동사)! |

How amazing you are!
너는 굉장하구나!

How beautifully he sings!
그는 노래를 정말 아름답게 부르구나!

314

SUCH such는 what과 같이 형용사적 성격을 갖고 있기 때문에 명사를 동반합니다.

> | such + (a) + 형용사 + **명사** |

That was **such** a good **movie**.
꽤 괜찮은 영화였다.

Tom is **such** an interesting **person** that everybody wants to be friends with him.
톰은 흥미로운 사람이어서 모든 사람들이 그와 친구가 되고 싶어 한다.

SO so는 how처럼 부사적 성격을 띠기 때문에 형용사나 부사 바로 앞에 위치하여 이들을 강조해 줍니다.

> | so + **형용사 / 부사** + (a) + 명사 |

That was **so good** a movie.
꽤 괜찮은 영화였다.

It happened **so quickly** that I had no time to sort it out.
그 일이 너무 빨리 일어나서 내가 상황 정리할 시간이 없었다.

* NOTE: what ⋯ like = how

What is the weather **like**? = **How** is the weather?

What was the movie **like**? = **How** was the movie?

what ⋯ like와 how는 경우에 따라 약간의 뉘앙스 차이가 있을 수 있습니다.

How's Anne? She is fine. 지금 앤의 기분이나 몸 상태를 묻는 것
how는 안부나 건강 상태, 경험의 후기를 묻거나, 사물의 상태를 물을 때 사용됩니다.

What is Anne **like**? She is positive and active. 앤이라는 사람이 어떤지 묻는 것
what ... like는 사람의 성격이나 외모, 사물의 특징을 물을 때 사용됩니다.

★ but이 '~이외에, ~을 제외하고'의 의미로 쓰일 때

but = except

All members but Tom said yes.
Tom을 제외하고 모든 멤버가 '네'라고 대답했다.

There was nothing left but water in the fridge.
냉장고에 물 말고 아무것도 없었다.

《 but이 포함된 관용어구 》

- have no choice but to V: ~할 수 밖에 없다. (~을 제외하고 선택의 여지가 없다.)

  She had no choice but to follow her parents' advice.
  그녀는 부모님의 충고를 따를 수 밖에 없었다.

  We have no choice but to keep doing what we have been doing.
  우리는 우리가 해왔던 것을 계속 할 수 밖에 없다.

- nothing but N = only (N을 제외하고는 아무것도 아닌)

  He has nothing but good things to say about his newlywed life.
  그는 신혼 생활에 대해 좋은 점만 말한다.

  I love nobody but you.
  나는 너 말고는 아무도 사랑하지 않는다.

- anything but = never

  The designer bag was anything but cheap.
  그 명품백은 절대 저렴하지 않았다.

  Tom is anything but a good consultant.
  Tom은 결코 좋은 상담사는 아니다.

- all but = almost

  After his personal bankruptcy, he all but gave up his dream.
  그가 파산한 후에, 그는 거의 그의 꿈을 포기했다.

  The gathering was all but over when Tom arrived.
  그 모임은 Tom이 도착했을 때 거의 끝나갔다.

- but for = without

  We couldn't live but for air and water.
  우리는 공기와 물 없이 살 수 없을 것이다.

  I would have failed but for your help.
  저는 당신의 도움이 없었다면 실패했을 것입니다.

★ That's why S V   VS.   That's because S V

That's why + S V (결과): '그래서 ~한 것이다.'

I woke up late. That's why I was late for school.
나는 늦게 일어났다. 그래서 학교에 늦었다.

Tom has a test tomorrow. That's why he is studying.
Tom은 내일 시험이 있다. 그래서 그는 공부 중이다.

That's because + S V (이유, 원인): '왜냐하면 ~때문이다.'

I was late for school. That's because I woke up late.
나는 학교에 늦었다. 늦게 일어났기 때문이다.

Tom is studying. That's because he has a test tomorrow.
Tom은 공부 중이다. 왜냐하면 내일 시험이 있기 때문이다.

★ would like (to) = want (to)

would like는 '원하다, 하고 싶다'의 의미로 쓰입니다. want와 비슷한 뜻으로 쓰이나, would like는 want보다 덜 직접적이고 정중한 표현입니다.

I'd **like to** change it from 6 o'clock to 7 o'clock.

I **want to** switch my job.

Would you **like** something to drink?

Do you **want** something to drink?

What **would** you **like to** drink?

What do you **want to** drink?

★ How come S V … ? ≒ Why V S … ?

how come과 why 둘 다 이유를 물어보는 상황에서 쓰입니다. why가 쓰인 의문문은 의문문의 어순으로 이루어지고, how come이 쓰인 의문문은 「how come + 주어 + 동사 … ?」 순으로 이루어집니다. how come은 why보다 격식을 차리지 않는 상황에서 쓰이고, 경우에 따라서 예상치 못한 일이 어째서 일어났는지에 대해서 물어볼 때 쓰이기도 합니다.

How come you have never seen a stray cat?
어째서 길고양이를 본 적이 없어?

How come your car is so dirty?
너 차 왜 이렇게 더러워?

Why are you so excited?
왜 그렇게 신났어?

Why didn't you sort your waste for recycling?
왜 분리 수거를 하지 않았니?

★ tell / say / speak / talk

- **tell** somebody something

  특정 사람에게 정보를 전달할 때, 명령이나 지시할 때

  Tell me something.

  I'd like to tell you how it happened.

  He told me (that) he would meet her on Friday.

  Please tell her to bring my umbrella.

- **say** something **to** somebody

  의견이나 생각을 표현하며, 내용에 초점을 두고 말할 때

  Say something to me.

  I'd like to say how it happened.

  He said to me (that) he would meet her on Friday.

  What did she say to you?

- **speak to/with** somebody **about** something

  말을 전달하거나 공식적으로 중요한 내용을 발표할 때, 언어를 사용한다고 할 때

  Can I speak with you for a moment?

  I'll speak with you about this more on Tuesday.

  He is going to speak in front of hundreds of people on this issue.

  Tom speaks four languages.

- **talk to/with** somebody **about** something

  가까운 사람과의 대화나 격식이 필요하지 않을 때

  She was talking to him the other day.

  I'll talk with you about this more on Tuesday.

  We stayed up late and talked for hours.

  He had a long talk with his parents about his career plan.

★ which의 종류

① 의문대명사

Which is the most popular country?
가장 인기있는 나라는 어디입니까?

Which of these do you prefer?
이것들 중 어는 것을 선호하세요?

② 의문형용사

Which one do you like better?
어느 것을 더 좋아합니까?

Which way is east?
어는 쪽이 동쪽이야?

③ 관계대명사

The shoes **which** are on sale are over there.
할인 중인 신발은 저쪽에 있습니다.

I have found a good restaurant **which** you will like.
네가 좋아할 만한 좋은 식당을 찾았어.

★ perhaps ≒ maybe 〈 possibly 〈 probably

probably는 가능성이 크고 있을 법한 일에 쓰입니다. possibly는 50% 정도의 가능성이 있는 상황에 쓰입니다. perhaps과 maybe는 확실하지는 않지만 가능성이 있는 경우에 쓰이며, perhaps는 문어체나 격식을 차릴 때 주로 사용되고, maybe는 구어체에서 많이 쓰입니다.

Perhaps it won't take so long next time.

He had an unhappy childhood, which **perhaps** explains why he behaves like that.

Maybe Tom is right, or **maybe** not.

She hasn't sent me an e-mail yet. **Maybe** she forgot to do it.

"Will she come?" "**Possibly** yes."

I can **possibly** finish it by this evening if there's no interruption.

I'll **probably** be home till noon.

It was **probably** the best decision I had ever made in my life.

동사의 3단 변화

동사원형	과거	과거분사	동사원형	과거	과거분사	동사원형	과거	과거분사
beat	beat	beaten	give	gave	given	run	ran	run
become	became	become	go	went	gone	say	said	said
begin	began	begun	grow	grew	grown	see	saw	seen
bite	bit	bitten	hang	hung	hung	send	sent	sent
blow	blew	blown	have	had	had	shake	shook	shaken
break	broke	broken	hear	heard	heard	shine	shone	shone
bring	brought	brought	hide	hid	hidden	show	showed	shown
build	built	built	hit	hit	hit	shut	shut	shut
buy	bought	bought	hold	held	held	sing	sang	sung
catch	caught	caught	hurt	hurt	hurt	sit	sat	sat
choose	chose	chosen	keep	kept	kept	sleep	slept	slept
come	came	come	know	knew	known	speak	spoke	spoken
cost	cost	cost	leave	left	left	spend	spent	spent
cut	cut	cut	lend	lent	lent	stand	stood	stood
do	did	done	let	let	let	steal	stole	stolen
draw	drew	drawn	lie	lay	lain	strike	struck	struck
drink	drank	drunk	light	lit	lit	swim	swam	swum
drive	drove	driven	lose	lost	lost	take	took	taken
eat	ate	eaten	make	made	made	teach	taught	taught
fall	fell	fallen	mean	meant	meant	tear	tore	torn
feel	felt	felt	meet	met	met	tell	told	told
fight	fought	fought	pay	paid	paid	think	thought	thought
find	found	found	put	put	put	throw	threw	thrown
fly	flew	flown	read	read	read	wake	woke	woken
forget	forgot	forgotten	ride	rode	ridden	wear	wore	worn
freeze	froze	frozen	ring	rang	rung	win	won	won
get	got	got(ten)	rise	rose	risen	write	wrote	written

긴 여정 수고하셨습니다. 자기 자신을 믿고 최선을 다하여 여러분이 성취하고자 하는 목표까지 도달하기 응원합니다. 노력은 배반하지 않습니다. 감사합니다. 사랑합니다.

-------- 정 답 --------

Ⅰ.문장의 주된 성분들

Chapter 1. 명사

Unit 1. 주어

A. 명사 (p.20)

1. are   2. are   3. ages   4. is   5. are   6. is   7. Some birds

8. A school of fish   9. water   10. Two loaves of bread   11. machinery   12. dollars

B. 대명사 (p.27-28)

1. ④   2. ③   3. ②   4. ①   5. ②   6. ①   7. ④   8. ①   9. ③   10. ④

11. ④   12. ①   13. ②   14. ②   15. ①   16. ③   17. We   18. her

19. Their   20. the ones 또는 those   21. those   22. the others

C. to부정사 (p.31)

1. To play   2. is   3. to go to the library   4. It, a way to keep healthy

5. for them   6. It, of Tom   7. my duty to inform you of the changes

D. 동명사 (p.34)

1. Learning   2. is   3. civilians   4. 보는 것이 믿는 것이다.

5. cooking for somebody   6. It, her doing

E. 명사절 (p.36)

1. Whether   2. What   3. that   4. Where he went   5. 가주어: It, 진주어:

how hard he worked on it   6. 가주어: It, 진주어: that you wear a mask in public

Unit 2. 목적어

A. 명사 (p.38)

1. 1) enough money to pay the bill   2) the house made up of the blue bricks
   3) the phone   2.③   3.②

B. 대명사 (p.42)

1. ②　　2. ①　　3. ②　　4. ①　　5. ④　　6. ①　　7. ②　　8. ④　　9. ②　　10. ③

C. to 부정사 & 동명사 (p.49)

1. to do　　2. to go, going / working out　　3. to sell　　4. waiting　　5. to ask

6. cleaning　　7. going　　8. biting　　9. to get　　10. to meet　　11. visiting

12. meeting　　13. buying　　14. to cry, crying　　15. to work, working

16. to travel, traveling　　17. going　　18. going　　19. going　　20. going

D. 명사절 (p.52)

1. why　　2. if　　3. that　　4. what　　5. whether you have a phobia　　6. who to talk to

7. that making a plan can help you achieve your goal　　8. which song we will sing

Unit 3. 보어

A. 주격 보어 (p.56)　　1. someone who will assist you　　2. pointless　　3. clustered
　　　　　　　　　　　　4. surrounded　　5. ③　　6. ③　　7. ④

B. 목적격 보어 (p.58)　　1. ①　　2. ② look → looking　　3. I think him honest.

Chapter 2. 형용사

Unit 1. 형용사 (p.66)

1. 형: lots of cool, 꾸밈 받는 단어: toys

2. 형: humorous and all-around, 꾸밈 받는 단어: She

3. 형: interesting, 꾸밈 받는 단어: the story　　4. an easy book

5. the situation is complicated　　6. Those two tall girls are his daughters.

7. ③　　8. ②　　9. were　　10. is　　11. move / was　　12. something new / much

Unit 2. 분사(구) (p.69)

1. The cat　　2. cell phones　　3. my dad　　4. a big car　　5. waiting　　6. invited

7. living　　8. made　　9. covered　　10. picking

Unit 3. 형용사구 (p.73)

1. use   2. with   3. in   4. against   5. to arrive   6. to sit on   7. to live in
8. to tell   9. are going to   10. was, destined to   11. must   12. intend to

Unit 4. 비교급 (p.83-85)

1. ②   2. better / worst / more / least   3. ①; than → to   4. ④: ① more small
→ smaller, ② river → rivers, ③ usefuler → more useful   5. as(=so), as
6. twice heavier   7. not taller, taller   8. than, other / all, CEOs / No, richer / as, as
9. The more, the more calories   10. The more, the easier   11. As, warmer, better
12. at least   13. only   14. not, as(=but)   15. better, better
16. more, more talkative   17. earlier   18. less peaceful   19. more interested
20. The eldest (or Their eldest)   21. the cheapest   22. ④; very (X)

Chapter 3. 동사

Unit 1. 문장의 형식

1형식 (p.92)

1. S: My cousins / V: are   2. S: One's word / V: should be kept
3. S: The song you like / V: is playing   4. V: are / S: a few simple tips for grocery
shopping   5. Sam and Sue went to the market to get some fruits.
6. The white house with a roof deck stands on the hill.
7. The beautiful lady smiled in a friendly way.   8. ③; ③-2형식

2형식 (p.95)

1. S: Things / V: are getting / C: better   2. S: My younger brother / V: is / C: smart
and humorous   3. S: Those people at the table / V: are / C: tennis players
4. S: This spaghetti / V: tastes / C: good
5. The baby looks happy.   6. It is difficult to learn Latin.
7. Tom seemed smart at first, but soon his stupidity became evident. 8. ④ truly → true
9. ①; ② sweetly → sweet   ③ felt like bad → felt bad   ④ smells → smells like

3형식 (p.98)

1. S: He / V: didn't do / O: his homework   2. V: Wash / O: your hand

3. S: She / V: said / O: that her nickname is Sam

4. S: Jenny / V: wants / O: to meet her friend in L.A.   5. He told the news to her.

6. Tom bought some snacks at that store.

7. Do you and Sue study French together every Sunday?   8. ③

4형식 (p.101-102)

1. S: My sister / V: made / I.O: me / D.O: some doughnuts   2. S: Tom / V: gave /
I.O: her / D.O: a ride   3. S: Van / V: is writing / I.O: his brother / D.O: a letter

4. S: The instructor / V: teaches / I.O: us / D.O: how to swim   5. Get me some water,
please.   6. I have saved a seat for you.   7. Can you lend me your car this evening?

8. A kind old man showed me the way to the station.   9.for me   10.his friend

11.to the staff   12.of you   13. ④ to me → for me

5형식 (p.110-111)

1. S: They / V: think / O: me / O.C: a liar   2. S: Tom / V: thought / O: his sister /
O.C: bright and brave   3. S: I / V: found / O: Greg in the room / O.C: reading a book

4. S: The spectators / V: voted / O: the black dog / O.C: the grand prize winner

5. S: you / V: get / O: your car / O.C: washed   6. S: Sue / V: felt / O: something /
O.C: touch her on the back   7. S: She / V: asked / O: me / O.C: to help her

8. S: you / V: expect / O: her / O.C: to believe you   9. clean   10. responsible

11. worried   12. burning   13. repaired   14. fascinating   15. get rid of

16. to check   17. come, coming   18. The court pronounced the boy not guilty.

19. I heard my dog barking at the wind.   20. We will have the goods delivered to
the client tomorrow.   21. The doctor told him not to drink.   22. ② to jog→ jog(ging)

< 문장의 형식 종합 문제 >   (p.112)

☺ 문장의 형식

2형식 - 보어 또는 주격 보어 / 3형식 – 목적어 / 4형식 – 간접 목적어, 직접 목적어 / 5형식 – 목적어, 목적격 보어

1. 3형식   2. 2형식   3. 1형식   4. 5형식   5. 2형식   6. 4형식   7. 1형식

8. 3형식   9. 5형식   10. 1형식   11. 3형식   12. 3형식   13. 5형식   14. 1형식

15. 3형식   16. 4형식   17. 5형식   18. 2형식

Unit 2. 동사의 시제

현재   (p.120)

1. is   2. drink   3. arrives   4. begins   5. study → studies

6. keep → keeps / reach → reaches   7. walk → walks   8. will rain → rains

과거   (p.120~121)

9. were   10. died   11. was   12. was   13. did   14. invented, made

미래   (p.121)

15. are   16. are coming   17. won't   18. begin   19. am going to play

20. are you going to wear   21. was, about to meet

현재완료   (p.126~127)

1. has increased   2. has made   3. for a long time   4. since a month ago

5. yet   6. has gone   7. have lived   8. have had   9. has lost

10. have / been 또는 stayed   11. have never(=not) played   12. have just had

(=have just eaten)   13. has / solved / yet   14. ③ have lost→lost   15. ④

과거완료   (p.131)

1. had   2. had written   3. after   4. had met   5. has worked

6. had eaten (=had had)   7. had gone

미래완료   (p.132)

1. will have been married   2. will have spent

진행 (p.136)

1. having 　　 2. were 　　 3. will be 　　 4. love 　　 5. has been raining

6. had been playing

Unit 3. 능동태 수동태 (p.149-150)

1. ③ 　　 2. cleaned 　　 3. her 　　 4. pleased 　　 5. as 　　 6. dealt with 　　 7. to 　　 8. of

9. to leave 　　 10. crossing 　　 11. be built 　　 12. is being built 　　 13. has been, built

14. was built 　　 15. was not written 　　 16. has helped 　　 17. were, sung by

18. was bought for 　 19. elected Lincoln 　 20. were made to open 　 21. let / be repeated

22. was believed / was believed to be 　　 23. It is supposed / is supposed to be used

Unit 4. 부정문과 의문문

부정문 (p.158-159)

1. We were not in the office. 　　 2. You should not give up on your dream.

3. Tom does not get to work early. 　　 4. This song never fails put me in a great mood.

5. They have no respect for him. 　　 6. Neither country is in Europe. 또는 Neither of the

countries are(is) in Europe. 　　 7. ① 　　 8. ② 　　 9. ③ 　　 10. ② (not time → no time)

11. ④ 　　 12. ① (②, ③, ④는 부분 부정입니다.) 　　 13. neither 　　 14. no rule

의문문 (p.166-167)

1. Was Sue able to make spaghetti? 　　 2. Did Tom come to the party? 　　 3. Does he

seem to be comfortable? 4.Don't you care(=Do you not care) about what they are saying?

5. Where were they 　　 6. When did he start 　　 7. What did you do 　　 8. ①

9. ② 　　 10. ① 　　 11. are you 　　 12. will she 　　 13. hadn't he 　　 14. don't you

15. where Sue has gone 　　 16. if(=whether) there is a flower shop near here

17. why she left early 　　 18. if(=whether) I had a driver's license

19. What do you think will be a good present for her?

20. ①, ③; ① I wonder where he lives. 　 ③ What do you think it means?

Unit 5. 조동사 (p.172)

1. will go   2. will do   3. might go   4. can't come   5. must win

6. had to wait   7. should watch   8. are you going to meet

9. was not able to hear   10. don't have to go there   11. had better not cancel

12. should not have eaten   13. must have felt   14. cannot(=can't) have done

Chapter 4 부사   (p.187-188)

1. ② (longly → long)   2. ③ high → highly 3. ④ (④-형용사 / ①, ②, ③-부사)   4. ②

5. ① in → on   6. 수의 서른번째 생일을 축하하기 위해서   7. 당신을 직접 뵙게 되어

기쁜   8. 찾기 어려운   9. 어느 날 아침에 일어나 자신이 유명하진 것을 알았다.

10. 그가 나를 도와준다면   11. ④ (④-명사적 / ①, ②, ③-부사적)   12. B   13 .C

14. A   15. too crowded, to move

Ⅱ. 복문의 이해

단문, 복문, 중문   (p.193)

1.복문   2.단문   3.중문   4.복문   5.복문   6.중문

Chapter 5. 접속사

등위 접속사   (p.202)

1. so   2. for   3. yet   4. or

상관 접속사   (p.202)

1. and   2. or   3. nor   4. but   5. as well as   6. can't(cannot) / either

종속 접속사   (p.203)

1. when   2. if   3. that   4. since   5. What   6. Even if   7. Unless   8. As

9. whereas   10. While   11. so   12. that   13. After she had dinner, she went to bed.

14. Though we often got into arguments, I miss them very much.   15. Grandmother

was so happy that she danced.   16. This is such a difficult book that I can't read it.

Chapter 6. 가정법   (p.209-210)

직설법 조건문 / 가정법 과거 / 가정법 과거 완료 / 혼합 가정법

☺ A. will/can/shall/may   B. 동사의 과거, 동사원형

   C. had p.p, have p.p   D. had p.p, have p.p

1. If   2. when   3. am   4. will hold   5. could   6. would have arrived

7. won   8. had   9. had seen   10. would have taken   11. would not be

12. had planted   13. am not / cannot(=can't)   14. met   15. knew / tell

16. had been / have gone   17. did not / am not   18. had / could

19. had been / would(=could) have visited   20. is not / did not support

실현 가능성 없는 가정 / I wish & as if 가정법 / If 대용어구 / If 없는 가정법 (p.220-221)

1. were to be   2. were   3. had not eaten   4. as if   5.were   6.would   7.were

8. Were he   9. should   10. see   11. cannot(=can't)   12. did not win

13. knew   14. am not   15. If it were not for / Were it not for / But for

16. Without   17. If I had   18. listen, follow   19. made   20. if I invited

21. in case   22. unless   23. providing or as long as   24. As long as or Providing

25. otherwise

Ⅲ. 효율적 문장 구조

Chapter 7. 분사구문

분사 (p.242-243)

1. (1) the girl   (2) The girl living in that house   (3) living

2. (1) lamps   (2) several used lamps   (3) used

3. (1) some kids   (2) scared of the sound of a balloon popping   (3) scared

4. broken   5. surrounded   6. running   7. tired   8. boring   9. wearing

10. filled   11. clogged   12. laughing   13. fried   14. singing   15. destroyed

16. closed   17. boiling   18. heated   19. sitting   20. repaired   21. burning

22. to have → having 또는 have   23. standing   24. built   25. surprised

분사 구문 (p.244-245)

1. ①   2. ④   3. ③   4. ①   5. ②   6. (Being) Recognized as the best in the world

7. (After) Having bought their tickets   8. It being late at night   9. (while) watching

television   10. not being able to swim   11. though(=although. even though,

even if) I live next door to her   12. as(=because, since) there was nothing suspicious

13. While(=When) my sister <u>was walking</u> (또는 walked) down the street

14. Because(=As, Since) he doesn't have a car   15. When(=While) Sally <u>was coming</u>

(또는 came) into the house   16. Because(=As,Since) 또는 After I had lost all money

Chapter 8. 관계대명사

관계대명사 (p.266-269)

☺A. who   B. who(m)   C. whose, of which   D. that

1. (1) The machine   (2) The machine that broke down   (3) has just been repaired

2. (1) The man   (2) The man who I was sitting next to on the plane

   (3) was sitting next to him   (4) who

3. (1) the boy   (2) the boy that is putting on a blue hat

   (3) is putting on a blue hat   (4) that is

4.who   5.which   6.which   7.whom   8.that   9.what   10.in which

11.says, is   12.were   13.who,that   14.whose   15.that   16.which,that   17.whom

18.what   19.which,that   20.which   21.what   22. that doesn't fit me well = which doesn't fit me well   23. whom you met in the classroom = who you met in the classroom = that you met in the classroom = you met in the classroom   24. whose car you hit was angry = of which the car you hit was angry = the car of which you hit was angry   25. I was talking with yesterday / whom   26. (1)관계대명사 (2)접속사 (3)접속사   27. ④   28. ②; 의문대명사   29 ③; none of which   30. ②; ①-The party that we went to last night was amazing. ③-in which ④-designs, advises

유사관계대명사 (p.274)

☺ as, than

1.as   2.as   3.than   4.but   5.as   6. than   7.but   8.but   9.as   10. than

11. ②; ②-접속사, ①, ③, ④-유사관계대명사

Chapter 9. 관계부사

관계부사   (p.281-282)

1. (1) the day   (2) the day when we first met   (3) on the day

2. (1) The town   (2) The town where I usually spend my holidays   (3) in the town

3. (1) the reason   (2) the reason why he left   (3) for

4. where   5. in which   6. when   7. in which   8. why   9. that (관계부사 대용)

10. how   11. the way   12. why   13. how   14. where   15. when

16. where people suffer injustice   17. why you came home late

18. when I was born   19. which   20. on which   21. that   22. in

복합관계대명사 & 복합관계부사 (p.286-287)

☺ 복합관계대명사　　　A. whichever　　　B. who(m)ever

☺ 복합관계부사　　　　C. whenever　　　D. however

1.whatever　　2.Whichever　　3.whomever　　4.Whoever　　5.However　　6.Whenever

7.Whatever　　　8.Wherever　　　9.부사절　　　10.명사절　　　11.명사절　　　12.부사절

13. However small　　14. No matter what

Ⅳ. 주의해야 할 구문

Chapter 10. 중요한 구문 형식

Unit 1. 도치 구문　(p.296-297)

1. have I seen　　2. was she able to relax　　3.stood several kids　　4.has it changed

5. did they try　　6. I knew → did I know　　7. he has → does he have 또는 has he got

8. so you can → so can you　　9. So → Such　　10. neither I do → neither do I

11. ③; I am saying → am I saying　　12. ⑤　　13. did our team begin / not until last

year　　14. sooner had Tom stepped out / when이나 before

Unit 2. 강조 구문　(p.303)

1. (1) at the café　(2) I met him at the café.

2. (1) the courage to continue　(2) The courage to continue counts.

3. It was the importance of economic recovery that he spoke on in the conference.

4. ③, ⑤; 진주어-완전한 절　5. call　6. I　7. What　8. idea of equality

Unit 3. 특수 구문　(p.309)

1. 그 영화는 너무 지루해서 나는 졸았다.　2. 그 식당은 너무 붐벼서 우리는 오래

기다려야 했다.　3. 너는 그 남자와 사랑에 빠진 것 같아.　4. so → such

5. such → so　6. being → to be　7. too, to　8. enough to carry　9. so bold that

10. so, that I could not catch　11. It seems, is willing to　12. seemed to have been